S0-BEJ-067

VALERIO MASSIMO MANFREDI

IDI DI MARZO

OSCAR MONDADORI

© 2008 Arnoldo Mondadori Editore S.p.A., Milano

I edizione Omnibus ottobre 2008
I edizione Grandi Bestsellers giugno 2009

ISBN 978-88-04-59271-6

Questo volume è stato stampat
presso Mondadori Printing S.p.A.
Stabilimento NSM - Cles (TN)
Stampato in Italia. Printed in Italy

Anno 2012 - Ristampa   5 6 7

www.librimondadori.it

IDI DI MARZO

A John e Diana

Chi deve morire è già morto.
E un morto non è più niente.

EURIPIDE, *Alcesti* 527

CAPITOLO I

Romae, Nonis Martiis, hora prima
Roma, 7 marzo, le sei di mattina

Un'alba grigia, un cielo invernale, plumbeo e compatto, lasciava filtrare un velo di chiarore da nubi meno spesse distese sull'orizzonte. Anche i rumori erano diffusi, torpidi e opachi come la nuvolaglia che schermava la luce. Il vento giungeva a intervalli dal vico Iugario come l'ansito di un fuggitivo. Un magistrato apparve nella piazza dall'estremità meridionale del foro. Era solo ma riconoscibile dalle insegne e camminava di buon passo verso il tempio di Saturno. Rallentò davanti alla statua di Lucio Junio Bruto, l'eroe che aveva abbattuto la monarchia quasi cinque secoli prima. Ai piedi del grande bronzo corrucciato, sul piedistallo che recava l'elogio, qualcuno aveva tracciato una scritta col minio: "Bruto, dormi?".

Il magistrato scosse il capo e proseguì la sua strada, aggiustandosi la toga che gli scivolava dalle spalle magre a ogni soffio di vento. Salì sollecito le scale del tempio passando accanto all'altare ancora fumigante e scomparve nell'ombra del portico.

Al piano superiore della casa delle vestali si aprì una finestra. Le vergini custodi del fuoco si destavano al loro dovere. Altre si preparavano a riposare dopo la veglia notturna.

La vestale massima, avvolta di bianco, uscì dal portico interno e si diresse alla statua di Vesta che campeggiava al centro del claustro. La terra tremò, il capo della dea oscillò a destra e a sinistra. Un frammento di laterizio cadde dal cornicione dentro la fontana con un tonfo secco amplificato dal silenzio. Si udì un rumore lontano mentre la vestale levava gli occhi al vento e alle nubi. Il suo sguardo si riempì di sgomento. Perché la terra rabbrividiva?

Sull'isola Tiberina, nel quartier generale della Nona legione, stanziata fuori le mura da Marco Emilio Lepido, smontava l'ultimo turno di guardia. I militi e il centurione resero gli onori all'aquila e rientrarono in ordine per due al loro alloggiamento. Il Tevere scorreva impetuoso, lambendo torbido e gonfio i rami spogli degli ontani che si protendevano dalle rive.

Un grido, acuto e intermittente, lacerò il silenzio livido dell'alba. Un grido dalla casa del pontefice massimo. Le vestali lo avvertirono dalla loro casa, quasi attigua, e furono assalite dal panico. Era già successo, ma ogni volta era peggio.

Il grido si ripeté e la vestale massima si affacciò sulla soglia. Da lì riusciva a scorgere i guardaspalle, due Celti giganteschi, appoggiati agli stipiti della porta della Regia, apparentemente impassibili. Forse erano abituati, forse sapevano di che cosa si trattava. Quella voce era la sua? La voce del pontefice? Era distorta e mugolante ora, come quella di un animale in agonia. Risuonò il passo concitato di un uomo che accorreva reggendo fra le mani una borsa di cuoio, si faceva largo fra i due Celti, immobili come telamoni, e scompariva nell'androne dell'antico edificio.

Il tuono rumoreggiò lontano, dalla parte dei monti, e una raffica di vento più intensa piegò le chiome dei frassini sul Quirinale. Tre squilli di tromba annunciarono il giorno. La vestale massima entrò nel santuario e si raccolse in preghiera davanti alla dea.

Il medico fu accolto da Calpurnia, la sposa del pontefice massimo, angustiata:

«Antistio, finalmente! Vieni, presto. Questa volta non riusciamo a calmarlo. Silio si sta occupando di lui.»

Antistio la seguì e intanto frugava nella borsa estraendone una stecca di legno rivestita di cuoio. Entrò nella stanza.

Su un letto in disordine, grondante di sudore, gli occhi persi nel vuoto, la bava alla bocca, i denti inchiodati in uno spasmo digrignante, trattenuto dalle braccia nerborute di Silio Salvidieno, il suo aiutante di campo, stava riverso il pontefice massimo, dittatore perpetuo, Caio Giulio Cesare, in preda alle convulsioni.

Calpurnia abbassò lo sguardo per non vedere quello spettacolo e si girò verso la parete.

Antistio salì sul letto e introdusse a forza la stecca di legno fra i denti del paziente, fino a separare la mandibola dall'arcata superiore.

«Tienilo fermo» diceva. «Tienilo fermo!» Estrasse una fiala di vetro dalla borsa e gli instillò nella bocca alcune gocce di un liquido scuro. Dopo qualche tempo le convulsioni si attenuarono, ma Silio non mollò la presa finché il medico non gli fece segno che poteva adagiare Cesare sulla schiena e coprirlo con la coltre di lana.

Calpurnia si avvicinò. Gli deterse il sudore dalla fronte e la bava dalla bocca, quindi gli bagnò le labbra con un lino inzuppato nell'acqua fresca. Alla fine si volse verso Antistio: «Ma che cos'è?» domandò. «Che cos'è questa cosa terribile?»

Cesare ora giaceva in uno stato di completa spossatezza. Aveva gli occhi chiusi e respirava a fatica in un torpore pesante.

«I Greci lo chiamano "morbo sacro", perché gli antichi lo credevano conseguenza dell'azione di spiriti, demoni o divinità. Anche Alessandro ne soffriva, a quanto pare, ma in realtà nessuno sa che cosa sia. Se ne conoscono i sintomi e si cerca di limitarne i danni. Il pericolo maggiore è che chi ne soffre si mozzi la lingua con i suoi stessi denti. Qualcuno, invece, dalla lingua è rimasto soffocato. Gli ho somministrato il solito calmante, che per fortuna sembra efficace. Ma mi preoccupa la frequenza degli attacchi, l'ultimo è stato solo due settimane fa.»

«Che cosa possiamo fare?»

«Niente» rispose Antistio scuotendo il capo. «Non possiamo fare niente più di quello che abbiamo fatto finora.»

Cesare aprì gli occhi e si guardò intorno. Alla fine si volse a Silio e a Calpurnia: «Lasciatemi solo con lui» disse accennando al medico.

Silio rivolse ad Antistio uno sguardo interrogativo.

«Puoi andare» rispose Antistio. «Non c'è più pericolo. Ma resta nelle vicinanze. Non si sa mai.»

Silio assentì e uscì dalla stanza assieme a Calpurnia. Era il suo appoggio e il suo aiuto ed era l'ombra del suo comandante. Centurione della leggendaria Decima, veterano con vent'anni di servizio, capelli brizzolati, occhi scuri, umidi e mobilissimi come quelli di un bambino, collo da toro. Le andava dietro come un cucciolo.

Il medico appoggiò l'orecchio sul petto del paziente e lo auscultò: il cuore andava riprendendo il suo ritmo normale.

«Le tue condizioni stanno migliorando» disse.

«Non è questo che mi interessa» rispose Cesare. «Piuttosto dimmi: che cosa accadrebbe se avessi un attacco del genere in pubblico? Se cadessi a terra con la bava alla bocca in senato o sui rostri?»

Antistio chinò il capo.

«Non hai risposte da darmi, vero?»

«No, Cesare, ma ti capisco. Il fatto è che queste crisi non danno preavviso. Almeno per quanto ne so io»

«Quindi dipendono dal capriccio degli dèi.»

«Tu credi agli dèi?»

«Sono il pontefice massimo. Che cosa dovrei risponderti?»

«La verità. Sono il tuo medico, se vuoi che ti aiuti devo capire la tua mente, oltre al tuo corpo.»

«Credo che siamo circondati dal mistero. Nel mistero c'è spazio per tutto, anche per gli dèi.»

«Ippocrate ha detto che questa malattia si chiamerà morbo sacro fino a che non ne verranno scoperte le cause.»

«Ippocrate aveva ragione ma purtroppo il morbo continua a essere "sacro" ancora oggi e lo sarà, temo, ancora per molto. Eppure io non posso permettermi di dare pubblico spettacolo delle mie debolezze. Questo lo capisci?»

«Lo capisco. Tuttavia l'unico che può rendersi conto del sopraggiungere di un attacco sei tu. Si dice che il morbo sacro non dia preavvisi ma ciascun uomo è diverso di fronte alla malattia. Quando succede a te, hai segni premonitori?»

Cesare trasse un lungo respiro e restò in silenzio per un poco, sforzandosi di ricordare. Rispose: «Forse. Ma non si tratta di segnali evidenti o dalle caratteristiche sempre identiche. A volte mi è capitato di vedere immagini di altri tempi, improvvise... simili a lampi».

«Che genere di immagini?»

«Stragi, campi ricoperti di morti, nubi che galoppano urlando, come furie infernali.»

«Possono essere semplici ricordi. O incubi. Li abbiamo tutti. E tu più di chiunque altro. Nessuno ha vissuto una vita come la tua.»

«No, non sono incubi: quando dico "immagini" intendo qualcosa che vedo come ora vedo te.»

«E queste... visioni sono sempre seguite da accessi del morbo?»

«A volte sì, altre no. Non posso affermare con certezza che abbiano a che fare con la malattia. È un nemico subdolo, Antistio, un nemico privo di volto, che attacca, colpisce e si dilegua come uno spettro. Sono l'uomo più potente del mondo e di fronte a questo morbo sono inerme come l'ultimo dei derelitti.»

Antistio sospirò: «A chiunque altro consiglierei...».

«Che cosa?»

«... di ritirarsi a vita privata. Di lasciare la città, le cariche pubbliche, la lotta politica. Altri lo hanno fatto prima di te: Scipione l'Africano, Silla. Forse il morbo si attenuerebbe con l'attenuarsi della tua lotta quotidiana. Ma non credo che seguiresti il mio consiglio. Dimmi, lo faresti?»

Cesare si levò a sedere sulla sponda del letto. Appoggiò i piedi sul pavimento e si alzò.

«No. Non posso permettermelo. Troppe cose mi restano da fare. Devo affrontare il rischio.»

«Allora circondati sempre di uomini fedeli. Fai in modo che, se dovesse succedere, qualcuno ti copra con la toga e una lettiga chiusa sia pronta ad accoglierti per condurti dove nessuno possa vederti e dove io mi troverò ad aspettarti. Quando la crisi sarà passata tornerai dov'eri come se nulla fosse accaduto. È tutto quello che posso dirti.»

Cesare annuì: «È un consiglio saggio. Ora puoi andare, Antistio. Mi sento meglio».

«Preferirei restare.»

«No. Avrai altre faccende di cui occuparti. Mandami Silio con la colazione. Mangerò qualcosa.»

Antistio chinò il capo. «Come preferisci. Insieme alla colazione Silio ti porterà la pozione che ora preparerò. Contribuisce a diluire gli umori della milza, di solito ti dà giovamento. Adesso distenditi e cerca di rilassare le membra. Quando ti sentirai meglio prendi un bagno caldo e fatti massaggiare.»

Cesare non rispose.

Antistio uscì con un sospiro.

Trovò Calpurnia nell'atrio, seduta su una seggiola a braccioli. Indossava ancora la veste da notte, non aveva fatto il bagno né aveva toccato cibo. Le si leggevano i segni della fatica sul volto e sul corpo. Quando vide Antistio dirigersi verso la cucina gli andò dietro.

«Allora?» domandò. «Che cosa mi dici?»

«Nulla di nuovo, purtroppo, ma ho l'impressione che la malattia si stia consolidando. Possiamo solo cercare di ridurne gli effetti e sperare che se ne vada così come è arrivata, ammesso che sia possibile. Cesare è uomo di grandi risorse.»

«Nessun uomo può attraversare altrettante tempeste del corpo e dello spirito senza riportarne danni permanenti. Gli ultimi dieci anni sono equivalsi a dieci vite e lo hanno logorato. Cesare ha cinquantasei anni, Antistio, e intende intraprendere un'altra spedizione in Oriente. Contro i Parti.»

Mentre il medico pestava dei semi in un mortaio e li metteva a sobbollire sul fornello, Calpurnia si sedette. Un'ancella le preparò un uovo scottato sotto le braci e del pane tostato, la sua colazione consueta.

«E quella donna contribuisce a peggiorare la situazione.»

Con le parole "quella donna" Calpurnia si riferiva a Cleopatra VII, la regina d'Egitto che alloggiava nella villa di Cesare oltre Tevere. Antistio tacque, sapendo come sarebbe andata a finire se avesse affrontato l'argomento da qualunque punto di vista. Cleopatra aveva portato con sé anche il bambino che aveva avuto l'ardire di chiamare Tolomeo Cesare.

«Quella sgualdrina...» riprese Calpurnia visto che Antistio non raccoglieva l'argomento offerto alla conversazione. «Mi auguro che muoia. Le ho fatto lanciare il malocchio, ma chissà con quali antidoti si protegge e chissà quali filtri ha fatto ingerire a mio marito per legarlo a sé.»

Antistio non riuscì a mantenere il silenzio: «Mia signora, qualunque uomo di mezza età avverte la lusinga di un figlio concepito con una donna bella e nel fiore degli anni. Lo fa sentire giovane e vigoroso...». Si interruppe e si morse le labbra: non era stata la frase più felice da rivolgere a una moglie che non poteva avere figli.

«Perdonami» si affrettò a soggiungere Antistio. «Sono cose in cui non dovrei immischiarmi. E per di più Cesare non ha bisogno di immaginarsi vigoroso. Lo è. In vita mia non ho mai visto un uomo della sua tempra.»

«Lascia perdere. Ci sono abituata» rispose Calpurnia. «A preoccuparmi è il peso enorme che grava sulle sue spalle. Non può continuare a reggerlo a lungo e sono sicura che molti aspettino di vederlo in ginocchio. Molti che oggi gli mostrano il volto di amico si trasformerebbero in belve feroci. Non mi fido di nessuno io, capisci? Di nessuno.›

«Sì, mia signora, ti capisco» rispose il medico. Allontanò la pozione dal fuoco, la filtrò, la versò in una tazza che appoggiò sul vassoio su cui il cuoco stava sistemando la colazione di Cesare: fave, formaggio e focaccia con olio d'oliva. Silio entrò in quel momento e prese solo la pozione.

«Come, non mangia?» domandò Calpurnia.

«No. Sono passato da lui e ha cambiato idea. Non si sente più di mangiare. È salito in terrazza.»

«La tua pozione, Cesare.»

Gli voltava le spalle. Appoggiato con le mani alla balaustra, guardava in direzione dell'Aventino da dove, simile a una nube scura, si alzava un volo di storni verso il Tevere.

Si girò lentamente, come se si fosse reso conto in ritardo della presenza di Silio, prese la pozione fumante e l'appoggiò a raffreddarsi sul parapetto. Dopo alcuni istanti l'accostò alle labbra e bevve qualche sorso.

«Dov'è Publio Sestio?» chiese dopo aver deglutito.

«Il centurione Publio Sestio è a Modena, secondo i tuoi ordini, Cesare.»

«Lo so bene, ma secondo i miei calcoli dovrebbe ormai essere di ritorno. Ha mandato un messaggio?»

«No, non che io sappia.»

«Se arriva un suo dispaccio, avvertimi immediatamente, a qualunque ora e qualsiasi cosa io stia facendo.»

«Fra non molto starai offrendo un sacrificio a Giove Ottimo Massimo nel suo tempio in Campidoglio. Sempre che tu te la senta.»

Cesare prese un altro sorso della pozione e lo guardò: «Già. A volte dimentico di essere il sommo sacerdote di Roma e invece dovrebbe essere il primo dei miei pensieri... Niente bagno e niente massaggio dunque».

«Dipende da te, Cesare» rispose Silio.

«Mi raccomando: svegliami se sto dormendo.»

«Puoi spiegarti meglio?»

«Se arriva un dispaccio da Sestio.»

«Certo. Stai tranquillo.»

«Dovrebbe essere il primo dei miei pensieri...» ripeté come tra sé. Silio lo guardava interdetto, cercando di seguire il suo divagare. «... il mio sacerdozio voglio dire. Eppure non ho mai pensato che gli dèi si curino di noi. Perché mai dovrebbero?»

«È la prima volta che ti sento ragionare di queste cose. Che cosa ti passa per la mente, comandante?»

«Sai perché ogni giorno bruciamo vittime sugli altari? Perché gli dèi vedano il fumo che sale dalle nostre città ed evitino di calpestarle quando camminano invisibili sulla terra. È così, altrimenti ci schiaccerebbero come noi schiacciamo le formiche.»

«Mi sembra un paragone interessante» rispose Silio. «Antistio ha detto di berla tutta, quella» concluse indicando la tazza. Cesare la riprese in mano e la vuotò in pochi sorsi.

«E infatti nessun fumo è denso e nero come quello della carne bruciata. Io lo so.»

Anche Silio lo sapeva e sapeva a cosa stava pensando il suo comandante. Gli era stato al fianco a Farsalo, ad Alessandria, in Africa, in Spagna. Da quando aveva varcato il Rubicone, per anni aveva visto ardere non i corpi di nemici selvaggi ma di cittadini come lui, i corpi di cittadini romani. Aveva impressa nella memoria la visione del campo di Farsalo coperto dai cadaveri di quindicimila concittadini fra cui cavalieri e senatori, ex magistrati. Cesare, da cavallo, aveva scorso con lo sguardo rapace il campo dell'eccidio. Aveva detto: «Lo hanno voluto loro», ma a voce bassa, come se parlasse a se stesso, come per scaricarsi la coscienza.

Fu la volta di Cesare a riscuotere Silio dai suoi pensieri: «Andiamo, ci aspettano e devo ancora prepararmi»

Scesero insieme e Silio lo aiutò a lavarsi e vestirsi. «Chiamo la lettiga?» gli domandò.

«No. Andiamo a piedi, una passeggiata non può che farmi bene.»

«Allora chiamo la guardia.»

«Non importa. Anzi, sto pensando che sia meglio sbarazzarmene.»

«Della guardia? E perché mai?»

«Non mi piace l'idea di andare in giro per la mia città con una guardia del corpo. Lo fanno i tiranni.»

Silio lo guardò stupefatto ma non disse nulla. Attribuiva quello strano modo di comportarsi alla malattia o ai pensieri che la malattia gli procurava.

«E poi...» riprese a dire Cesare «... i senatori hanno approvato un senatoconsulto in cui si impegnano a farmi scudo con il proprio corpo in caso di minaccia alla mia persona. Quale migliore difesa potrei chiedere?»

Silio trasecolò. Quasi non si capacitava delle parole che aveva ascoltato e già ragionava su come impedire una decisione che appariva folle. Si liberò con una scusa, scese al piano terreno e diede disposizione ad alcuni servi di seguire con la lettiga a una certa distanza.

Si incamminarono lungo la via Sacra passando davanti al tempio di Vesta e alla basilica che Cesare aveva fatto edificare con il bottino della campagna contro i Galli. Non era ancora terminata ma aveva deciso di dedicarla già due anni prima, come se lo incalzasse l'urgenza.

Era una costruzione magnifica, con tre grandi navate e rivestita di marmi preziosi, uno dei doni che aveva voluto offrire alla città, ma di certo aveva in mente altro. Da quando era tornato da Alessandria, la vista di Roma non lo soddisfaceva più. Era una città cresciuta in modo casuale e disarmonico, dove gli edifici erano stati accostati agli edifici in una calca spesso indecorosa. Mancavano le vie imponenti, le piazze maestose e i monumenti straordinari che ad Alessandria destavano l'ammirazione dei visitatori di ogni parte del mondo.

Il foro alla loro destra cominciava a riempirsi di gente, ma nessuno notava Cesare perché si era tirato la toga sul capo e non era facile distinguerne il volto. Passarono davanti al tempio di Saturno, il dio che aveva regnato durante l'età dell'oro, l'età in cui gli uomini erano contenti di ciò che la terra e le greggi offrivano loro per vivere, abitavano capanne di legno e di frasche, si svegliavano al canto degli uccelli e andavano a dormire dopo un pasto frugale consumato attorno a una mensa modesta condivisa con i figli e la sposa.

Silio si sorprese a pensare all'età che era toccata in sorte a lui: un'epoca di ferocia e avidità, di conflitti incessanti, lotte intestine, stragi di cittadini perpetrate da altri cittadini, liste di proscrizione, esili e tradimenti, un'epoca di scontri furibondi. L'odio tra fratelli è il più duro e implacabile, pensava fra sé, e mentre guardava il volto di Cesare tagliato dall'ombra della toga che gli ricadeva ai

18

lati del capo si chiedeva se davvero quell'uomo potesse essere il fondatore di una nuova era. Un'era in cui, esaurita la ferocia di lotte interminabili, si aprisse un periodo di pace in grado di far dimenticare il sangue versato e di sopire con il tempo i rancori più tenaci. Poi alzò gli occhi al tempio imponente che dominava la città dall'alto del colle Capitolino.

Il cielo era scuro.

CAPITOLO II

Usciva dalla porta principale di Alesia su un possente cavallo da battaglia, bardato di falere, rivestito dell'armatura più bella.

Cesare, ammantato di rosso, sedeva sullo scranno davanti alle fortificazioni dell'accampamento, attorniato dai suoi ufficiali e dai suoi legionari.

Gli spalti della città erano gremiti di una folla muta e sgomenta che assisteva alla scena del proprio capo supremo che andava ad arrendersi.

Il grande guerriero si avvicinò, girò al passo intorno a colui che lo aveva sconfitto, quindi scese da cavallo, si spogliò delle armi, le gettò ai suoi piedi e si sedette a terra. Consegnandosi, sperava di risparmiare la città e il popolo che aveva guidato.

Romae, in via Sacra, Nonis Mart., hora secunda
Roma, via Sacra, 7 marzo, le sette di mattina

Era uno dei lampi di memoria che lo assalivano con un realismo e una concretezza spaventosi, una di quelle scene talmente vivide da non poterle distinguere dalla realtà fisica. Lo riscosse la voce di Silio: «Ti senti bene, comandante?».

Cesare si volse nella direzione del carcere Tulliano: «Perché ho fatto uccidere Vercingetorige?».

«Ma che pensieri ti vengono? È la legge, lo sai. I nemici vinti devono seguire il carro del trionfatore e poi essere strangolati. È sempre stato così.»

«È una barbarie. Le tradizioni... dovrebbero indicare valori da conservare e invece, per il solo fatto di essere antiche, rimandano a età arcaiche e primitive, a comunità selvatiche e rozze, a costumi feroci.»

«I nostri tempi non sono migliori, mi sembra.»

«No, infatti.»

«La legge è una sola: "Guai ai vinti!". Bisogna cercare di vincere, sempre, finché è possibile. Ed è quello che tu hai fatto.»

«Per un istante ho visto il suo spettro: macilento, la barba lunga, gli occhi infossati, lo sguardo pieno di follia.»

«Un uomo come te non conosce ripensamenti perché non ha nessuno sopra di sé. Altri devono rendere conto, non tu. Hai fatto ciò che hai ritenuto necessario. Non c'è altro da aggiungere. Quando la battaglia sembrava perduta noi eravamo in Spagna, a Munda, pronti a morire. Avrebbe potuto farlo anche Vercingetorige e sottrarsi così a una fine ignominiosa. Ma per uccidere se stessi a mente fredda occorre più coraggio che per uccidere i nemici nell'infuriare della battaglia.»

Cesare non rispose e riprese il cammino.

Silio lo osservava mentre saliva l'ultima rampa in direzione del Campidoglio. Il passo era energico, deciso, da soldato, e Cesare, superato l'accesso della malattia, sembrava aver ritrovato vigore: forse si stava convincendo di poterla vincere come aveva vinto tutto e tutti fino a quel momento.

Il tempio era aperto e all'interno si poteva scorgere la statua di Giove. In effetti si vedeva solo la testa, ma nel corso della salita e con il cambio di prospettiva il dio mostrava a poco a poco il petto, le braccia, il grembo e le ginocchia. Era una statua antica, dai lineamenti duri e spigolosi, la barba rigida. Un simulacro realizzato per spaventare o quanto meno per incutere timore. Ai suoi fianchi, in due celle laterali, avevano posto le immagini di Minerva e Giunone.

I due uomini si avvicinarono all'altare dove attendeva una piccola folla: alcuni senatori, fra i quali diversi amici di Cesare. Altri mancavano, come Antonio. Gli impegni di console dovevano averlo trattenuto altrove.

In seconda e terza fila si stringevano numerosi popolani cui probabilmente, dopo il sacrificio, sarebbe stata distribuita la carne della vittima. Dalla porta del tempio uscivano i membri del collegio sacerdotale dei flamini nel loro abbigliamento cerimoniale.

Appena il pontefice massimo, sempre con il capo velato, si fu avvicinato all'altare i serventi condussero la vittima da sacrificare: un vitello di tre o quattro mesi dalle corna appena accennate. Uno dei serventi portava la scure, un altro reggeva il vassoio con la *mola salsa*, una mistura di sale e farina di farro, il cibo dei frugali antenati. Cesare ne raccolse un pugno dal vassoio e la sparse sul capo della vittima, quindi fece un cenno e la pesante scure calò sul collo del vitello tagliandolo di netto. La testa rotolò al suolo e il corpo si accasciò versando sangue copiosamente.

Da quando era tornato dall'ultima guerra in Spagna, Silio non riusciva a sopportare l'odore del sangue, nemmeno di quello degli animali. Si imponeva di distrarsi, pensava ad altro, alle notizie assai poco rassicuranti che provenivano dalla Siria e dalla Spagna, entrambe non ancora completamente pacificate. E guardava il cielo, sempre più scuro, che non si decideva a sciogliersi in pioggia. Sembrava ad ogni minuto più minaccioso eppure non accadeva nulla e il tuono continuava a rombare sommesso e lontano sui monti ancora incappucciati di bianco.

I serventi rivoltarono il vitello sulla schiena e gli aprirono il torace e il ventre perché l'aruspice osservasse le interiora e ne traesse l'auspicio. Cesare, discosto di qualche passo, osservava assorto la scena ma la mente inseguiva altri pensieri. La malattia. La spedizione partica. Il futuro dello stato. I nemici ancora vivi, i nemici morti, i fantasmi dei martiri della repubblica che non gli davano pace.

D'un tratto lo sguardo gli cadde sulla testa inerte della vittima. Lo sguardo che fino ad allora aveva distolto.

Silio lo osservò e in quell'attimo si saldò fra loro un breve contatto visivo. Entrambi pensarono alla testa di Pompeo, agli occhi spenti del grande avversario sconfitto. «L'hanno voluto loro» era l'eterna risposta di Cesare. Più volte gli aveva offerto un accordo che lui aveva sempre rifiutato, ma la testa mozzata e conservata in salamoia di un grande Romano era un macigno che non cessava di pesargli sullo stomaco.

E sulla mente

Le malelingue avevano sparso la voce che il piccolo re egiziano Tolomeo XIII, marito e fratello di Cleòpatra, uccidendo Pompeo avesse esonerato Cesare da un compito ingrato ma inevitabile e gli avesse offerto l'occasione di versare qualche lacrima sull'ex genero.

L'aruspice aveva affondato le mani nelle viscere del vitello sacrificato e stava frugando fra le interiora fumanti. D'un tratto i suoi gesti si fecero confusi, l'espressione dello sguardo sgomenta. Era in preda al panico e gli astanti se ne stavano rendendo conto. Anche Cesare se ne accorse e si avvicinò all'aruspice. Silio s'approssimò a sua volta, vincendo la ripugnanza per il sangue e il fetore della macellazione.

«Che cosa succede?» gli chiese. «Che cosa hai visto?»

L'aruspice, terreo in volto, balbettò: «Il cuore... non trovo il cuore. È un terribile presagio».

«Non una parola di più» gli intimò Cesare e, deposta la toga e alzate le maniche della tunica fino alle spalle, affondò con decisione le mani nella cavità toracica dell'animale. Un cupo gorgoglio e per un istante Silio notò nel suo sguardo un'incertezza angosciata. Ma fu solo un momento. Fece accostare un catino colmo d'acqua per lavarsi e mentre l'acqua del bacile s'arrossava, disse: «Era solo coperto di grasso e più piccolo del normale. Quest'uomo è un incapace e quindi pericoloso. Cacciatelo. Adesso bruciate tutto» soggiunse fra la costernazione dei poveri che assistevano al sacrificio: «non facciamo aspettare troppo gli dèi».

Fece portare un altro catino d'acqua, terminò di lavarsi e si asciugò nel lino bianco che un servente gli porgeva.

Silio si allontanò salendo la gradinata verso il portico

23

del santuario e dall'alto vide la folla degli astanti diradaisi mentre ognuno se ne andava per la sua strada. Il fuoco sull'ara veniva acceso e l'animale fatto a pezzi e posto ad ardere fra le fiamme. Ma non era questo che gli interessava: Silio voleva assicurarsi che la lettiga fosse nella posizione concordata e gli uomini all'erta per ogni evenienza.

Si volse quindi verso l'interno come per salutare gli dèi della triade immobili nell'ombra e vide qualcosa brillare su un cuscino di porpora ai piedi della statua di Giove, alta quasi da toccare il tetto con la testa. Era una corona d'oro. Un cartiglio scolpito nel legno recitava:

A GIOVE UNICO RE DEI ROMANI

Tornò a guardare l'altare dove Cesare terminava di officiare il sacrificio con i tradizionali riti lustrali, poi scese lentamente i gradini.

Il sole appariva e spariva fra le nuvole che si aprivano qua e là a mostrare lembi di azzurro e subito li racchiudevano nel grigio. Attese sul lato meridionale della scalinata che il pontefice massimo terminasse di salutare i presenti e lo accompagnò all'imbocco della via Sacra. La lettiga riprese a seguire il loro cammino a una certa distanza.

Dal foro giungeva il brusio della folla che ormai lo gremiva, salivano dalle botteghe le grida dei venditori e degli imbonitori, dai rostri l'eco del discorso di un magistrato che chiedeva al popolo l'approvazione del suo operato.

«Se hai trovato il cuore, perché non l'hai estratto?» domandò Silio.

«Frugare con le mani tra le viscere di un animale macellato è disgustoso e poi non ve n'era alcun bisogno. L'animale era vivo e dunque è certo che avesse un cuore. Conosci la storia del vitello di Anassagora?»

«No, Cesare, non la conosco.»

«Quando Pericle era ancora un semplice capopolo nacque ad Atene un vitello con un corno solo. Pericle consultò un indovino e questi rispose che si trattava di un presagio: significava che il partito del popolo che aveva due capi, lui ed

24

Efialte, presto sarebbe stato condotto da un solo esponente e cioè lui stesso. Subito dopo venne convocato il filosofo Anassagora, il quale richiesto di interpretare il prodigio, aprì il cranio dell'animale, ispezionò il cervello e riscontrò delle gravi anomalie. Rispose quindi che era quello il motivo per cui l'animale aveva un corno solo: una malformazione. C'è sempre una spiegazione, Silio. E se non c'è, non significa che ci troviamo di fronte a un miracolo ma semplicemente alla nostra ignoranza e inadeguatezza, significa che non siamo ancora in grado di capire le ragioni di un fenomeno.»

Erano giunti alla base della rampa dove la via Sacra piegava a destra verso il tempio di Saturno e la basilica. Cesare si sedette presso il grande fico ruminale che stava mettendo le prime foglie. Gli piaceva stare seduto in quell'angolo tranquillo e ascoltare, senza farsi riconoscere, ciò che diceva la gente.

«Che cosa sei andato a fare nel tempio?» chiese a un tratto. «A pregare?»

«Ho letto una dedica» rispose Silio. «Una dedica davanti a una corona d'oro. La conoscevo di fama ed ero curioso di vederla. È quella di cui si parla, comandante?»

Dal cielo caddero alcune gocce e nell'aria si diffuse un odore di polvere spenta. Cesare non si mosse come sapesse che di lì a poco la pioggia sarebbe cessata. Molti invece andarono a cercare rifugio sotto il portico della basilica.

«Sì, è quella di cui si è parlato. Anche troppo.»

«Quel giorno mi avevi mandato in missione a Capua e, una volta tornato, sapere quanto era accaduto è stato difficile: ho raccolto almeno una mezza dozzina di versioni differenti.»

«Il che dimostra che recuperare la verità storica dei fatti è impossibile. Non solo perché la memoria di ogni uomo ha diversa estensione, ma perché ciò che attrae l'attenzione di uno sfugge a quella dell'altro. Anche ammettendo la buona fede di ognuno, ciascuno ricorda quanto ha attratto la sua attenzione, non ciò che è passato realmente sotto il suo sguardo. Qual è la versione a cui hai creduto?»

«Tu assistevi alla cerimonia dei Lupercali. Antonio ti

offrì per due volte la corona di re e tu per due volte la rifiutasti, disponendo alla fine di donarla a Giove, unico re dei Romani.»

«Falso» rispose Cesare.

Silio lo guardò interdetto: «Intendi dire che l'accettasti?».

«No. Ma le cose non andarono così. Se davvero Antonio mi avesse offerto la corona di re, pensi che l'avrebbe fatto senza il mio permesso o senza che io stesso glielo avessi chiesto?»

«C'è la possibilità che tu glielo abbia chiesto per avere l'opportunità di rifiutare davanti a una moltitudine di persone e fugare ogni sospetto al riguardo.»

«È una spiegazione intelligente. Potresti dedicarti alla carriera politica se avessi il rango senatorio o l'anello di cavaliere.»

«Non è nelle mie intenzioni, comandante. Ho il privilegio di viverti accanto ogni giorno e tanto mi basta.»

«Comunque nemmeno questa ipotesi coglie nel segno. È stato tutto insolito e in parte casuale. Ero seduto sulla tribuna al Campo Marzio a osservare le evoluzioni dei Luperci che andavano in giro con strisce di pelle d'agnello appena scuoiato a colpire le donne per impetrarne la fertilità. Fra loro c'era anche Antonio che correva seminudo...»

«A qualcuno non sarà piaciuto.»

«Già, ne ho viste di facce scandalizzate attorno a me. Quella di Cicerone più di tutte. E non posso dargli torto. Antonio è mio collega nel consolato e da che mondo è mondo non s'è mai visto un console in carica correre seminudo con in mano una correggia di pelle di agnello. In ogni caso non fu lui a prendere l'iniziativa. Fu Licinio, un amico di Cassio Longino che era presente assieme a Publio Casca.»

«Tutta gente che non mi piace» disse Silio.

Cesare parve non raccogliere e proseguì: «Si avvicinò e depose la corona ai miei piedi. La gente davanti a me cominciò ad applaudire freneticamente incitando Lepido a porla sul mio capo ma quelli più lontani, appena si resero conto di quanto stava accadendo, si misero a rumoreggiare. Non erano applausi né grida di entusiasmo, ma grida scandalizzate e di protesta. Lepido esitò».

Silio non rispose e sembrò per qualche tempo osservare un gruppetto di saltimbanchi che intratteneva i passanti per chiedere poi qualche moneta. Cesare continuò: «Io non feci un gesto. Allora si avvicinò Cassio e mi appoggiò la corona sulle ginocchia. Di nuovo la folla in parte applaudì e in parte protestò. Era evidente che chi applaudiva era stato preparato, se non pagato, per farlo. Ne dedussi che si trattava di una messinscena organizzata e volevo scoprire chi c'era dietro. Mi guardai intorno per imprimermi nella memoria i volti di tutti coloro che mi circondavano, ma in gran parte erano amici, ufficiali veterani delle mie campagne, gente che ho beneficato in ogni modo».

«Su questo non farei troppo affidamento» commentò Silio.

«La corona che avevo appoggiata in grembo cominciò a scivolare finché non cadde a terra e non posso negare di avere impercettibilmente aiutato quello scivolamento. Era il momento cruciale. L'uomo che si fosse chinato a raccoglierla per offrirmela di nuovo era colui che più di ogni altro voleva mettermi in difficoltà.»

Silio lo osservava mentre parlava e gli sembrava l'uomo straordinario di sempre. Lo spettro della malattia si era dissolto o almeno così si sarebbe detto. Cesare si appassionava nel narrare un momento critico della sua vita. Lo eccitava il gioco quanto più era duro o subdolo o pericoloso.

«E allora?» domandò.

«E allora accadde l'imprevedibile: Antonio sopraggiungeva in quel momento, ansante, accaldato, coperto di sudore. Vide la corona cadere a terra e si fermò. La raccolse, salì i gradini della tribuna e me la mise in testa. Maledizione! Aveva rovinato tutto. Ero così infuriato che me la strappai dal capo e la scaraventai via. Ma dovevo anche dire qualcosa. Un simile evento non poteva concludersi a quel modo senza una mia parola, così mi alzai, levai la mano per chiedere silenzio e quando lo ebbi ottenuto dissi: "I Romani non hanno altro re che Giove e quindi è a lui che dedico questa corona". Scrosciarono gli applausi in ogni angolo del Campo Marzio a mano a mano che le mie pa-

27

role raggiungevano i più lontani. Intanto io mi guardavo intorno per scorgere se vi fossero volti delusi, espressioni di disappunto fra coloro che mi circondavano.»

«E ne vedesti?»

«No, non notai nulla del genere. Ma sono sicuro che qualcuno stava maledicendo la sorte esattamente come me. Antonio riprese la sua corsa senza aver capito, io credo, ciò che in realtà era accaduto e la cerimonia ebbe termine così. Ecco il motivo della dedica che hai visto al tempio.»

Dopo quelle parole Cesare si alzò e riprese il cammino verso la Regia affiancato da Silio che ormai si sentiva la sua vera guardia del corpo. Lo preoccupava il fatto che avesse congedato la guardia ispanica e non sapeva spiegarsene le ragioni. Tanto meno lo avevano convinto le considerazioni di Cesare. Aveva cercato di immaginare un motivo. Forse proprio l'episodio dei Lupercali aveva influito su una decisione così strana: erano i re o i tiranni a muoversi con una guardia del corpo. Forse voleva dissipare quel sospetto anche grazie a un gesto tanto importante. Almeno così gli piaceva credere. Sempre meglio che pensare a un atteggiamento di rinuncia determinato dalla malattia. Cesare era un nobile, un uomo di potere abituato a giocare il tutto per tutto sia in politica sia sul campo di battaglia e l'idea del suicidio, quando tutto si fosse dimostrato perduto, era per lui un'opzione naturale. Se avesse veramente preferito morire piuttosto che mostrare la sua debolezza in pubblico, avrebbe usato il pugnale.

C'era un'altra possibilità che si accordava con il suo razionale cinismo: forse aveva congedato la guardia istituendone una, invisibile, che lo sorvegliasse senza farsene accorgere.

Silio pensava anche alla missione di Publio Sestio detto "il bastone", inviato nella Cisalpina con un compito che gli sfuggiva. Con lui, che in quel momento si trovava a Modena, doveva tenere i collegamenti e avvertire Cesare di ogni novità, consegnargli ogni dispaccio che giungesse da settentrione. Messaggi cifrati, ovviamente, che solo il suo comandante supremo poteva leggere

Publio Sestio, un eroe di guerra. Il soldato più valoroso della repubblica. Nel quadruplice trionfo celebrato da Cesare a Roma aveva sfilato a torso nudo per mostrare, come decorazioni, le spaventose cicatrici che solcavano il suo corpo: tutte sul petto.

Era il centurione primo pilo della Dodicesima legione ed era sopravvissuto a prove incredibili. Durante la campagna gallica, nella battaglia contro i Nervii, crivellato di ferite aveva continuato a battersi e a impartire ordini così che alla fine la sua legione aveva potuto riorganizzarsi e lanciare il contrattacco risolvendo la giornata campale. In seguito, ricoverato in un campo stabile per rimettersi dalle ferite, era stato giorni e giorni senza potersi nutrire a causa delle truppe nemiche che li assediavano, ma quando avevano sfondato la porta dell'accampamento lui era uscito barcollante dalla tenda indossando l'armatura e si era portato davanti all'ingresso costringendo gli altri a unirsi a lui e a battersi fino a ricacciare gli invasori. Era stato ferito di nuovo, gravemente, a stento sottratto agli assalitori e trascinato al riparo dai suoi uomini.

Ridotto pelle e ossa, era rimasto a lungo fra la vita e la morte, ma alla fine di una lunga convalescenza aveva riguadagnato le forze e ripreso posto nei ranghi. Uomini di tale tempra avevano costruito l'impero di Roma. E ve n'erano da ambo le parti, schierati a seconda della fede politica e della fedeltà durante la guerra civile.

Publio Sestio, detto "il bastone" perché portava sempre con sé l'insegna del suo grado, il bastone di vite che serviva a infondere vigore alle reclute... un uomo dalla fedeltà adamantina, uno dei pochissimi di cui Cesare potesse fidarsi ciecamente. Un essere indistruttibile che non sapeva cosa fosse la paura. La missione che gli era stata affidata doveva essere cruciale, altrimenti non si spiegava perché Cesare chiedesse continuamente di lui. Ma che cos'era? Qual era il compito del centurione?

Mentre Silio inseguiva questi pensieri erano arrivati alla porta della Regia, seguiti dalla lettiga a una ventina di passi.

Prima di entrare, Cesare si volse verso di lui: «Ricorda, a qualunque ora del giorno e della notte».

Silio annuì: «Sì, comandante. A qualunque ora del giorno e della notte». E mentre Cesare entrava accolto dal portiere, Silio raggiunse il suo ufficio per controllare gli altri appuntamenti che attendevano in giornata il comandante.

Finalmente il temporale che minacciava sin dall'alba scoppiò d'improvviso in un fragore di tuoni e scrosciare d'acqua. La grande piazza si vuotò in un baleno e l'impiantito di marmo divenne lucido come uno specchio sotto la pioggia battente.

CAPITOLO III

Mutinae, Nonis Mart., *hora secunda*
Modena, 7 marzo, le sette di mattina

La nebbia saliva dai fiumi, dalla terra, dai prati umidi di pioggia e copriva ogni cosa: i seminati e le vigne, le fattorie sparse nella campagna, le stalle e i fienili, lasciando emergere solo le cime delle piante più alte, le querce secolari, gli olmi e i loppi, le piante che avevano visto passare Annibale con i suoi elefanti superstiti e che ora vigilavano, nudi e silenziosi giganti, i campi colonizzati, il reticolo degli assi centuriali segnati da lunghi filari di pioppi e da cippi di pietra che ne riportavano il numero e l'orientamento.

Qua e là si vedevano vignaioli potare le viti che stillavano lacrime opache, la linfa che scorreva nelle loro vene anticipando la primavera ancora muta. Verso occidente le mura della città si ergevano umide con i grandi conci di pietra grigia dell'Appennino e, a meridione, la cima coperta di neve del monte Summano, una grande piramide dal vertice smussato.

D'un tratto dalla nebbia si materializzò una figura, un uomo dalla corporatura massiccia, con il capo e le spalle coperte da un mantello militare che impugnava un bastone di vite e portava pesanti calzari infangati. Avanzava a piedi tenendo per le briglie il cavallo e percorreva un sentiero diretto a una modesta costruzione in mattoni con il tetto di coppi di laterizio adorni sul colmo di un'antefissa in forma di maschera gorgonica. Un piccolo santuario agreste dedicato alla sorgente che sgorgava nelle vicinanze con un getto potente che saliva dal terreno per un'altezza di un cubito, ricadeva sui lati e scorreva via gorgogliando lungo un fosso che si perdeva nella campagna.

L'uomo si fermò presso il muro del tempietto e si guardò intorno come se stesse cercando qualcuno. Il sole si mostrò tra i fumi della foschia come un disco pallido, rischiarando la scena di luce lattiginosa.

La campagna sembrava deserta quando una voce risuonò alle sue spalle:

«La nebbia è favorevole a certi incontri e in questa terra non manca di sicuro.»

«Chi sei?» domandò l'uomo con il mantello, senza voltarsi.

«Il mio nome in codice è *Nebula*, tanto per stare in tema, amico.»

«Hai notizie per me?»

«Qualcuna. Ma serve la parola d'ordine. Di questi tempi è meglio essere prudenti.»

«Enea è sbarcato.»

«Giusto. E questo significa che sto parlando con un mito vivente: il centurione di prima linea Publio Sestio della Dodicesima legione, detto "il bastone", eroe della guerra gallica. Si dice che al trionfo di Cesare tu abbia sfilato a torso nudo mostrando le cicatrici delle ferite riportate in battaglia. Pare sia impossibile ucciderti.»

«Sbagliato. Tutti siamo mortali. Basta colpire nel punto giusto.»

Publio Sestio fece per girarsi verso il suo interlocutore.

«Meglio di no» disse la voce di *Nebula*. «Il mio è un lavoro pericoloso, meno persone mi vedono in faccia e meglio è.»

Publio Sestio si volse di nuovo in direzione della campagna. Aveva davanti lunghi filari di loppi cui erano legate le piante di vite. Scure sui prati verdissimi.

«E allora?»

«Voci.»

«È tutto quello che hai da dirmi? Voci?»

«Ma di notevole consistenza.»

«Non farla tanto lunga. Dimmi di quali voci si tratta.»

«Un mese fa qualcuno ha negoziato con le autorità di

questa città l'appoggio al governatore della Cisalpina designato per l'anno prossimo, autorità che a loro volta sono in stretto contatto con Cicerone e altri autorevoli membri del senato.»

Un cane abbaiò da una fattoria che la nebbia fece sembrare più lontana di quanto fosse. Gli rispose un altro cane e poi un altro ancora. Infine tutto tacque e tornò il silenzio.

«Mi sembra che rientri nella prassi e in ogni caso cos'ha a che fare con la mia missione?»

«Più di quanto sembri» rispose *Nebula*. «La carica di governatore è già stata decisa dal senato. Perché cercare l'appoggio delle autorità locali per l'anno prossimo? E non è tutto. Avrai notato dei lavori in corso in città.»

«Qualcosa, sì.»

«Sono opere di rafforzamento della cinta muraria e piazzole sulle torri per le macchine da guerra. Ma guerra contro chi?»

«Non ne ho idea. Tu ne sai qualcosa?»

«Se non ci sono in vista invasioni dall'esterno, e non mi pare che ve ne siano, farebbe pensare alla previsione di conflitti civili, il che delinea uno scenario particolare. Anzi inquietante.»

«Uno scenario privo della presenza di Cesare, vuoi dire?»

«Qualcosa del genere. Che cosa altrimenti?»

«Chi sarà il nuovo governatore?»

«Decimo Bruto.»

«Possenti dèi!»

«Decimo Bruto in questo momento è pretore aggiunto e quindi, come ho detto, già designato alla carica di governatore per l'anno prossimo. Dunque non avrebbe bisogno di avalli né di rafforzare le mura di Modena se non pensasse che Cesare non ci sarà più.»

Publio Sestio soffiò una nube di vapore dalle narici. Faceva ancora piuttosto freddo per quella stagione: «Non sono del tutto convinto. Chi mi dice che non si tratti di ordinaria manutenzione?».

«C'è dell'altro» continuò *Nebula*.

«Così cominciamo a ragionare. Sentiamo.»

«Ma questa è una di quelle notizie che valgono parecchio.»

«Soldi con me ne ho pochi, però ho questo» disse Publio Sestio flettendo con le mani il bastone di vite simbolo del suo grado.

«E con quello che ci faccio?» ribatté *Nebula*. «Non credere di intimidirmi, sono vecchio del mestiere.»

«Non me ne andrò di qui senza aver saputo quello che mi interessa. Mi è stato detto che da te avrei avuto notizie importanti e le avrò. Tocca a te decidere come.»

Nebula restò in silenzio valutando la situazione per qualche istante, poi riprese a parlare con un tono di voce diverso, quasi fosse un'altra persona: «Dammi tutto quello che puoi, per favore, ne ho bisogno. Per avere questa notizia ho speso un'enormità e ho rischiato la pelle Ho dovuto prendere un prestito e se non lo restituisco mi massacrano».

«Quanto ti serve?»

«Ottomila.»

Publio Sestio aprì una delle bisacce che pendevano dalla groppa del suo cavallo e gli consegnò una borsa: «Sono cinquemila. È tutto quello che ho per adesso, ma se mi dai le informazioni che mi servono ne avrai altrettanti».

«Publio Sestio è noto per essere uomo di parola» disse *Nebula*.

«È la pura verità» rispose il centurione.

«Sei mesi fa, a Narbona, dopo la battaglia di Munda, mentre lui si trovava ancora in Spagna, qualcuno pensava a una congiura per ucciderlo.»

«È una voce che è circolata infatti.»

«Sì, ma io ho le prove che la congiura fu posta in atto e forse è tuttora attiva.»

«I nomi.»

«Gaio Trebonio.»

«Lo conosco. Poi?»

«Cassio Longino e Publio Casca; forse anche suo fratello.. non ne so altri. E comunque credo che lui sappia qualcosa o quanto meno abbia dei sospetti, anche se non lo lascia vedere. Ma c'è una cosa che non sa e che mi ha lasciato senza fiato: a Narbona Trebonio ha chiesto a Marco Antonio se voleva essere della partita.»

«Attento, *Nebula*, le parole sono pietre.»

«O pugnali. Comunque Antonio ha rifiutato l'invito e non ne ha fatto cenno con nessuno.»

«Come puoi dirlo?»

«Se Antonio avesse parlato pensi che Trebonio sarebbe ancora in circolazione?»

«Giusto. Ma allora come la mettiamo? Quello che mi interessa è sapere se la congiura è davvero ancora in atto, o meglio averne la conferma. La voce circola e non è possibile che lui non ne sappia nulla. Quello che mi hai detto su Antonio mi inquieta. Sai la faccenda dei Lupercali?»

Nebula annuì: «La sanno tutti».

«Bene. Alla luce di quello che mi hai detto, il comportamento di Antonio è sospetto: lui gli ha offerto la corona di re davanti al popolo. Io la giudico una provocazione, o peggio una trappola, e la reazione di Cesare lo conferma. Antonio non è stupido e non può aver compiuto un gesto simile senza un motivo. Una cosa è certa: se Cesare lo avesse saputo prima che la cosa accadesse, glielo avrebbe impedito.»

«Si potrebbe arrivare a saperne di più, ma ci vuole tempo.»

«Non è detto che il tempo ci sia. La situazione potrebbe precipitare da un momento all'altro.»

«Forse non hai torto.»

«Allora?»

«Una soluzione ci sarebbe. Tu cominci ad avvicinarti a Roma lungo un itinerario dove io possa raggiungerti con messaggi e informazioni.»

«Improbabile, andrò svelto.»

«Ho le mie strade e i miei mezzi.»

«Come vuoi.»

«Nel frattempo cercherò altre conferme.»

«Pensi a qualcosa di preciso?»

«Sì. Ma tutto rimane nel campo delle ipotesi. In ogni caso, prima di mettermi in azione ho bisogno di un'informazione di grande importanza.»

«Di che si tratta?»

«Chi ti manda? Per chi lavori?»

Publio Sestio esitò per qualche istante, poi rispose: «Per lui, per Cesare».

«E qual è la tua missione? Scoprire se la congiura esiste?»

«No. Devo prendere contatto con alcuni ufficiali dell'esercito che hanno infiltrato loro informatori alla corte del re dei Parti, comunicare in anticipo agli stati maggiori alcune direttrici segrete della spedizione e riportare a Roma un prezioso documento, estremamente riservato.»

«Ma allora di cosa stiamo parlando?»

«Il mio mandato è duplice. Scoprire se c'è la congiura e chi ne fa parte. Prenomi, nomi e cognomi.»

«Sempre per Cesare?»

«Ti sembrerà strano ma no. Diciamo che è una persona di altissimo rango, fortemente interessata allo stato di salute di Cesare. Aggiungi che io lo sono nella stessa misura. Darei la vita per lui.»

«Bene, anche se non mi dici il suo nome, questo interessamento è un ulteriore elemento per presumere che la congiura potrebbe essere in atto e scattare in qualunque momento.»

«Cesare sta preparando la spedizione contro i Parti. È plausibile che possa succedergli qualcosa. Se vincesse, il suo prestigio aumenterebbe a dismisura.»

«È così, e Decimo Bruto dovrebbe seguirlo al comando della Dodicesima...»

Publio Sestio chinò il capo sul petto, pensoso. Strida di uccelli perforarono la nebbia, sagome scure attraversarono come ombre l'atmosfera densa di umidità. «Decimo Bruto... uno dei suoi migliori ufficiali, uno dei pochi amici di cui si fidi» mormorò. «Ma chi può averlo indotto a...»

Nebula gli si avvicinò e Publio Sestio avvertì il rumore di tre o quattro passi sulla ghiaia del sentiero.

«Probabilmente il suo amico Cassio, o il suo omonimo Marco Junio Bruto, o entrambi.»

Publio Sestio fu sul punto di voltarsi ma si trattenne: «Perché? Cesare ha beneficato sia Marco Junio Bruto sia Cassio Longino. A tutti e due ha salvato la vita. Perché dovrebbero volere la sua morte?».

Nebula non ribatté subito, quasi gli riuscisse difficile capire il senso di quelle parole. Un soffio d'aria appena percettibile fece ondeggiare la nebbia che emanava dai fossi e dai solchi dei terreni arati.

«Sei proprio un soldato, Publio Sestio. Un politico non si porrebbe questa domanda. Proprio perché ha salvato loro la vita potrebbero volerlo uccidere.»

Publio Sestio scosse la testa incredulo, ma dentro di sé sentiva che i conti purtroppo tornavano: Antonio contattato da Trebonio perché partecipasse a una congiura, lo stesso Antonio che pochi giorni prima aveva offerto a Cesare la corona di re davanti a una folla sterminata ed eccitata che aveva reagito male, Decimo Bruto che si comportava come se si preparasse a una guerra, segnali che apparivano inequivocabili. «Bisogna avvertire Cesare, immediatamente» disse a un tratto. «Non c'è un istante da perdere.»

«È bene informarlo al più presto» rispose *Nebula*. «Anche se non è certo che il piano di una congiura possa scattare da un momento all'altro. Devo verificare altre informazioni. Ti farò sapere come muoverti.»

«Aiutami a venire a capo di questa faccenda e non te ne pentirai. Ti giuro che sarà l'affare della tua vita, dopo di che potrai anche ritirarti dal lavoro.»

Non ebbe risposta.

«*Nebula?*»

Si volse lentamente. *Nebula* era scomparso. Dissolto. Non c'era traccia di lui. Forse lo stava osservando da dietro uno degli alberi allineati nei filari, forse si trovava all'interno del tempietto, in qualche nascondiglio noto solo a lui, divertendosi a immaginare il suo stupore e la sua meraviglia davanti a quel prodigio. Mentre scandagliava il terreno attorno a sé scorse un rotolo di pelle chiuso da un laccio di cuoio appoggiato su un gradino del tempietto. Lo raccolse e lo aprì: era la traccia dell'itinerario che avrebbe dovuto seguire scendendo verso Roma.

Il sole cominciava a perforare la nebbia e a striare di ombre la terra. Publio Sestio si infilò due dita in bocca e fischiò.

Qualche istante dopo arrivò al trotto un cavallo baio e lui balzò in groppa spronando.

«Non romperti l'osso del collo, centurione!» risuonò una voce alle sue spalle. «Non sarà certo oggi e neppure domani.» Ma Publio Sestio era già sparito alla vista.

Nebula riapparve uscendo da dietro una catasta di fascine accumulata dai potatori della vigna. «O forse sì» concluse fra sé.

Mutinae, Caupona ad Scultemnam, Nonis Mart., hora tertia
Modena, osteria "allo Scoltenna", 7 marzo, le otto di mattina

La voce del fiume che scorreva poco distante, gonfiato dalle piogge recenti, era altrettanto forte del brusio degli avventori e dei clienti che si erano fermati per la notte. *Nebula* entrò dopo essersi pulito i calzari sullo stuoino dell'ingresso e attraversò il pavimento comunque infangato del locale, andando a sedersi in un angolo vicino all'ingresso della cucina. La persona che attendeva non tardò ad arrivare.

«Allora? Come sono andate le cose?»

«L'uomo è incaricato di una duplice missione. Ambedue sono vitali per colui che ha il potere supremo nella nostra repubblica.»

«E adesso dov'è?»

«Sta correndo più veloce del vento lungo l'itinerario più breve per giungere all'Urbe.»

«Vale a dire?»

Nebula sospirò.

«Ho capito. Quanto vuoi?»

«Per avere queste informazioni ho dovuto indebitarmi e quasi rischiare la mia stessa vita.»

«Sei il solito bastardo, *Nebula*. Sputa il rospo e facciamola finita.»

«Lui sta seguendo un itinerario che io gli ho tracciato e che solo io conosco.»

«Quanto?»

«Diecimila.»

«Non se ne parla.»

«Pazienza. Vuol dire che dovrò fuggire da queste terre prima che i miei creditori mi spediscano fra le braccia di Plutone. Ma se muoio è finita, ricordalo» sospirò.

«Vieni fuori» disse il suo interlocutore, un veterano della guerra civile che aveva militato con Pompeo e aveva le braccia piene di cicatrici come le zampe di un lupo caduto in una tagliola.

Usciti, si avvicinarono a un carretto guardato a vista da due ceffi patibolari chiaramente armati anche se non lo davano a vedere.

«Puoi metterli sul mio mulo» disse *Nebula* consegnandogli una copia dell'itinerario.

L'uomo l'infilò nella cintura ghignando: «Adesso che ci penso, mi pare che duecento dovrebbero bastarti».

«Ma davvero pensi di poter fottere *Nebula*? Un idiota come te?»

Il ghigno si spense sulla faccia del suo interlocutore.

«Visto che hai voluto fare il furbo, me li darai fino all'ultimo asse: c'è una chiave per leggere questo itinerario e la chiave ce l'ha un tale che lavora per voi alla *Mutatio ad Medias*. Uno con la faccia da topo che chiamano *Mustela*. Siamo però in società e aprirà bocca solo dopo che gli avrai presentato la mia ricevuta, che troverai nel solito posto e a quel punto io sarò abbastanza lontano. *Mustela* è compreso nel prezzo. Sarà lui a proseguire, voi non ce la fareste mai.»

L'uomo assentì masticando amaro e trasferì la somma sul mulo di *Nebula* che salì sul basto e si allontanò trotterellando.

«Dimenticavo: appena avrai la ricevuta corri veloce perché lui è partito da un'ora!»

Romae, in Domo Publica, Nonis Mart., hora quinta
Roma, residenza del pontefice massimo, 7 marzo, le dieci di mattina

Il temporale si era placato e Silio, raccolte le carte, uscì dall'ufficio e passò in quello di Cesare.

«Ci sono dei documenti da firmare, comandante.»

«Di che si tratta?» domandò Cesare alzando gli occhi dal rotolo su cui stava scrivendo. Silio non mancò di notare che scriveva di suo pugno contrariamente a quanto era solito fare. Da quando lo conosceva lo aveva sempre visto dettare e durante la campagna gallica a volte lo aveva visto dettare contemporaneamente, da cavallo, due lettere per due diversi destinatari. Dal ritorno dalla Spagna scriveva di suo pugno, lavorando alla correzione e alla rifinitura dei suoi *Commentarii*.

«Tutti atti da sottoporre all'approvazione del senato: decreti, stanziamenti, liquidazioni per l'esercito, un finanziamento speciale per la pavimentazione di una strada in Anatolia... il solito. E poi c'è posta.»

Cesare alzò di scatto lo sguardo con un'espressione interrogativa.

«Non sua, comandante. Stai sicuro, appena arriva qualcosa sarà sul tuo tavolo in un batter d'occhio o ti raggiungerà dovunque tu sia.»

Cesare riprese a scrivere nascondendo la delusione: «Di chi allora?».

«Pollione, da Cordova...»

«Bene.»

«Planco dalla Gallia...»

«Nessuna con procedura di urgenza?»

«Pollione. La situazione in Spagna è sempre difficile.»

«Fai vedere.»

Silio gli consegnò la lettera di Pollione con la data di partenza di diciassette giorni prima. Cesare ruppe il sigillo e diede una scorsa. Silio notò corrugarsi la sua ampia fronte: «Niente di grave, spero».

«La Spagna rappresenta sempre una situazione grave. I seguaci di Pompeo sono ancora forti e agguerriti nonostante tutto. A Munda fui sull'orlo del suicidio.»

«Lo so, comandante. C'ero anch'io, ma alla fine ce l'abbiamo fatta.»

«Quanti morti però... non me lo perdoneranno mai. Trentamila Romani fatti a pezzi dai miei.»

«L'hanno voluto loro, Cesare.»

«Vedo che questa frase ti piace.»

«È la verità.»

«Non è la verità. È una frase di notevole forza propagandistica ma non regge a un'analisi approfondita. Nessuno vuole morire se non vi è costretto. Tanti valorosi combattenti massacrati rappresentano uno spreco insopportabile. Pensa se fossero vivi e potessero partire con me per la guerra contro i Parti... o presidiare in armi le frontiere di un mondo pacificato.»

Si mise a tracciare dei segni su una tavoletta con lo stiletto d'argento e ambra che gli aveva regalato Cleopatra.

«Lo sai? Ultimamente ho provato a fare un conteggio.»

«Di che genere, comandante?»

«I soldati romani morti in combattimento contro altri Romani durante le guerre civili: Mario contro Silla, Pompeo contro Sertorio, io contro Pompeo e poi contro Scipione e Catone a Tapso e poi contro i figli di Pompeo e contro Labieno a Munda...»

«Ma cosa vai a pensare...»

«Quasi centomila caduti, spesso i migliori soldati che si potessero trovare in tutto il mondo. Se invece che fra di loro avessero combattuto uniti contro nemici esterni, il dominio del popolo romano si estenderebbe fino all'India e all'oceano Orientale.»

«Tu ci riuscirai ugualmente.»

Cesare cancellò quasi con stizza i segni tracciati sulla tavoletta con la pallina d'ambra incastonata nello stilo.

«Non lo so, sono stanco. Il fatto è che non ne posso più di restare a Roma. Prima si parte e meglio è. La mia partenza sarebbe provvidenziale per tanti motivi.»

«È per questo che aspetti con ansia notizie da Publio Sestio?»

Cesare non rispose e fissò negli occhi il suo interlocutore che non resse a lungo il suo sguardo e chinò il capo: «Perdonami, comandante. Non volevo...».

«Non importa. Sai che mi fido di te. Non ti ho detto nulla per non esporti a inutili pericoli. C'è tensione nell'aria, ci sono... segnali... indizi di qualcosa che deve succedere. L'attesa è sempre più spasmodica e io non la reggo più. Forse è per questo che il male mi prende d'improvviso, quando meno lo aspetto. Nella mia vita ho avuto esperienze di ogni tipo ma sul campo di battaglia hai un vantaggio: sai esattamente da che parte sta il nemico.»

Silio annuì e Cesare riprese a scorrere la lettera di Pollione prendendo allo stesso tempo appunti sulla tavoletta. Parevano passati mesi dalla crisi di quella mattina. Il suo comandante sembrava controllare perfettamente la situazione ma era teso, preoccupato e lui non era in grado di aiutarlo perché non era a conoscenza di quello che lo assillava. Cesare d'un tratto alzò di nuovo il capo e lo fissò negli occhi: «Sai che l'anno scorso quando ero in Spagna circolavano strane voci nelle retrovie?».

«Quali voci, comandante?» domandò Silio. «A che cosa ti riferisci?»

«Dicerie, sospetti...» rispose Cesare. «Passami le carte da firmare. Leggerò dopo le lettere.»

CAPITOLO IV

Romae, ante diem VIII Idus Martias, hora sexta
Roma, 8 marzo, le undici di mattina

Strane voci.

L'espressione di Cesare non gli dava tregua, le parole del comandante continuavano a risuonargli nella mente. Cercava di ricordare, perché anche lui era stato nelle retrovie... a Marsiglia, a Narbona, per organizzare la logistica, le comunicazioni.

Era stata una campagna sanguinosa, forse la più terribile. A Munda c'era Tito Labieno, l'ex braccio destro di Cesare, l'eroe della guerra gallica, il luogotenente capace di reggere qualunque responsabilità, di affrontare qualunque pericolo, mai stanco, mai abbattuto, mai dubbioso. Un Romano di un tempo, un uomo tutto d'un pezzo, un ufficiale dalla tempra formidabile. C'era lui quella volta a guidare lo schieramento avversario e la sfida era all'ultimo sangue.

Labieno aveva abbandonato il suo comandante quando questi aveva deciso di varcare il Rubicone, di entrare in armi nel territorio della repubblica, nella terra considerata sacra e inviolabile. Era passato dalla parte di Pompeo e dei suoi figli e di coloro che si professavano difensori della repubblica, del senato e del popolo.

A Munda, lo scontro era stato di una ferocia inaudita, l'accanimento dei combattenti, dall'una e dall'altra parte, inesausto, e a un certo punto era sembrato che gli avversari (non riusciva ancora, nonostante tutto, a pensarli come nemici) avrebbero finito per prevalere. Era stato allora che il comandante si era preparato al suicidio, consapevole che per lui, se avesse perso, non ci sarebbe stata pietà alcuna e convinto che per un aristocratico fosse l'unico modo onorevole di concludere la vita in caso di sconfitta.

Ma era successo l'impensabile. Labieno aveva ritirato una delle sue unità dall'ala destra dello schieramento per rafforzare l'ala sinistra sottoposta a forte pressione: tutti i suoi avevano pensato a un ripiegamento e avevano abbandonato il combattimento ritirandosi in disordine. La battaglia si era conclusa con un massacro. La parte avversa aveva lasciate sul campo trentamila morti.

Erano quelle le visioni che sconvolgevano la mente di Cesare? Quelli gli orrori capaci di scatenare il morbo che lo prostrava? Eppure Cesare gli aveva accennato a qualcose di diverso: voci circolate nelle retrovie riguardo a qualcosa di inquietante. Che cosa poteva essere?

A chi avrebbe potuto chiedere? Forse a Publio Sestio, l'uomo cui Cesare accordava assoluta fiducia, ma il centurione era lontano, impegnato in una delicata missione e non si sapeva quando sarebbe tornato. Pensò a una persona che avrebbe potuto aiutarlo, una persona che era sempre stata vicina a Cesare ma che manteneva relazioni con diversi personaggi in vista della città e che lui poteva incontrare senza difficoltà. Si incamminò in direzione del foro olitorio e di là si diresse al tempio di Esculapio sull'isola Tiberina per raggiungere Antistio.

Lo trovò impegnato nella visita di un paziente affetto da una tosse secca e stizzosa.

«Ci sono novità?» chiese subito il medico.

«No» rispose Silio, «tutto è stazionario. Volevo chiederti informazioni, scambiare qualche parola con te.»

«Hai fretta?»

«Non proprio, ma non voglio stare lontano da casa troppo tempo in questa situazione.»

«Allora siedi in quel piccolo ambulatorio e sarò da te fra poco.»

Silio entrò nell'ambulatorio e andò a sistemarsi vicino a

una finestra. Fuori, il corpo di guardia della Nona aveva acquartierato un paio di manipoli. Uomini andavano e venivano portando dispacci e ordini di servizio dai ponti che collegavano l'isola alla terraferma. Da una barca appena attraccata vide scendere alcuni personaggi che dovevano giungere dal mare. La voce di Antistio lo riscosse: «Eccomi. Cosa posso fare per la tua salute?».

«Nulla, per il momento. Un'ora fa parlavo con il comandante e mi ha fatto uno strano discorso.»

«Di che cosa stavate parlando?»

«Gli avevo portato la posta e i documenti amministrativi da firmare e se ne è uscito con una frase che non c'entrava con quanto stavamo facendo e che doveva rispondere ad un pensiero fisso.»

«Che ha detto?» insistette Antistio.

«Qualcosa come: "Sai che l'anno scorso, mentre eravamo impegnati in Spagna, circolarono strane voci nelle retrovie?".. Una frase che secondo me denota un tarlo, un'ossessione che d'improvviso ha preso voce. Per questo mi ha colpito.»

«E tu che hai risposto?»

«Nulla, non sapevo che dire e d'altro canto lui ha cambiato argomento e mi ha chiesto i documenti da firmare. Ho pensato che tu potresti sapere qualcosa. Prestavi servizio nelle retrovie in quel periodo, a Narbona, mi sembra di ricordare.»

Antistio chiuse la porta che aveva lasciato aperta e si sedette meditando in silenzio. Riprese a parlare a voce bassa, quasi sommessa: «Un medico nelle retrovie di una grande spedizione militare ha modo di incontrare tante persone, di ascoltare grida di dolore, imprecazioni, deliri, confessioni in punto di morte, rimorsi di cui ci si vuole liberare prima di intraprendere il grande viaggio da cui nessuno ha mai fatto ritorno».

Silio lo guardò intento. Le parole di Cesare avevano dunque un significato per lui?

«In effetti» riprese Antistio «dopo la vittoria di Cesare a Munda circolarono voci di un complotto.»

«Un complotto? Che genere di complotto?»

«Contro di lui. Forse per esautorarlo... o peggio.»

«Spiegati meglio, per favore» disse Silio. «A chi ti riferisci?»

«A quanto sembra erano dei nostri: alti ufficiali, ex magistrati.»

«Non capisco... se sapevi queste cose perché non glielo hai detto? Perché non gli hai fatto i nomi? Tu li sai i nomi, non è vero?»

Antistio sospirò: «Sono voci... non si può provocare la morte di uomini sulla base di dicerie se non di calunnie diffuse ad arte. E comunque sono sicuro che quelle voci siano arrivate anche a lui. Anch'io gli ho sentito fare i discorsi che oggi ti hanno impressionato».

«E allora? Perché non colpisce, perché non li annienta?»

«Perché? Solo lui lo sa. Se vuoi il mio parere ti dirò che secondo me lui crede ciecamente in ciò che ha fatto e che fa. Crede fino in fondo nella sua... come dire... missione storica. Chiudere la stagione delle guerre civili. Instaurare un periodo di riconciliazione. Porre fine al sangue.»

Silio scosse il capo con un'espressione sgomenta: troppe carneficine aveva davanti agli occhi.

«So a cosa pensi. Eppure lui è sicuro che l'unica via possibile fosse e sia tuttora sconfiggere sul campo chi non si rende conto che i tempi sono cambiati, che le istituzioni capaci di reggere la città non possono reggere il mondo, convincerli in un modo o nell'altro, con le buone o con le cattive, a collaborare al suo progetto. Li ha costretti a riconoscerlo e poi ha teso la mano a chi si era salvato, ha onorato chi è caduto. Ricordati del funerale che preparò per Labieno. Le esequie di un eroe. Il feretro venne portato a spalla da sei comandanti di legione, tre dei nostri e tre dei loro, scortato da cinquemila legionari in uniforme da parata, condotto sulla pira lungo una rampa artificiale di centocinquanta piedi, al rullo dei tamburi, al suono dei litui e delle buccine. Le aquile abbrunate di bende nere vennero inclinate dagli alfieri al suo passaggio. Nessuno riuscì a trattenere le lacrime, nemmeno lui.»

«Ma se coloro cui ha teso la mano preparano complotti

contro di lui, se è vero quello che dici, che senso ha tutto questo?»

«In apparenza nessuno, ma lui è certo che non vi sia altra strada se non realizzare il suo piano: riconciliare le fazioni, estinguere i rancori, proteggere i poveri oppressi dai debiti garantendo mutui a tasso contenuto, senza però spaventare i maggiorenti cancellando i debiti, e su questa riconciliazione costruire il nuovo ordine. O riuscirà o morirà.»

Silio scosse il capo: «Non capisco... non capisco...».

«È abbastanza semplice. Le guerre civili hanno infuriato ormai per vent'anni: Mario contro Silla, Pompeo contro Sertorio, Cesare contro Pompeo, i figli di Pompeo contro Cesare. La conclusione non può che essere una: la fine del nostro mondo, del nostro ordine, della nostra civiltà. Cesare è convinto di essere l'unica persona sulla terra ad avere la forza militare e l'intelligenza politica per porre fine a questo stato di cose e instaurare una nuova era e ha perseguito lo scopo con ogni mezzo...»

Qualcuno bussò alla porta: era l'assistente greco di Antistio, un giovane schiavo efesino. «Padrone» disse, «c'è di là il liberto di Lollio Sabino che devi visitare per un'ulcera alla gamba sinistra.»

Antistio fece un gesto con la mano: «Cancella tutti gli appuntamenti della mattina. Sono occupato».

Lo schiavo annuì e si ritirò. Poco dopo si udirono delle proteste provenire dall'anticamera, lo sbattere di una porta e poi più nulla.

«Non sopporto la volgarità dei liberti» disse con un gesto di fastidio, quindi riprese il filo del suo discorso «... d'altra parte sono d'accordo con te: alcuni comportamenti di Cesare sono sconcertanti.»

«È quello che penso» confermò Silio, «ma io sono solo il suo aiutante di campo. Non posso criticare i suoi comportamenti. Non oso.»

«Nessuno osa, Silio. Nessuno...»

«Si fida troppo di quelli che hanno combattuto contro di lui e che lui ha perdonato. È questo che intendi, non è vero?»

«Sì. Anche questo »

«Ma perché, in nome degli dèi, perché?»

«Perché non ha alternativa. Ha vinto e quindi ritiene di doversi mostrare magnanimo e perdonare per non continuare la catena di vendette, di ritorsioni, di interminabili rancori. Deve stabilire un inizio per il nuovo corso e questo è l'inizio. Ovviamente ciò implica dei rischi, anche gravi. Diciamo che c'è una logica in un simile modo di agire se non fosse che altri elementi la contraddicono. Per esempio l'idea della spedizione contro i Parti. Da quanto si sente dire sarebbe un'impresa immane, dai costi proibitivi, che comporterebbe l'avanzata all'interno di territori sterminati fra deserti e montagne contro un nemico sfuggente, imprendibile. Potrebbe essere la sua fine, come fu per Crasso, nove anni fa, a Carre. Nessuno dei suoi ha fatto ritorno, si dice che un'intera legione sia stata deportata in un luogo sperduto agli estremi confini della terra. Ora, è evidente che un uomo come Cesare, che ha combattuto in mezzo mondo e nelle situazioni più diverse, è perfettamente consapevole della situazione e sa bene che nel caso fosse sconfitto o ucciso l'intera sua opera andrebbe perduta e i sacrifici e le lotte delle guerre civili dilapidati. Viene da pensare che la prossima spedizione partica rappresenti una specie di suicidio eroico, un'impresa titanica in cui bruciare ciò che resta della sua vita. Ma non c'è senso... non c'è senso.»

Silio sospirò portandosi una mano alla fronte: «Avrai visto, immagino, le scritte sui muri di Roma, sul tribunale di Bruto e sotto la statua di Bruto maggiore».

«Le ho viste» rispose Antistio. «E non sono l'unico.»

«Significano che qualcuno sta incitando Bruto a emulare il suo antenato che cacciò l'ultimo re da Roma.»

«Esattamente.»

«E che Bruto potrebbe essere tentato di ricoprire quel ruolo e quindi cacciare, cioè uccidere, Cesare.»

«È possibile, ma pare che nulla possa scalfire l'affetto di Cesare per Bruto. Anche questo è un aspetto difficile da spiegare se non si pensa, come molti credono, che sia davvero suo figlio... un figlio che avrebbe generato quando aveva sedici anni. In questo caso sarebbe più comprensibile un attaccamento così tenace e caparbio. Ma c'è un altro problema.»

«Quale?»

«Quelle scritte possono influenzare Bruto ma lo mettono fuori causa, lo compromettono pubblicamente, e dunque non hanno senso visto che una congiura, se di questo si tratta, dovrebbe rimanere segreta e ancor più segreti i nomi dei partecipanti.»

«Sì» rispose Silio, «è vero, ma è difficile pensare che lui non sappia o non immagini chi possa essere l'ispiratore di quelle scritte. Conosce bene i suoi amici-nemici, sa cosa pensano, cosa sognano, cosa tramano... non è così?»

«Non è detto» replicò Antistio. «Cesare potrebbe pensare a un tentativo di screditare Bruto ai suoi occhi. Altri aspiravano alla pretura che lui invece ha ottenuto... Ma è tutto talmente assurdo.»

Silio restò in silenzio a meditare, a cercare di dare un significato ai pensieri che gli si accavallavano nella mente e si contraddicevano l'un l'altro. Antistio lo osservava con gli occhi chiari e penetranti, con lo stesso sguardo intento che riservava ai suoi pazienti.

Dalla darsena si udirono dei rumori, il passo rapido di un picchetto che giungeva di corsa dal corpo di guardia a rendere gli onori. Un personaggio illustre stava sbarcando sul molo. L'ufficiale ordinò di presentare le armi e due squilli di tromba accolsero chi stava sbarcando. Il trambusto faceva pensare che si trattasse di Lepido in persona.

Silio si riscosse: «Dimmi in sincerità quello che pensi. Se fosse al corrente di qualche minaccia, prenderebbe provvedimenti per difendersi? Reagirebbe?».

«In tutta onestà non so risponderti» disse Antistio. «Si dovrebbe pensare di sì, ma molti suoi atteggiamenti contraddicono questa convinzione.»

«Allora voglio io fare qualcosa. Non posso sopportare l'idea che incomba su di lui una minaccia e non fare nulla per sventarla.»

«Ti capisco» replicò Antistio, «ma muoversi in un modo o nell'altro può essere pericoloso. La cosa migliore da fare è esplorare cercare di saperne di più, con discrezione, con prudenza.»

«E come?»

«C'è solo una persona che si colloca al confine fra Cesare e i suoi probabili nemici, in grado di sapere ciò che si muove nell'uno e nell'altro campo senza metterli in comunicazione fra loro. Servilia.»

«La madre di Bruto?»

«Lei. Madre di Bruto, sorella di Catone, amante di Cesare da sempre, forse anche adesso.»

«E perché dovrebbe parlare con me?»

«Non è detto che lo faccia, ma avrebbe buone ragioni per farlo. Prevenire, ecco... potrebbe avere l'interesse a prevenire. Immagina: Servilia ha già perso Catone, suo fratello, che ha preferito la morte al perdono di Cesare dopo essere stato sconfitto nella campagna d'Africa. Se Cesare venisse ucciso, Servilia perderebbe l'unico uomo che abbia amato nella sua vita; se si salvasse perderebbe probabilmente un figlio, se Bruto è implicato in una congiura. In ogni caso lei avrebbe interesse a sventare una minaccia da qualunque parte venisse e a chiunque fosse destinata. D'altro canto non possiamo immaginare che lei avverta Cesare nel caso sappia qualcosa, perché così facendo rischierebbe di provocare la morte di Bruto, se le nostre speculazioni colgono nel segno. Bisogna tenere presente che secondo altri Cesare lo avrebbe risparmiato dopo la battaglia di Farsalo per non dare un dolore a Servilia.»

Silio si portò le mani alle tempie: «È un labirinto. Come potrei muovermi in un simile intrico di passioni contrapposte? Io sono soltanto un soldato».

«Hai ragione» rispose Antistio. «Meglio non immischiarsi.»

«Ma tu» riprese Silio «come fai a sapere tante cose?»

«Non le so. Presumo, faccio le mie considerazioni, le mie ipotesi. E poi sono il suo medico. Non dimenticarlo. Un medico degno della sua professione deve cercare di capire anche ciò che non viene spiegato, di vedere ciò che è nascosto, di udire ciò che non viene detto. Un medico è abituato a battersi contro la morte. Per me Servilia, sempre ammesso che sappia, ha un'unica possibilità: indicare una via di scampo a chi le sta a cuore, ma lei sola potrebbe sapere quale.»

«Ma se tu volessi fare qualcosa per lui, come ti muoveresti?» chiese Silio dopo una nuova, lunga pausa di silenzio.

«Mi sto già muovendo» rispose Antistio, enigmatico.

«E me lo dici soltanto ora?»

«Tu non me l'hai chiesto.»

«Te lo chiedo adesso. Per favore. Sai che di me puoi fidarti.»

«Lo so. E infatti non direi a nessun altro ciò che sto per dire a te.»

Silio accennò con il capo e attese in silenzio la rivelazione. Antistio cominciò a parlare scandendo le parole:

«Bruto ha un insegnante di greco...»

Silio spalancò gli occhi.

«... che si chiama Artemidoro. L'ho curato di una brutta vitiligine che lo affliggeva. Sai bene quanto i Greci tengano al loro aspetto.» Silio sorrise visto che anche Antistio dedicava alla propria persona cure meticolose. «E credo mi sia grato. Io non gli ho mai detto come ho ottenuto un simile risultato e di tanto in tanto sono chiamato a ripetere il miracolo. Ho quindi un potere considerevole su quell'uomo. Sto cercando di ottenere da lui delle informazioni, anche se devo agire con molta circospezione. Non voglio compromettere tutto. So cosa stai per dire: non è detto che abbiamo tempo sufficiente a disposizione, ma devo rischiare comunque. Non ho alternative, almeno per ora.»

Silio pensò al centurione Publio Sestio e alla sua misteriosa missione. Avrebbe voluto incontrarlo, in quel momento di incertezza e angustie. Pensava d'altra parte che se Cesare se ne era privato doveva aver ritenuto che non ci fosse pericolo immediato, ma forse lo aveva fatto perché non poteva sopportare più a lungo l'attesa e preferiva andare incontro al destino. Qualunque destino. Non c'era mai una risposta certa, mai una situazione plausibile. Si alzò in piedi:

«Ti ringrazio per il tempo che mi hai dedicato e per aver

ascoltato le mie farneticazioni ma avevo bisogno di consultarmi con qualcuno di cui mi fido. Ora mi sento meglio.»
«Hai fatto bene» rispose Antistio. «Vieni da me quando vuoi. Preferisco qui che nella Regia. Se posso darti un consiglio, non prendere iniziative senza consultarmi. E non angustiarti troppo. Ricorda che non abbiamo notizie certe e che forse ti stai preoccupando per nulla. In fondo ha detto solo che circolarono strane voci. È un'espressione vaga.»
«D'accordo» disse Silio. «Farò come dici.»
Uscì e attraversò il piazzale davanti al tempio di Esculapio. Sull'edificio principale dell'isola vide sventolare il labaro della Nona legione. Marco Emilio Lepido era presente con i suoi soldati. Solo un pazzo avrebbe rischiato un'azione di qualunque genere con una intera coorte acquartierata ne' cuore di Roma e il resto della legione poco fuori le mura.

Romae, in Domo Publica, a.d. VIII Id. Mart., hora octava
Roma, residenza del pontefice massimo, 8 marzo,
l'una di pomeriggio

Silio entrò direttamente in cucina per controllare che la colazione di Cesare fosse pronta. Il suo solito: la focaccia con l'olio d'oliva, il formaggio misto di vacca e di pecora, qualche fetta di prosciutto gallico di Cremona, le immancabili uova sode con il sale pestato, dei radicchi amari di campo. Silio prese il vassoio e glielo portò nello studio.
«Dove sei stato?» gli chiese appena fu entrato.
«All'isola, comandante. Antistio voleva sapere come stavi.»
«E tu che gli hai detto?»
«Che stai benissimo e che stavi lavorando.»
«È quasi vero. Mangia qualcosa anche tu» soggiunse, «per me è troppa roba. Hai visto mia moglie?»
«No. Vengo dalla cucina.»
«È partita poco dopo di te e non è ancora tornata. Non è più la stessa, non trova mai pace.»
Cesare cominciò a mangiare sorseggiando di tanto in

tanto un bicchiere di Retico che gli mandava uno dei suoi ufficiali di stanza ai piedi delle Alpi orientali. Parlò delle fitte che gli provocava una vecchia ferita al fianco sinistro, segno che il tempo non si era ancora rimesso e che presto avrebbe ripreso a piovere o peggio. Silio tagliò la focaccia e ne mangiò una fetta con un po' di sale e un uovo. Concordò sulla stagione piuttosto inclemente per quel periodo dell'anno ormai alle soglie della primavera e a tutti e due era evidente che la conversazione distava mille miglia dai loro pensieri. Poi a un tratto Cesare si pulì le labbra con un tovagliolo e disse: «Mentre eri all'isola è arrivato un messaggio di Publio Sestio»

CAPITOLO V

Mutatio ad Medias, a.d. VIII Id. Mart., *hora decima*
Stazione "ad Medias" 8 marzo, le tre di pomeriggio

La campagna della Cispadana scorreva veloce sotto gli zoccoli del cavallo di Publio Sestio, lanciato lungo la strada che si stendeva, come un nastro grigio, nel verde dei campi ai piedi dell'Appennino. La nebbia si era dissolta, il sole splendeva ora in un cielo limpido e freddo riflettendo la sua luce sulla neve che ricopriva le cuspidi dei monti.

Il veloce destriero ispanico luccicante di sudore mostrava segni di stanchezza, ma il suo cavaliere continuava a spingerlo oltre il limite della resistenza battendogli il collo con l'estremità delle briglie e incitandolo continuamente con la voce.

Appariva ormai alla vista la stazione di sosta: una costruzione bassa di mattoni vicino ad un torrentello, con la copertura in coppi rossi, circondata da nudi cespugli di prunalbo e fiancheggiata da due pini centenari. Rallentò la corsa fino ad entrare al passo dall'ingresso principale, un arco di pietra scolpita con l'immagine del sole sulla chiave di volta, e si trovò all'interno di un cortile porticato con al centro una piccola fontana che versava il suo zampillo in un abbeveratoio scavato in un masso.

Publio Sestio balzò a terra, prese il mestolo di rame legato a una catenella e bevve a lunghi sorsi, quindi lasciò bere anche il cavallo, un poco per volta per non raggelarlo, sudato com'era. Sciolse la coperta legata dietro la sella e lo coprì. Poi si diresse verso una porticina laterale che immetteva nell'ufficio del responsabile della stazione. Bussò, entrò e si trovò di fronte l'incaricato che al suo ingresso si alzò in piedi.

Publio Sestio gli mostrò un pagillare con il simbolo dell'aquila e l'uomo gli domandò sollecito: «Che cosa posso fare per te?».

«Mi serve un cavallo fresco al più presto e... un'altra cosa. Qualcun altro in questa stazione ha... questo?» domandò indicando l'immagine incisa sul pagillare.

Il responsabile si fece sulla soglia e indicò un uomo intento a scaricare dei sacchi di frumento da un carretto: «Lui» rispose.

Publio Sestio accennò con il capo e si diresse verso lo scaricatore abbordandolo senza preamboli: «Mi dicono che posso parlare con te».

Lo scaricatore si liberò del sacco che aveva in spalla appoggiandolo a terra con uno sbuffo, lo fissò dritto negli occhi e rispose: «Mi è stato chiesto di risponderti, se è il caso».

Lo scaricatore aveva un corpo da lottatore, capelli rasati cortissimi, la barba di qualche giorno e le sopracciglia folte e unite sotto la fronte. Portava una tunica da lavoro impolverata e un paio di sandali scalcagnati, aveva le mani grandi come pale di badile, ruvide e callose, un bracciale di cuoio al polso sinistro e in vita un cinturone borchiato. Publio Sestio lo squadrò mentre l'altro lo aveva già esaminato da capo a piedi.

«Bene» disse, «ho una comunicazione riservata da portare a Roma. Massima urgenza, massima importanza, alto rischio.»

Lo scaricatore si deterse il sudore dalla fronte con il rovescio della mano. «Ho capito. Servono altri corrieri.»

«Subito» incalzò Publio Sestio. «Per essere certi che il messaggio arrivi... O ci sono altri modi?»

«No, ma farò il possibile. Tu intanto puoi partire tranquillo.»

«Tranquillo?» rispose il centurione con un sogghigno. «Non c'è niente di tranquillo da Cadice al Mar Rosso. Temo stia per scatenarsi una tempesta che non si placherà prima di aver spazzato via tutto quello che fino a ora è stato costruito. Dobbiamo fermarla ad ogni costo.»

Lo scaricatore si rabbuiò in volto e nello stesso istante una nube oscurò il sole coprendo d'ombra il cortile: un'improvvisa enfasi del cielo su quelle parole.

«Ma che stai dicendo? Fammi capire, io non...»

Publio Sestio gli si avvicinò di più: «Il messaggio dev'essere recapitato il più in fretta possibile al vecchio posto di guardia all'ottavo miliario della Cassia. Il messaggio è: "L'aquila è in pericolo"».

Lo scaricatore lo afferrò per le vesti: «Possenti dèi ma che cosa sta succedendo? C'è altro da trasmettere?».

«No» rispose Publio Sestio. «Niente più di quello che ti ho detto. Del resto mi occuperò personalmente. La missione deve partire quanto prima. Io stesso riprendo il viaggio subito. Addio.»

Mentre si dirigeva verso l'edificio principale notò un uomo seduto a terra, non lontano da loro, dietro una delle colonne del portico. Stava mangiando a testa bassa una ciotola di zuppa. Indossava un mantello grigio e il cappuccio gli copriva il capo ma non il volto, un ceffo da faina con pochi peli gialli sopra il labbro superiore.

Publio Sestio raggiunse l'ufficio del responsabile, chiese se il cavallo fresco era pronto e scambiò ancora poche parole. Un servo gli porse qualcosa da mangiare e un bicchiere di vino mentre gli stallieri preparavano la nuova cavalcatura e trasferivano il suo bagaglio.

L'uomo con il mantello grigio continuava a mangiare la zuppa ma non perdeva il minimo movimento dei due uomini che si erano parlati poco prima.

Publio Sestio bevve il vino in due sorsate, balzò a cavallo e partì al galoppo.

L'uomo con il mantello grigio appoggiò la ciotola per terra, si alzò e con passo deciso si diresse alle scuderie; mise una moneta in mano a uno stalliere e chiese: «Ha parlato con te l'uomo arrivato poco fa?».

«No» rispose il servo.

«Hai sentito cosa diceva quando parlava con il responsabile?»

«Ha chiesto se era certo che avrebbe trovato un altro cavallo al prossimo punto di sosta.»

«Ha una fretta maledetta quindi...»

«Direi. Non ha nemmeno finito di mangiare.»

«Prepara un cavallo anche a me. Il migliore. Parto stanotte, sul tardi.»

«Il migliore lo ha preso lui.»

«Il migliore che ti è rimasto, idiota.»

Il servo obbedì senza indugiare: preparò un baio dai garretti sottili e lo mostrò, già bardato, all'uomo con il mantello grigio: «Se parti a notte fatta» disse «attenzione ai brutti incontri».

«Occupati dei fatti tuoi» ribatté l'uomo «e non parlare con nessuno se vuoi ancora di questi.» Fece tintinnare la borsa delle monete e tornò nel cortile. Sedette dove si trovava prima, appoggiato a una colonna del portico.

Entrò un convoglio di carri carichi di fieno, evidentemente il rifornimento per le stalle. I conducenti erano di buon umore e si informarono per prima cosa se era rimasto del vino che avevano bevuto l'ultima volta. Il responsabile si affacciò alla porta del suo ufficio con una tavoletta e uno stilo in mano buttando un'occhiata al carico per controllare e registrare cosa stavano acquistando e quanto stavano spendendo il senato e il popolo romano.

«Spero che non sia umido» brontolò avvicinandosi ai conducenti. «L'altra volta ha fatto la muffa, dovrei scalarvi più della metà di quello che ho pagato.»

«Invece dovresti prendertela con i tuoi servi indolenti» rispose uno dei conducenti «che lo hanno lasciato alla guazza la prima notte per non metterlo subito al coperto sotto il fienile. Questo è perfetto, soprintendente, secco come la mia gola assetata.»

Il responsabile, capita l'allusione, fece venire del vino e si ritirò nel suo ufficio.

Poco dopo giunse un altro cavaliere, anch'egli trafelato e, riconosciuto *Mustela*, si appartò con lui. Gli mostrò una ricevuta e gli consegnò un rotolo su cui era tracciato un itinerario. *Mustela* lo prese in consegna. E con quello l'impegno a proseguire.

Intanto Publio Sestio avanzava al galoppo lungo i bordi di terra battuta a fianco della strada lastricata, l'Emilia, che giungeva fino a Rimini, controllando i segni sulle pietre miliari per calcolare la distanza dalla prossima stazione. Era passato di lì tre anni prima, marciando a fianco dei suoi mascalzoni della Dodicesima, e con loro aveva varcato, a malincuore, il Rubicone. Ricordava bene la messinscena che aveva dovuto approntare per convincere gli uomini che quel passo contro la patria e contro la legge era necessario.

Il sole cominciava a calare: ancora un'ora e mezza di luce al massimo, che gli avrebbe consentito di raggiungere la prossima fermata lungo la sponda sinistra del Reno. Lì avrebbe deciso se ripartire o fermarsi per la notte. Ogni tanto rallentava per non sfiancare il cavallo, quando ne percepiva la fatica. Lui, soldato di fanteria, da tempo aveva dovuto abituarsi a capire i cavalli e le loro esigenze. Si era convinto che Cesare fosse in pericolo grave e che questo pericolo fosse imminente. Più che gli indizi di *Nebula*, glielo suggeriva l'istinto, lo stesso che nei turni di guardia nelle campagne di Gallia gli faceva percepire la freccia nemica fendere la notte un attimo prima che scoccasse.

Caupona ad Salices, a.d. VIII Id. Mart., hora duodecima
Osteria "ai Salici", 8 marzo, le cinque di pomeriggio ˙

Giunse alla sponda del Reno prima di Bologna e prese a destra verso meridione risalendo la corrente del fiume così come era indicato nella mappa che gli aveva lasciato *Nebula*. Raggiunse l'osteria che fungeva da stazione quando il sole era già sceso sotto il profilo dei monti ed entrò per cambiare il cavallo. Sul portone d'ingresso notò una statuetta di Isis, opera di modesto artigianato ma comunque di un certo effetto. All'interno i servi si preparavano ad accendere le lucerne nelle camere e attingevano l'olio da un orcio in fondo al cortile.

Si sentiva stanco, le vecchie ferite gli dolevano a causa del tempo instabile e il boccone che aveva mangiato nella stazione precedente non era bastato a sostenerlo. Legò le briglie del cavallo alla rastrelliera e si recò dal responsabile che trovò impegnato in una partita a dadi con l'oste. Gli mostrò le credenziali e assistette all'imbarazzo del funzionario sorpreso in un'attività non proprio istituzionale. Lo calmò con un gesto: «Non sono un ispettore, sono un semplice viandante e ho bisogno di un consiglio».

«Tutto quello che posso, centurione.»

«Vado di fretta, ma non so se continuare la mia corsa o fermarmi qui per la notte.»

«Il mio consiglio» rispose il sovrintendente «è che ti fermi e riposi. Non hai un bell'aspetto e fra poco farà buio, meglio non rischiare.»

«Quanto manca al prossimo punto di sosta?» domandò Publio Sestio.

«Poco più di tre ore, dipende da quanto vai veloce.»

«Dipende dal cavallo che mi dai» ribatté Publio Sestio.

«Allora vuoi ripartire?»

«È così. Prima che sia completamente buio passerà un'altra ora, dopo di che vedrò. Preparami un pezzo di pane con quello che hai e cambiami il cavallo. Il mio è legato alla rastrelliera. Dammi il migliore e mi ricorderò di te.»

«Senz'altro, centurione» rispose sollecito il responsabile abbandonando i dadi. «Costui è il nostro oste e ti servirà la cena mentre ti preparano il miglior corridore delle nostre scuderie. Ma come mai tanta fretta, se posso chiedere?»

«No, non puoi chiedere» rispose asciutto Publio Sestio. «Datti da fare piuttosto.»

Il responsabile provvide a quanto gli era stato richiesto e il centurione ripartì. La temperatura con l'approssimarsi del tramonto si raffreddava rapidamente a causa della neve che copriva gran parte delle montagne e dell'aria che attraversandole raggelava anch'essa al passaggio fra le gole ghiacciate.

Cercava di rassicurarsi pensando che si stava preoccupando più del necessario, non c'era alcuna prova che qualcosa stesse per accadere in quel preciso momento, ma intanto si augurava che fossero già partiti altri corrieri e le probabilità che il messaggio giungesse a destinazione si moltiplicassero.

Si augurava corrieri fedeli alla loro missione. Da troppo tempo le fazioni laceravano lo stato perché anche l'amministrazione e i funzionari non fossero infiltrati da differenti e opposte fedeltà. L'ultimo riflesso del tramonto si spense nel cielo ormai sereno e le stelle più luminose brillarono nel blu intenso della volta celeste, una falce di luna prese forma sul dorso candido dell'Appennino e il cavaliere si sentì più solo sulla strada deserta. L'unica compagnia, il rumore degli zoccoli del cavallo e il suo possente respiro. Eppure ciò che auspicava si stava avverando.

Mutatio ad Medias, a.d. VIII Id. Mart., prima vigilia
Stazione "ad Medias", 8 marzo, le sette di sera

Appena calò l'oscurità, lo scaricatore, mentre tutti si preparavano per la cena e le luci dell'osteria si accendevano dentro e fuori a guidare viandanti ritardatari, salì le scale che portavano al terrazzo superiore.

La sua mossa non sfuggì all'uomo con il mantello grigio, che restando nell'ombra del portico si portò non visto alla base delle scale e gli andò dietro senza il minimo rumore fino alla porta superiore che lo scaricatore aveva lasciato socchiusa.

La costruzione principale terminava in una specie di torretta che la sopravanzava di circa venti piedi. Lo scaricatore, arrivato al primo terrazzo, si avvicinò alla torretta e raggiunse la sommità servendosi dei gradini inseriti nel muro. Là prese della legna da una catasta preparata, accese un fuoco dentro a un treppiede che reggeva un gabbione di ferro battuto e presto, alimentate dal vento, le fiamme divamparono. Lo scaricatore andò verso una porticina sul lato occidentale della torre, la aprì e all'interno trovò un involto di tela di sacco, da cui estrasse una specie di grande disco di bronzo tirato a lucido. Con quello proiettò, a movimenti alternati e a più riprese, la luce del fuoco verso un punto dell'Appennino dove qualcuno avrebbe dovuto capire e rispondere. L'aria si faceva più tagliente e lo scaricatore sul petto si sentiva avvampare dalla vicinanza delle fiamme e sulla schiena era gelato dal freddo della notte che si faceva ad ogni istante più buia.

Da sotto provenivano rumore di stoviglie e boccali e il vociare allegro degli avventori, ma il suo sguardo scandagliava il manto nevoso della montagna che, pur sovrastato dal buio, emanava un candore immacolato, esso stesso sorgente di luce.

A un tratto vide un puntino rosso che a poco a poco ingrandiva fino a diventare un piccolo globo palpitante. Il punto di segnalazione, sulla linea del crinale, aveva ricevuto il suo messaggio e stava rispondendo.

L'uomo dal mantello grigio non poté salire per la scala pensile e non pensò nemmeno ad affrontare quell'energumeno. Pur restando sul terrazzo, si rese conto che lo scaricatore stava trasmettendo un segnale e restò appiattito contro il muro per aspettare i segnali di risposta

In Monte Appennino, Lux fidelis, a.d. VIII Id. Mart., prima vigilia Monti dell'Appennino, "Luce fedele", 8 marzo, le sette di sera

L'uomo addetto al segnalatore reggeva uno schermo di tela che sollevava e abbassava davanti al fuoco, ma il vento rinforzava e la manovra si faceva più impegnativa. La terrazza dell'avamposto era coperta di neve ghiacciata e dietro la costruzione si estendeva una foresta di abeti curvi sotto il peso delle nevicate recenti. Di colpo dal pavimento si aprì una botola da cui emerse il comandante della stazione imbacuccato in un mantello di lana grezza con un cappuccio foderato di pelo, un ufficiale del genio.

«Che cosa hanno trasmesso?» domandò.

L'addetto al segnalatore accostò al fuoco la tavoletta su cui aveva trascritto il messaggio: «"L'aquila è in pericolo.

Avverti Cassia VIII." Tu sai cosa significa? Sai chi è l'aquila, comandante?».

«Lo so, e significa guai senza fine. Quanti uomini abbiamo?»

«Tre, compreso quello che ci ha mandato il segnale.»

«Lo scaricatore?»

«Lui, e altri due che conosci.»

«Lo scaricatore partirà al più presto, se non è già partito. Gli altri due si metteranno in viaggio all'istante. Sono abituati a muoversi al buio. Falli venire.»

La luce che palpitava dalla torre *ad Medias* ammutolì. La trasmissione del messaggio era conclusa.

Il comandante scese la scala che portava di sotto richiudendo dietro di sé la botola di legno. Tre lucerne illuminavano il passo fino a un pianerottolo da cui si accedeva all'alloggio del personale in forza alla stazione. Due giovani sulla trentina: uno, chiaramente del luogo, era di taglia e di tratti celtici, biondo, alto e massiccio, capelli fini e lunghi, occhi di un azzurro quasi iridescente; l'altro veniva dal Sud, era di statura più modesta, di capelli scuri e lisci, occhi neri, mobilissimi, un dauno dell'Apulia. Rufo il nome del primo, Vibio del secondo. Parlavano fra di loro una strana lingua bastarda: un latino infarcito dei termini delle loro parlate indigene. Probabilmente ciascuno era l'unico al mondo in grado di comprendere l'altro.

Stavano mangiando pane e noci quando entrò il comandante e si alzarono in piedi inghiottendo il boccone. La faccia del comandante era quella delle circostanze più sgradevoli: «Ordine di recapitare un messaggio di massima allerta» cominciò. «Ovviamente non sarete i soli con questo incarico, conoscete bene il protocollo. Di questa stagione e con questo tempaccio affidarsi ai segnali luminosi è da pazzi, se ci hanno provato è segno che vogliono tentarle proprio tutte. Un buon corriere resta il modo più sicuro. Il messaggio è semplice, facile da mandare a memoria anche per due lavativi come voi: "L'aquila è in pericolo".»

«L'aquila è in pericolo» ripeterono i due. «Sì, comandante.»

«Il carattere dell'informazione è tale che non può che provenire da *Nebula*. Gran figlio di puttana che raramente però si sbaglia. Non posso dirvi di più, ma rendetevi conto che la vita di innumerevoli persone, il destino di intere città e forse anche di popoli dipendono dal fatto che questo messaggio possa raggiungere in tempo il destinatario. Va recapitato a voce al vecchio posto di guardia all'ottavo miliario della Cassia. Non m'importa da dove arriverete, da quale dei quattro fottuti punti cardinali, non m'importa se per arrivare dovrete sputare sangue e anima, ma per tutti i demoni dell'Averno, prima di esalare l'ultimo respiro trasmettete il maledetto messaggio. Avete capito bene?»

«Benissimo, comandante.»

«Qualcuno si sta occupando del vostro equipaggiamento. I cavalli saranno pronti quando avrò finito di parlare. Partite in due direzioni diverse. Decidete voi che strada deve prendere ciascuno, per me è indifferente. Questo non significa che dobbiate percorrerle in ogni tratto ma, poiché dovrete per forza cambiare cavalli esse saranno il vostro punto di riferimento. Per ragioni di sicurezza non conosco gli itinerari degli altri, però è possibile che siano diversi dal vostro. Se sarà il caso saprete farvi riconoscere dal piastrino di *speculatores*, ma l'incognito è la migliore garanzia fino al compimento della missione. Il sistema è concepito in modo che almeno uno dei messaggi arrivi, se gli altri lanci abortiscono per qualche motivo.»

«Il motivo» disse Rufo «è se uno o più dei messaggeri viene ucciso, giusto?»

«È così» replicò il comandante. «Sono le regole di questo gioco e di questo mestiere.»

«Chi, oltre a noi, può essere al corrente dell'operazione?» domandò Vibio.

«Nessuno, a quanto ne so, ma noi non sempre sappiamo tutto quello che vorremmo e ciò che riteniamo probabile non è detto sia vero. Quindi occhi e orecchi aperti. La consegna è una sola: recapitare il messaggio a qualsiasi costo.»

I due, dopo aver salutato, si avviarono verso l'uscita e scesero le scale che portavano al cortile interno dove li attendevano due sauri equipaggiati per un lungo viaggio: coperte, bisacce per il cibo, borracce con vino annacquato, cinture con il denaro. Il servo li aiutò a indossare il corsetto di cuoio rinforzato, spesso abbastanza da impedire a una freccia di arrivare al cuore ma sufficientemente leggero per permettere agilità e rapidità di movimenti. Un coltellaccio celtico era l'arma in dotazione per quel tipo di missione. Il tutto venne coperto dal mantello di lana grezza, buono per il freddo, buono per il caldo.

Uscirono dalla porta principale dove due lanterne stendevano un alone giallo sulla neve sporca di fango e sterco di cavallo.

«Che facciamo?» disse Vibio. «Ci separiamo subito o andiamo insieme fino a fondo valle?»

Rufo accarezzò il collo al cavallo che scalpitava irrequieto e soffiava grandi nubi di vapore dalle nari: «Sarebbe la cosa più logica e anche quella che mi piacerebbe di più. Ma se hanno mandato il segnale nella nostra direzione si aspettano che almeno uno di noi prenda la scorciatoia attraverso la dorsale in direzione della Flaminia. È dura ma si risparmia almeno una mezza giornata. In certi casi mezza giornata può essere determinante».

«Sicuro» disse Vibio. «Allora che si fa? La paglia o la moneta?»

«La paglia brucia, la moneta dura» rispose Rufo e lanciò in aria un asse di Caio Mario lucido e brillante come fosse d'oro.

«Testa è la scorciatoia per te» disse Vibio.

Rufo bloccò con la destra la moneta sul palmo della sinistra: «Cavalli!» disse mostrando la quadriga che ornava il verso. «Tocca a te. Io prendo la Flaminia minore.»

I due amici si guardarono per qualche istante negli occhi, accostarono i cavalli e si batterono a vicenda un gran pugno sulla spalla destra.

«Attento alle merde di vacca!» esclamò Vibio, ripetendo la sua formula preferita contro il malocchio.

«Anche tu, tagliagole!» rispose Rufo.

«Ci vediamo a cose finite» lo salutò Vibio.

«E in caso di bisogno» ridacchiò Rufo «c'è sempre *Pullus*. Lui in realtà è figlio di una capra. Ci raggiungerà dovunque siamo.» Toccò i fianchi del cavallo e imboccò un sentiero appena visibile che scendeva la costa del monte verso valle e la passerella che attraversava il Reno, scintillante come una spada sotto la luna.

Vibio continuò in salita per raggiungere il crinale e poi di là percorrere la sua scorciatoia attraverso i monti che lo avrebbe portato in direzione di Arezzo.

CAPITOLO VI

Romae, a.d. VII Id. Mart., hora sexta
Roma, 9 marzo, le undici di mattina

Tito Pomponio Attico al suo Marco Tullio, salute!
L'altro ieri ho ricevuto la tua lettera e ho meditato a lungo su quanto mi dicevi. I pensieri che ti assillano in questo momento cruciale sono molti e di complessa natura. Nondimeno credo tu non possa sfuggire al ruolo che i migliori in questa città ti attribuiscono. Né devi dolerti se i tuoi meriti in passate circostanze sono stati misconosciuti nell'opera di Bruto che anch'io ho letto di recente. Ciò che egli scrive è dettato dall'amore che prova per la moglie, donna non meno saggia che avvenente, ma soprattutto figlia di tanto padre e da lei veneratissimo. Chiunque sia amante della patria e grato a chi ne è stato il difensore sa quanto essa ti debba essere riconoscente e sa che tu sei un modello da proporre alle nuove generazioni che un giorno ci succederanno.
Se potrò, ti renderò visita non molto dopo che avrai ricevuto questa lettera affidata al messaggero che tu ben conosci.
Abbi cura di te.

Marco Tullio Cicerone ripose la lettera dell'amico, giunta il giorno prima, in un cassetto della scrivania assieme alle altre e sospirò. Avrebbe voluto che la visita preannunciata si verificasse al più presto. Mai aveva tanto sentito il bisogno di parlargli da solo a solo, di avere da lui il conforto di un parere, di un consiglio. Conosceva la scelta che Tito Pomponio aveva fatto da tempo, tenersi fuori dalle lotte

66

civili, e in fondo non poteva biasimarlo. La confusione era stata enorme, le decisioni difficili, le conseguenze quasi sempre imprevedibili e la situazione non era migliorata con l'assunzione dei pieni poteri da parte di Cesare.

Il conquistatore della Gallia aveva preso a pretesto eventi del tutto marginali per invadere il territorio metropolitano della repubblica alla testa di un esercito, compiendo un atto che violava ogni legge, ogni tradizione, ogni sacro confine. Se in un primo momento lui stesso aveva visto in quell'assunzione di potere il minore dei mali, se si era addirittura esposto dichiarando, in una delle ultime sedute del senato, che qualora Cesare fosse stato in pericolo gli stessi senatori avrebbero dovuto agire come i primi difensori della sua incolumità, adesso capiva che il malcontento serpeggiava ovunque, si rendeva conto che la difesa delle libertà civiche non poteva essere subordinata al desiderio, pur legittimo e comprensibile, di pace e tranquillità che la maggior parte dei cittadini auspicava.

In quel momento fece il suo ingresso Tiro, il segretario di Cicerone. Era da tempo il suo braccio destro e all'età di cinquantanove anni era depositario della sua completa e incondizionata fiducia. Quasi calvo e un po' claudicante per un'artrosi all'anca destra, appariva più vecchio della sua età.

«Padrone» cominciò.

«Sei da tempo un uomo libero, Tiro, non devi chiamarmi così, te l'ho chiesto tante volte.»

«Non saprei come chiamarti in modo diverso. Le abitudini di una vita diventano parte di noi stessi» rispose tranquillo il segretario.

Cicerone scosse il capo con un sorriso appena accennato: «Che cosa c'è, Tiro?».

«Visite, signore, una lettiga si sta avvicinando dalla strada e se la vista non mi inganna è quella di Tito Pomponio.»

«Finalmente! Presto, vagli incontro e introducilo da me. Fai preparare il triclinio. Si tratterrà certo a pranzo.»

Tiro s'inchinò e si diresse verso l'atrio e la porta d'ingresso. Ma appena ebbe gettato uno sguardo verso la strada un'espressione di disappunto gli si manifestò sul volto: la lettiga che ormai distava una cinquantina di passi svoltò per un vicolo sulla sinistra e scomparve alla vista. Come avrebbe riferito al padrone la defezione dell'amico che aspettava con ansia? Restò qualche istante a riflettere all'ombra di un antico alloro che sorgeva a lato del cancello d'ingresso, poi si volse per raggiungere Cicerone e dargli la curiosa notizia che la lettiga di Tito Pomponio, sul punto di giungere alla porta, era sparita all'improvviso, come se l'occupante avesse cambiato idea all'ultimo momento. Mentre stava per entrare vide uno dei domestici venirgli incontro: «Tiro, qualcuno bussa alla porta posteriore».

Tiro si rese conto di quanto stava accadendo: «Apri subito» rispose, «ti vengo dietro».

In pochi passi il servo raggiunse la porta posteriore e senza fare domande aprì. Tiro, che lo seguiva dappresso, si trovò di fronte Attico e lo introdusse in casa: «Perdonami, Tito Pomponio, sai quanto siano sciocchi i servi. Era chiaro che si trattava di te. Seguimi, ti prego, il padrone è ansioso di vederti».

Gli aprì la porta dello studio di Cicerone, lo fece entrare e si ritirò.

«Ti stavo aspettando con impazienza. Tiro ha fatto accomodare i tuoi servi?»

«Non ce n'è stato bisogno, amico mio» rispose Attico. «A quest'ora stanno portando la mia lettiga vuota verso l'abitazione di mio nipote. Sono entrato a piedi dal cortile posteriore. Preferisco non si sappia dove vado, anche se tutti sanno della nostra amicizia. Allora, che succede? La tua ultima lettera lasciava intendere chiaramente che erano più numerose le cose taciute di quelle scritte.»

Cicerone, che lo aveva abbracciato appena era entrato, si era seduto accanto a lui: «Ti fermi per pranzo? Ho fatto preparare».

«Mi dispiace, non posso trattenermi, ma ho deciso di venire perché capivo che avevi necessità di parlarmi.»

«È così, infatti. Ascolta: tempo fa ho ricevuto una lettera di Cassio Longino.»

Attico aggrottò le sopracciglia.

«Una lettera insolita, che in apparenza non ha molto senso, oppure ne ha uno recondito.»

«Cosa intendi dire?»

«La lettera parla di cose ovvie, scontate, insomma è una lettera inutile, a meno che non vada intesa in un altro modo.»

«Non è da escludere.»

«Tu sai che Tiro, il mio segretario, ha messo a punto un sistema stenografico con cui trascrive i miei discorsi quando parlo in pubblico. In generale è appassionato di crittografia e si è applicato al testo della lettera con questo tipo di attitudine interpretativa.»

«E quindi?»

«Tito, amico mio, tu sai che non ho mai voluto coinvolgerti in situazioni che potessero crearti difficoltà. So come la pensi e rispetto le tue scelte, per cui non ti dirò niente che possa turbarti. Mi limiterò a dirti che qualcosa di grosso è nell'aria, lo sento e lo intuisco anche se non so con esattezza di che cosa si tratti.»

«Non è difficile da immaginare. Tiro è riuscito a trovare un secondo senso a quella lettera?»

«Sì.»

«Quale?»

Cicerone restò a lungo in silenzio guardando negli occhi l'amico. Vi lesse serenità d'animo velata da una certa preoccupazione e affetto che le sue parole subito confermarono.

«Sono venuto da te di nascosto perché volevo darti la possibilità di parlarmi senza reticenze. Non ho paura e tu sai quanto per me sia importante l'amicizia. Parla liberamente. Nessuno ci ascolta e nessuno sa che sono qui.»

«Se l'interpretazione di Tiro è giusta, e penso che lo sia, si sta preparando qualcosa di importante, un evento epocale per il destino della repubblica, di cui però qualcuno ha deciso di tenermi all'oscuro. Il mio ruolo sarebbe di subentrare in seguito, se capisco bene.»

«Tu sei l'uomo che sventò il progetto eversivo di Catilina, anche se in quel suo scritto Bruto ne attribuisce merito al suocero Catone. E questo non ha di certo fatto piacere a Cesare. Chi esalta Catone offende lui. Catone ormai è diventato il martire della libertà repubblicana, colui che preferì suicidarsi piuttosto che sopportare la tirannide. Sono abbastanza vicino all'evento epocale di cui mi parlavi?»

«Ci sei molto vicino.»

«Ma né tu né io abbiamo il coraggio di parlarne.»

Cicerone chinò il capo senza rispondere e Attico rispettò dapprima il suo silenzio. Poi riprese a parlare: «Se ho visto giusto, ti stai chiedendo se sia bene per te accettare la velata proposta di restare fuori da questo evento e subentrare a cose fatte o se non sarebbe meglio governarlo come facesti al tempo del tentativo di colpo di stato di Catilina».

«Hai colto nel segno» rispose Cicerone. «Ed è un pensiero che mi tormenta da tempo.»

Attico gli si avvicinò accostando la sedia a quella dell'amico e lo fissò negli occhi da poco più di una spanna di distanza: «Diciamo che quando parliamo di questo evento, tu e io pensiamo alla stessa cosa, l'unica che può essere davvero epocale. Il tuo cruccio è che chi la gestisce sia sufficientemente incapace e inesperto da causare disastri più gravi di quelli che vorrebbe risolvere. All'ombra di una grande quercia crescono solo pianticelle gracili e contorte, non è così?».

«Temo che per la maggior parte dei casi sia così. Esistono comunque uomini che, pur non manifestando tutte le loro capacità in questo momento, le mantengono e potrebbero costituire un problema serio.»

Attico sospirò: «Quando morì Alessandro tutti i suoi amici diventarono grandi re. Smembrarono il suo impero per prenderne un pezzo ciascuno dopo interminabili lotte sanguinose».

«Capisco cosa vuoi dire ed è per questo che l'idea mi spaventa. Bruto...»

«Già, Bruto. Circola una battuta sul suo conto. Pare l'abbia pronunciata Cesare.»

A quel nome Cicerone ebbe un leggero ma percettibile trasalimento. Attico continuò: «Questi avrebbe detto: "Bruto non sa quello che vuole ma lo vuole fortemente"». Sorrise amaro, scuotendo il capo, poi proseguì: «Restane fuori, amico mio. Ringrazia gli dèi che nessuno ti abbia fatto proposte concrete. Io...».

«Cosa?» incalzò Cicerone ansioso.

«Ho delle informazioni... bada, niente di preciso, ma dal mio punto di vista sono informazioni verosimili. Cercherò di saperne di più e di capire se ci sia qualcuno che pensa a un tuo ruolo istituzionale una volta che l'evento si verificasse. Più di tanto non posso fare. Non sono un politico, amico mio, mi limito a cercare di comprendere, ma se potrò aiutarti lo farò. Per ora non fare alcuna mossa e, se io dovessi un giorno scoprire quando e dove si manifesterà il pericolo, te lo farò sapere. Non è detto che riesca a parlarti di persona. Più probabilmente riceverai un messaggio con il mio sigillo. All'interno dovrai riconoscere la nostra solita parola d'ordine in codice. Quel giorno non muoverti da casa, per nessuna ragione.»

Attico si alzò e Cicerone assieme a lui. I due si abbracciarono. Li univa l'angoscia comune di un momento difficile, l'antica amicizia, la profondità della cultura, la fedeltà allo stesso credo filosofico, il rimpianto per i vecchi valori della patria travolti dall'avidità di potere e di denaro, dall'odio di parte, dai risentimenti e dalle vendette.

Attico aveva deciso di rimanere distaccato spettatore di quello sfacelo, convinto nel suo tranquillo fatalismo che la componente caotica della storia, da sempre preponderante, avesse preso del tutto il sopravvento e che le fragili forze della ragione umana non avessero alcuna possibilità di impedire la rovina.

Cicerone credeva ancora nel ruolo della politica, ma non aveva il coraggio né la forza per esercitarlo. Si arrovellava per la sua impotenza e viveva nel ricordo dei fasti del suo glorioso consolato, quando aveva attaccato con virulenza Catilina in senato, lo aveva smascherato e costretto alla fuga.

Accompagnò di persona il suo fedele amico alla porta del cortile posteriore. Attico si fermò sulla soglia prima di uscire in strada e si tirò sul capo il cappuccio del mantello: «Una cosa ancora» disse.

«Parla.»

71

«Sei tu l'ispiratore delle scritte che appaiono sui muri di Roma e che esortano Bruto a mostrarsi all'altezza del suo nome?»

«No» rispose Cicerone.

«Meglio così» disse Attico. E se ne andò.

Romae, in Campo Martis, a.d. VII Id. Mart., hora octava
Roma, Campo Marzio, 9 marzo, l'una di pomeriggio

Antistio raggiunse Silio sotto il portico del teatro di Pompeo, terminato da una decina d'anni. Adiacente si trovava la curia in cui si radunava temporaneamente il senato, in attesa che terminassero i lavori nella sua sede al foro. Si sedettero a un tavolo davanti a un'osteria e il medico ordinò due tazze di vino caldo con miele e spezie.

«Davvero Cesare ha ricevuto un messaggio di Publio Sestio?» chiese Antistio.

«Sì, ma risale a sette giorni fa.»

«Hai saputo che cosa dice?»

«Si riferisce ai contatti e alle notizie che aspettava a proposito della spedizione contro i Parti. Per quello che lo riguarda va tutto bene. Abbiamo gli appoggi in Anatolia e Siria e anche in Armenia e possediamo la lista completa delle nostre forze dislocate fra il Danubio e l'Eufrate. Il comandante ha deciso di riunire lo stato maggiore per esaminare la fattibilità del progetto di invasione.»

«Quindi era questo il motivo per cui attendeva quel messaggio con tanta impazienza.»

«Non ne vedo altri e lui non ha fatto accenno a qualcosa di diverso. E se ho capito bene, è determinato a mettere in atto il progetto.»

Antistio scosse il capo ripetutamente: «Non riesco a capire: non sta bene, l'opera sua non è compiuta, la Spagna e la Siria non sono del tutto pacificate e lui s'imbarca per un'avventura dagli esiti incerti che lo terrà lontano per anni e potrebbe perfino costargli la vita. Un'avventura che rischia di essere senza ritorno».

Silio bevve qualche sorso del suo vino.

«Ha avuto altri attacchi?» domandò Antistio.

«No, che io sappia. E spero che non tornino.»

«Questo nessuno lo può dire. Adesso dov'è?»

«Da lei.»

Antistio chinò il capo in silenzio.

Silio gli appoggiò una mano sulla spalla: «Quel maestro di greco... Artemidoro, mi sembra... sei riuscito a metterti in contatto con lui?».

«Lo vedrò stasera. Gli ho fatto sapere che dovevo fargli una visita di controllo.»

«Tienimi informato se c'è qualche novità: è della massima importanza.»

«Sarai il primo a saperlo, non preoccuparti. Non ti muovere da Roma in ogni caso, potrei sempre avere bisogno di te.»

«Non mi allontanerò dal confine della città se non me lo ordina lui in persona.»

«Abbi cura di te.»

«Anche tu.»

Si separarono. Antistio si diresse verso l'isola, Silio restò a sorseggiare il suo vino speziato. Prese a soffiare un vento freddo da nord che metteva i brividi e si strinse addosso il mantello.

Romae, in Hortis Caesaris, a.d. VII Id. Mart., hora nona
Roma, giardini di Cesare, 9 marzo, le due di pomeriggio

«Tu sei l'uomo più potente del mondo. Se non fai una cosa è perché non vuoi farla, non perché qualcosa o qualcuno te lo impedisce!» La regina aveva alzato il tono di voce e il rossore delle gote traspariva anche sotto il trucco che levigava il suo viso. Un volto non perfetto, dai tratti esotici ma di irresistibile fascino, che qualcuno attribuiva all'influsso di una madre indigena, e un corpo di perfezione sublime che la sua prima gravidanza non aveva appesantito.

Cesare si alzò spazientito dal divano su cui lei l'aveva ricevuto sdraiata.

«Ho fatto ciò che ho ritenuto giusto e tu dovresti renderti conto dell'importanza e della gravità delle decisioni che ho preso tanto per te quanto per il bambino. L'ho riconosciuto come mio figlio e ti ho dato il permesso di chiamarlo con il mio nome.»

«Che degnazione! Ma è figlio tuo: cos'altro avresti potuto fare?»

«Qualunque cosa. Lo hai detto tu. Ma l'ho riconosciuto: non solo con il mio nome ma facendo collocare una tua statua d'oro...»

«Dorata» lo corresse altezzosa la regina.

«Comunque una tua immagine nel tempio di Venere genitrice. Lo sai che cosa significa questo? Quel tempio è il santuario della mia famiglia. Significa che avendo partorito un figlio a Cesare tu sei entrata a farne parte e che a lui è riconosciuta una discendenza divina.»

Cleopatra sembrò calmarsi, si alzò a sua volta, gli andò vicino e gli prese la mano: «Ascoltami, tua moglie è sterile e Tolomeo Cesare è il tuo unico figlio. Io sono l'ultima erede di Alessandro Magno e tu sei il nuovo Alessandro, anzi sei più grande di lui: hai conquistato l'Occidente e ora conquisterai l'Oriente. Nessuno potrà esserti pari in tutto il mondo, nel passato come nel futuro. Tu sarai considerato un dio e in tuo figlio si uniranno due dinastie divine. So che in senato esiste un progetto per consentirti legalmente la poligamia, di avere più di una moglie per poter avere una discendenza. È così?».

«È una iniziativa che non è partita da me.»

«E invece avrebbe dovuto!» gridò Cleopatra alzando entrambe le mani fin quasi al suo volto. Cesare si ritrasse e la fissò negli occhi neri e ardenti senza dire una parola.

«Ma non capisci?» riprese la regina. «Senza quella legge tuo figlio rimane il bastardo di una straniera. Tu devi diventare il re di Roma e del mondo e l'unico tuo successore deve essere tuo figlio, un figlio vero, sangue del tuo sangue. Perché hai rifiutato la corona che Antonio ti offriva il giorno dei Lupercali?»

«Perché i miei nemici non aspettano altro per rovinarmi,

per togliermi il favore del popolo e presentarmi come un tiranno. Non lo capisci? A Roma essere re è considerata una cosa esecrabile e in ogni caso qualunque magistrato romano nelle province ha un codazzo di re e principi che aspettano a volte mesi per essere ricevuti. Perché Cesare dovrebbe aspirare a una condizione inferiore a quella di chiunque fra i suoi governatori?»

La regina chinò il capo e volse le spalle mentre lacrime di rabbia e frustrazione le scendevano dagli occhi.

Cesare la guardò e gli tornò alla mente la notte di intrighi e tradimenti ad Alessandria in cui Cleopatra gli era stata portata di nascosto, avvolta in un tappeto. La notte in cui era assediato e ogni via di scampo gli era preclusa, preclusa a lui, il conquistatore delle Gallie, il vincitore di Pompeo, prigioniero in una trappola in cui era andato a infilarsi da solo. Eppure, quando se l'era vista davanti vestita solo di un lino finissimo e trasparente, i capelli acconciati alla maniera egiziana, gli occhi lucenti segnati di nero, le ciglia incredibilmente lunghe, il seno prepotente, tutto era svanito, le armate che lo cingevano d'assedio, la testa mozza di Pompeo, le subdole manovre di quei piccoli Greci intriganti. Solo lei era rimasta, superba e tenera, così giovane nel corpo e nel volto e così perversa nello sguardo. Nessuna donna che avesse mai conosciuto, nemmeno Servilia, l'amante di sempre, madre di Bruto e sorella di Catone, aveva mai avuto quella luce torbida e conturbante negli occhi.

La voce di lei lo riscosse dai suoi pensieri: «Che cosa sarà di noi, di me e di tuo figlio?».

«Mio figlio sarà re d'Egitto e tu sarai la reggente fino al giorno in cui avrà raggiunto la maggiore età, protetta, onorata, rispettata.»

«Re d'Egitto?» replicò Cleopatra, risentita.

«Sì, mia regina» rispose Cesare. «E sii felice per questo. Solo un Romano può governare Roma e può farlo finché riuscirà a giustificare l'ampiezza del suo potere.»

Cesare si sentì oppresso da un pensiero sgradevole: Cleopatra gli aveva manifestato soltanto ambizione. Nient'altro. Non che si aspettasse amore da una regina, ma si sentiva solo in quel momento, tormentato da dubbi e minacce incombenti, dal pensiero della decadenza fisica, dalla consapevolezza che chi sale tanto in alto è soggetto a precipitare altrettanto in basso.

«Ora devo andare» disse. «Tornerò a trovarti, se lo vorrai, appena mi sarà possibile.»

Si incamminò verso la porta che un servo corse ad aprirgli.

«C'è chi farebbe per me molto di più» disse Cleopatra. Cesare si volse.

«Avrai notato, immagino, come mi guarda Marco Antonio.»

«No. Non l'ho notato. Ma può darsi che tu abbia ragione. È per questo che lui è Antonio e io sono Cesare.»

CAPITOLO VII

Romae, in Foro Caesaris, a.d. VII Id. Mart., hora undecima
Roma, foro di Cesare, 9 marzo, le quattro di pomeriggio

La cerimonia serale era finita e Cesare usciva accompagnato dai sacerdoti che avevano officiato il rito nel tempio di Venere genitrice. Vide Silio venirgli incontro dalla parte dei rostri e si fermò sotto il portico lasciando che i sacerdoti proseguissero per la loro strada.

«Dove sei stato?» gli chiese.

Silio gli si avvicinò: «Ho incontrato degli amici dalle parti del teatro di Pompeo e abbiamo bevuto qualcosa insieme. Pensi che Publio Sestio ci raggiungerà a Roma?».

«Penso di sì. Anzi, secondo i miei calcoli dovrebbe arrivare entro uno o due giorni al massimo.»

«La sua missione è quindi terminata.»

«Per quello che mi riguarda è così. Ma non si può mai dire. Potrebbe essere stato trattenuto da qualche imprevisto. Ciò che mi inquieta è l'attesa. Roma ha un sistema di strade e comunicazioni come nessuno ha mai avuto, eppure le notizie viaggiano lente, troppo lente per chi aspetta.»

Si sedette sui gradini del tempio a guardare i lavori che procedevano nella curia e ogni tanto alzava gli occhi verso le nubi grigie e sfilacciate che transitavano basse sopra la città.

«Non vedo l'ora di partire. La politica romana mi opprime.»

«La spedizione non sarà senza rischi» replicò Silio.

«Almeno i nemici li avrò di fronte, sul campo di battaglia, e sarò circondato da uomini di cui mi posso fidare. Qui non so mai cosa pensa la persona che ho di fronte.»

«È vero, in battaglia ognuno deve fidarsi degli altri: ne va della vita di tutti.»

«Vedi questo portico? Qualche tempo fa una delegazione del senato venne ad incontrarmi qui. Per enumerare tutti gli onori che mi avevano decretato in un'unica seduta. Risposi che non dovevano aggiungermi onori e cariche, ma togliermene.»

Silio sorrise. «Sai che cosa dissero? Che ero un ingrato. Che non mi ero alzato al loro sopraggiungere, atteggiandomi quindi come un dio, dato il luogo, o come un re. Assiso in trono sotto il portico di un tempio.»

«L'ho sentito dire. Ma sono cose che non si possono evitare: qualunque tuo gesto, anche il minimo, anche trascurabile, viene amplificato, gli vengono attribuiti significati importanti, se non fondamentali. È il prezzo che qualunque uomo deve pagare al potere che ha conseguito.»

«E invece il motivo era che anche Cesare deve soggiacere alle miserie umane. Sai perché non mi alzai?» disse con un sogghigno. «Perché avevo la diarrea. Le conseguenze avrebbero potuto essere imbarazzanti.»

«Nessuno ci crederebbe, lo sai. Comunque sia, è con queste dicerie che vogliono distruggere la tua immagine presso il popolo. Convincere tutti che vuoi farti re.»

Cesare chinò il capo in silenzio e sospirò. Teneva le braccia appoggiate alle ginocchia come un lavoratore stanco. Poi rialzò la testa e lo fissò con un'espressione enigmatica: «E tu ci credi?».

«A che cosa, che vuoi farti re?»

«Sì. Cos'altro se no?»

Silio lo guardò a sua volta, perplesso: «Solo tu puoi dare la risposta giusta, ma ci sono diversi comportamenti che fanno pensare di sì. Non l'ultimo di cui mi hai detto, ovviamente».

«Dimmi quali allora.»

«Il giorno dei Lupercali...»

Cesare sospirò ancora scuotendo il capo: «Ne abbiamo parlato, ti ho detto come andarono in realtà le cose. Ma, già, nessuno crede che non sia stata una messinscena organizzata da me. Forse nemmeno tu, Silio».

«Difficile pensare diversamente, se devo essere sincero. Inoltre la presenza di Cleopatra a Roma insieme al bambino per molti è come il fumo negli occhi. Cicerone in primo luogo non può vederla. È facile pensare che sia lei a convincerti a stabilire una monarchia ereditaria, della quale il piccolo Tolomeo Cesare sarebbe il naturale erede.»

Il foro cominciava a poco a poco a svuotarsi, la gente lasciava la piazza per raggiungere le proprie case e prepararsi alla cena, specie quelli che avevano degli invitati. I sacerdoti chiudevano le porte dei santuari, dal Campidoglio il fumo di un sacrificio saliva a confondersi con il grigio delle nuvole. Anche le colonne del tempio di Venere si tingevano dello stesso colore del cielo.

«Non puoi credere una cosa del genere: solo uno stupido metterebbe in scena una simile buffonata. Quanto a Cleopatra, non sono tanto pazzo da pensare che i Romani si farebbero governare da un re, per giunta straniero.»

«Giusto, comandante. Ma allora come giudichi il comportamento di Antonio? Ho riflettuto a lungo, la domanda è cruciale perché la risposta implica un giudizio di fondo su uno degli uomini più importanti fra quelli che ti stanno attorno e sui quali è essenziale che tu possa contare.»

Cesare lo guardò questa volta come non lo aveva mai guardato prima, nemmeno dopo che Antistio gli aveva detto apertamente cosa pensava della sua malattia. Silio si sentì invadere da una profonda tristezza perché gli sembrò di riconoscere per un istante sgomento e forse anche paura negli occhi del suo invincibile comandante.

«Lo sai?» disse. «Ogni tanto mi viene voglia di birra. È un pezzo che non ne bevo.»

Silio non si ingannava: quando il comandante cambiava argomento in quel modo brusco e incongruente significava che la sua mente rifuggiva da pensieri troppo angosciosi.

«Birra, comandante? C'è una taverna a Ostia che ne serve di ottima, scura come piace a te, alla temperatura giusta, di cantina. Ma visto che non credo tu voglia andare fin laggiù, se vuoi ne posso procurare un'anfora per il tuo pranzo di domani.» Silio attendeva la risposta, nonostante la birra, e Cesare lo sapeva benissimo.

«Che cosa sai di Antonio che io non so?» domandò cupo.

«Nulla... nulla che tu non sappia. Nondimeno penso che... Publio Sestio potrebbe...»

«Potrebbe?»

«... venire a conoscenza di qualcosa di nuovo che lo riguarda.»

«Hai parlato con lui di questo?»

«Non esattamente, ma so che ha dei sospetti e direi che non si darà pace finché non avrà trovato una risposta convincente.»

«Stai cercando di dirmi che Publio Sestio sta indagando su Antonio di sua iniziativa?»

«Publio Sestio potrebbe indagare su qualunque cosa abbia a che fare con la tua incolumità, se lo conosco bene. Ma tu, comandante, tu che cosa pensi? Che cosa pensi di Marco Antonio? Dell'uomo che voleva farti re? Quel gesto ai Lupercali, come lo spieghi? È stata soltanto un'imprudenza? Una distrazione?»

Cesare tacque a lungo, meditando come forse non aveva fatto fino a quel momento e alla fine disse: «Antonio può non aver capito quello che stava accadendo e ha agito d'istinto. Negli ultimi tempi si è sentito messo da parte e forse pensava con quel gesto di guadagnare un merito ai miei occhi. Antonio è un buon soldato ma non capisce granché di politica. E invece sta tutto lì, nella politica... capire che cosa stanno pensando gli avversari, prevenire le loro mosse e avere pronte le contromosse».

«Te la sei cavata benissimo con la tua solita prontezza di spirito, quella che ti ha fatto vincere tante volte sul campo di battaglia.»

«Tu dici? Eppure io ancora non so di chi posso fidarmi.»

«Di me, comandante» rispose Silio guardandolo fisso

negli occhi, in quegli occhi grigi, da falco, che avevano dominato i campi di battaglia e ora si smarrivano negli oscuri labirinti dell'Urbe, «di Publio Sestio detto "il bastone", dei tuoi soldati che ti seguirebbero fino agli inferi.»

«Lo so» rispose Cesare «e questo mi è di conforto. E tuttavia non so cosa mi aspetti.»

Si alzò e prese a scendere la gradinata del podio. Il vento che si era alzato da occidente gli faceva svolazzare le vesti attorno al corpo: «Vieni» disse. «Andiamo a casa.»

Romae, in aedibus Marci Junii Bruti, a.d. VII Id. Mart., hora duodecima
Roma, casa di Marco Junio Bruto, 9 marzo, le cinque di pomeriggio

Il lieve gorgoglio dell'orologio idraulico era l'unico suono udibile nella grande casa silenziosa. Era un oggetto di straordinaria raffinatezza, certamente opera di un artigiano alessandrino. Le ore del giorno vi erano rappresentate in un mosaico dalle tessere minuscole su fondo azzurro, in forma di fanciulle: vestite di bianco e con lumeggiature d'oro nei capelli quelle del giorno, di nero e con riflessi d'argento quelle della notte.

Si udirono a un tratto voci dall'esterno, poi un rumore di imposte che sbattevano e subito dopo quello di un passo frettoloso lungo un corridoio. Una porta si aprì, il sibilo del vento invase la casa raggiungendo le stanze più interne. Una foglia secca fu trascinata fino all'angolo del corridoio, dove si fermò.

Una donna bellissima uscì al piano superiore dalla sua camera da letto, coperta da una veste leggera, a piedi nudi. Richiuse senza rumore la porta dietro di sé e percorse il ballatoio fino alla scala di servizio da cui provenivano i rumori. Si sporse dalla balaustra per guardare di sotto: un servo aveva aperto la porta posteriore e faceva entrare un gruppo di sei o sette uomini, alla spicciolata. Ciascuno, prima di entrare, si voltava verso la strada a guardare.

Il servo li accompagnò lungo il corridoio verso l'ufficio del padrone di casa che li stava attendendo. Qualcuno apparve a riceverli sull'uscio, subito dopo il servo richiuse la porta alle loro spalle e si allontanò.

Dal ballatoio la donna rientrò nella sua camera, chiuse la porta a chiave e si inginocchiò al centro del pavimento, sconficcando con uno stilo una mattonella dall'impiantito. Sotto la mattonella apparve un tassello di legno, legato al centro da un cordicella. La donna tirò la cordicella e si aprì un minuscolo spiraglio. Vi accostò un occhio e poté vedere ciò che stava accadendo nella camera sottostante, nell'ufficio di Marco Junio Bruto.

Il primo a parlare fu Ponzio Aquila. Era teso, rifiutava di sedersi nonostante l'invito del padrone di casa: «Bruto» disse, «che cos'hai deciso allora?».

L'interpellato si sedette con calma ostentata: «Aspettiamo la risposta di Cicerone» disse.

«All'inferno Cicerone» sbottò Tillio Cimbro. «Quello è solo capace di parlare. A cosa ci serve? Non abbiamo bisogno di altre adesioni. Quanti uomini ci vogliono per ammazzarne uno solo?»

Intervenne Publio Casca: «Ma non si è già deciso di tenerlo fuori da questa faccenda? Non è adatto, non ha fegato».

Bruto cercò di riprendere il controllo della situazione: «Calmatevi: la fretta è cattiva consigliera. Voglio prima essere sicuro dell'appoggio di Cicerone. E non certo perché brandisca un pugnale. Gode di un prestigio enorme in senato. Se il nostro piano avrà successo dobbiamo considerare soprattutto ciò che accadrà dopo. E per la gestione del dopo Cicerone è fondamentale».

«La terra comincia a bruciare sotto i nostri piedi» replicò Casca. «Dobbiamo agire immediatamente.»

«Casca ha ragione» disse Ponzio Aquila. «Mi risulta che Cesare stia sguinzagliando i suoi segugi. È sufficiente che uno si lasci sfuggire una parola, che si tradisca con uno sguardo, che si spaventi e perda la testa e siamo finiti. Il tempo gioca contro di noi.»

«Che cosa sai di preciso?» domandò Bruto.

«Cesare sta indagando in aree periferiche tramite gli uomini più fidati, così che noi possiamo sentirci sicuri qui nella capitale. È la tecnica del cappio: stringe giorno dopo giorno fino a strangolarci. Dobbiamo colpire subito.»

Le loro voci giungevano attutite al piano superiore, in forma di mormorio confuso con qualche picco di vibrazione più acuta e la donna si spostava spesso attorno al foro nel pavimento cercando un punto più favorevole sia per vedere sia per ascoltare.

Di nuovo risuonò la voce di Marco Bruto, beffarda: «I suoi uomini più fidati siamo noi, no?».

Casca non aveva voglia di scherzare: «Se non te la senti è meglio che parli chiaro» disse.

La donna nella camera superiore ebbe un sussulto come se un oggetto l'avesse colpita.

«Io dico sempre la verità» replicò Bruto «e tu non puoi permetterti di insinuare nulla.»

«Basta!» gridò Casca. «La situazione è insostenibile. Siamo in tanti, troppi. Più si è e più alte sono le probabilità che qualcuno ceda, che si lasci prendere dal panico.» Si rivolse ad Aquila: «Che cosa intendevi con "aree periferiche"?».

«Ho saputo» rispose l'interpellato «che dalla fine del mese scorso è arrivato a Modena Publio Sestio, il centurione che salvò la vita a Cesare in Gallia, e va in giro a fare strane domande. A Modena, guarda caso, c'è uno dei migliori informatori che si trovino oggi sulla piazza. Uno che non si fa scrupoli a vendere informazioni a chicchessia, senza curarsi delle sue convinzioni, né delle sue amicizie politiche. Purché lo si paghi bene.»

«Ecco cosa intendo per fidati» disse Aquila. «Publio Sestio è inespugnabile. Non è un uomo, è un macigno. E se Cesare lo ha richiamato significa che non si fida di nessuno di voi. E non è detto che Publio Sestio sia il solo.»

Nell'ambiente cadde un silenzio di piombo. Le parole di Ponzio Aquila avevano ricordato a ciascuno di loro che esistevano uomini per i quali la fedeltà ai propri principi e ai propri amici era un'attitudine fondamentale e indefettibile dello spirito, uomini incapaci di compromessi, dotati di una coerenza estrema. Nessuno di loro invece, convenuti nella casa di Bruto, aveva rifiutato i favori, l'aiuto, il perdono dell'uomo che si preparavano a uccidere e questo provocava, a chi più, a chi meno, un disagio profondo e rancoroso, una vergogna che con il trascorrere dei giorni diventava sempre meno sopportabile. Di fatto, pur se ciascuno di loro trovava motivazioni nobili per il gesto che si preparava a compiere, come la liberazione dalla tirannide, come la fedeltà – eccola la parola – alla repubblica, di fatto con il passare delle ore e dei giorni il motivo vero, dominante, che sovrastava gli altri come un cardo spinoso sull'erba del prato, era il fastidio di dovergli la vita, la salvezza, gli averi, quando tutto era perduto, quando si erano resi conto di aver giocato sul tavolo sbagliato.

«Secondo me sarebbe giusto anticipare. Anche domani. Io sono pronto» disse Aquila.

«Anche io penso che prima è e meglio è» disse Casca, sempre più inquieto.

Bruto li guardò in faccia uno per uno: «Ho bisogno di sapere se parlate per conto vostro o se rappresentate anche gli altri».

«Diciamo che la maggioranza è d'accordo» rispose Aquila.

«Ma io no» replicò Bruto. «Quando si prende una decisione bisogna mantenerla, costi quello che costi. Se ci saranno dei rischi li correremo.»

«Inoltre» osservò Cimbro «non sappiamo ancora quali potranno essere le reazioni di Antonio e di Lepido. Potrebbero diventare pericolosi.»

In quell'istante Bruto notò che una sabbiolina impalpabile era caduta sul pavimento accanto ai suoi piedi e alzò d'istinto gli occhi al soffitto, in tempo per vedere qualcosa muoversi.

Si udì un rumore di passi lungo il corridoio per la porta posteriore che dava sul vicolo e poco dopo apparve Cassio Longino. Il suo volto emaciato e dal colorito pallido si affacciò all'ingresso dell'ufficio di Bruto. Lo seguirono a poca distanza Quinto Ligario, Decimo Bruto e Gaio Trebonio, due dei più grandi generali di Cesare.

«Cassio» disse Cimbro riconoscendolo, «mi chiedevo dove fossi andato a finire.»

Cassio appariva non meno allarmato di Casca: «Lepido, come sapete, è sbarcato ieri mattina sull'isola Tiberina per restarci. Sul pretorio è issata l'insegna del comandante. Questo significa una sola cosa: Cesare ha di certo un sospetto, forse anche più di uno. Sarebbe opportuno anticipare».

«È quello che pensiamo anche noi» approvarono Casca e Ponzio Aquila.

«No» rispose Bruto, deciso, «no. Manteniamo la data prefissata. La cosa è fuori discussione. E poi ci fa comodo un minimo di tempo per esplorare le intenzioni di Lepido e di Antonio.»

«Lepido e Antonio non sono stupidi e si adegueranno» rispose Cassio. «Percuoti il pastore e le pecore si disperderanno.»

«Pecore?» replicò Trebonio. «Non mi sembra che Antonio si possa chiamare una pecora. E nemmeno Lepido. Sono combattenti e hanno dato prova di coraggio e valore in più di un'occasione.»

«Inoltre» disse Casca «esplorare le loro intenzioni significherebbe allargare ulteriormente la cerchia di quelli che sanno e incrementare il pericolo mortale di una fuga di notizie. Io lascerei perdere. Troppo pericoloso.»

Bruto fece per rispondere ma lo fermò un'occhiata di Cassio che significava: "Non insistere".

«Forse Bruto ha ragione» disse poi. «Pochi giorni in più o in meno non fanno differenza. Ci troviamo in una situazione di grande angustia e per questo tendiamo a ingigantire ogni cosa, a preoccuparci di pericoli che probabilmente non esistono o almeno non esistono ancora. Manteniamo la data prefissata. Cambiare sarebbe complicato. Io avrò ancora incontri importanti che spero sgombreranno il campo da molti dubbi. Ciò che conta è che voi siate decisi, che tutti noi lo siamo, sicuri di essere nel giusto, certi che ciò che ci apprestiamo a compiere è sacrosanto. A cose fatte ci sentiremo sollevati da un peso che gravava sulla nostra coscienza di uomini liberi. Nessun dubbio, nessuna esitazione, nessuna incertezza. Il diritto è dalla nostra parte, lo sono la legge e la tradizione dei padri che ci hanno fatto grandi e invitti. Cesare ha trionfato sul sangue dei suoi concittadini massacrati a Munda: è un sacrilegio che deve essere espiato con la vita.»

Si fece avanti Gaio Trebonio che fino a quel momento aveva ascoltato in silenzio l'ardente orazione di Cassio. Era un veterano della guerra gallica, aveva avuto il comando dell'assedio di Marsiglia e aveva condotto la repressione in Spagna tre anni prima contro i pompeiani: «Lascia perdere, Cassio» disse, «risparmiaci le tue esortazioni patriottiche. Noi tutti siamo stati suoi fedeli compagni o fedeli esecutori dei suoi ordini, noi tutti abbiamo accettato le nomine a pretori, questori, tribuni della plebe, alcuni di voi sono stati graziati da lui ma non si sono tolti la vita come fece Catone. Quinto Ligario è stato graziato due volte: un vero primato. Dove sei Ligario? Fatti vedere».

L'interpellato avanzò tetro in volto. «E allora?» disse. «Sono rimasto fedele alle mie convinzioni. Non ho chiesto il perdono di Cesare: è stato lui a risparmiarmi la vita.»

«L'avrebbe risparmiata anche a Catone se lo avesse incontrato, ma lui ha preferito uccidersi che trovarsi in quella situazione. Ditemi, amici, c'è qualcuno qui che ritiene di essere animato dai nobili intenti che Cassio ha poco fa richiamato? Sono davvero quelle le buone ragioni? Io non credo. Eppure tutti lo vogliamo morto. Alcuni perché erano fedeli a Pompeo e Pompeo non esiste più, è stato ucciso. Nemmeno per mano sua, per mano di un reuccio egiziano, un fantoccio che non sarebbe durato tre giorni senza il nostro beneplacito. Altri perché pensano di dovere difendere la legalità repubblicana, ma ognuno di noi ha una ragione più profonda e più vera. Ognuno di noi pensa che lui non meriti tutto quello che ha, che lo deve a noi, che senza di noi non sarebbe riuscito a fare nulla. Che lui ha la gloria, l'amore della donna più affascinante della terra, il potere sul mondo intero, mentre a noi toccano le briciole che cadono dalla sua tavola, siamo come cani a cui getta le ossa spolpate del suo pasto. È per questo che deve morire!»

Nessuno replicò, non Casca, nominato pretore l'anno precedente, non Cassio Longino, che Cesare aveva accolto fra gli ufficiali del suo esercito dopo che aveva combattuto contro di lui alla battaglia di Farsalo, non Ligario, graziato due volte, né Decimo Bruto, che sarebbe stato presto governatore della Cisalpina e che taceva, rabbuiato, né alcuno degli altri.

Marco Junio Bruto, che forse avrebbe potuto parlare, tacque perché si sentiva al centro della vista di quell'occhio spalancato al centro del soffitto.

Sapeva chi lo stava guardando.

L'occhio indagatore, scintillante di una luce quasi folle, era quello di Porzia, la sua sposa, la figlia di Catone, l'eroe repubblicano che si era suicidato a Utica per non accettare la clemenza del tiranno. Porzia che lui aveva voluto tenere all'oscuro di tutto e che pure aveva prima intuito e poi saputo per certo ciò che lui stava tramando.

Ricordava bene quanto era successo alcuni giorni prima, quando gli era apparsa, a notte fonda mentre lui vegliava sconvolto, tormentato dai suoi stessi pensieri, rimorsi e incubi, dubbi e paure. La porta del suo studio era aperta e poteva vederla dall'altra parte dell'atrio avanzare verso di lui. Scalza, sembrava fluttuare nell'aria, si muoveva come un fantasma, bianca nel chiarore dell'unica lucerna.

Era splendida. Indossava una veste da notte, leggera, aperta sui fianchi. E le cosce, bianche, perfette come l'avorio, e le ginocchia tornite, da adolescente, si scoprivano a ogni passo che a lui l'avvicinava.

Brandiva uno stilo e aveva negli occhi quella luce, fissa e tremante allo stesso tempo, la luce febbrile di un'esaltazione non lontana dalla follia.

«Perché mi nascondi ciò che stai preparando?»

«Non ti nascondo nulla, mio amore.»

«Non mentire, so che mi nascondi una cosa importante.»

«Ti prego, non mi tormentare.»

«Conosco il motivo: sono una donna. Pensi che se venissi sottoposta a tortura rivelerei i nomi dei tuoi compagni. Non è così?»

Bruto aveva scosso il capo in silenzio, per nascondere gli occhi lucidi.

«E invece ti sbagli. Io sono forte, lo sai? Sono figlia di Catone e ho la sua stessa tempra. Io resisto al dolore. Nessuno potrebbe costringermi a parlare se non voglio.»

Lo stilo brillava nella sua mano come una gemma maledetta. Bruto lo fissava ammaliato.

«Guarda!» aveva esclamato e aveva rivolto lo stilo contro di sé. Bruto aveva gridato «No!» correndo verso di lei, ma Porzia si era già conficcata lo stilo nella coscia sinistra, muovendone la punta dentro la ferita per lacerare di più la propria carne. Il sangue era sprizzato copioso e lui era caduto in ginocchio davanti a lei, le aveva strappato il ferro e aveva accostato la bocca a quella ferita sanguinante, l'aveva lambita con la lingua, piangendo.

Si riscosse quando la voce di Trebonio esclamò: «Il giorno della resa dei conti resta quello che avevamo deciso: le Idi di marzo!».

CAPITOLO VIII

In Monte Appennino, taberna ad Quercum, a.d. VI Id. Mart.,
hora duodecima
Monti dell'Appennino, taverna "alla Quercia", 10 marzo,
le cinque di pomeriggio

L'uomo con il mantello grigio arrivò trafelato e con il cavallo stremato dalla fatica, gli occhi sbarrati per il terrore dei lampi e dei tuoni, così forti che l'intera montagna sembrava tremare. Un vento rabbioso sibilava fra i rami nudi delle querce centenarie strappando loro a ogni folata le ultime foglie secche e portandole lontano a turbinare in fondo alla valle scura. In alto le cime innevate si distinguevano appena contro il cielo buio.

Si trovò di fronte la locanda all'improvviso, dietro una curva del sentiero, e impennò il cavallo per non schiantarsi contro il portone di accesso già sbarrato per l'approssimarsi del temporale e dell'oscurità della sera. Un altro lampo illuminò per qualche istante la figura del cavallo e del cavaliere rampante, proiettandone la sagoma sul terreno già colpito dalle prime grosse gocce di pioggia. Un odore di polvere spenta impregnava l'aria misto al sentore metallico delle folgori che bruciavano la volta del cielo.

Il cavaliere balzò a terra e colpì a più riprese il portone con il pomolo dell'elsa della spada. Di fianco alla costruzione, la quercia antica che le dava il nome protendeva i grandi rami nodosi fino al tetto dell'ostello.

Venne ad aprire un servo di stalla che afferrò il cavallo per le briglie e lo coprì subito con un panno.

L'uomo con il mantello grigio entrò e richiuse il portone

passando il chiavistello come se fosse di casa e procedette da solo verso la locanda, mentre la pioggia cominciava a scrosciare riempiendo in pochi attimi tutte le cavità dell'impiantito di sasso del cortile.

L'interno della locanda era un antro fumoso, travi non squadrate reggevano un basso soffitto e al centro un focolare rotondo faceva salire fumo e faville verso un'apertura nel tetto da cui la pioggia gocciolava, sfrigolando sulle braci. Un vecchio, con una lunga barba bianca e gli occhi velati dalla cataratta, stava mescolando con un cucchiaio di legno un intruglio che bolliva nel paiolo. L'uomo si tolse il mantello fradicio e l'appoggiò sulla spalliera di una sedia vicino al fuoco.

«C'è della polenta di farro e del vino rosso» rantolò il vecchio senza voltarsi.

«Non ho tempo per mangiare» rispose l'altro. «Devo raggiungere al più presto...»

«*Mustela*, sei tu se non sbaglio.»

«Non ci vedi quasi più, vecchio, ma ci senti ancora bene.»

«Che cosa vuoi?»

«Raggiungere la casa dei cipressi alla massima velocità possibile. Questione di vita o di morte.»

«Abbiamo un buon cavallo, *Mustela*, il tuo sarà sfiancato.»

«Non farmi perdere tempo. Tu conosci un'altra strada.»

«La scorciatoia.»

«Non basta. La più veloce di tutte.»

«Costosa.»

«Quanto?»

«Duemila.»

«Ne ho meno di un terzo, ma se mi insegni la strada ne avrai il doppio appena questa storia sarà finita.»

«Perché tanta fretta?»

«Li vuoi questi soldi o no? Ti garantisco che avrai quattromila a saldo.»

«Sta bene.»

Mustela estrasse una borsa da sotto il mantello: «Te li verso sul tavolo o ci tiriamo da parte?» domandò.

Il vecchio abbandonò il cucchiaio nel paiolo e gli fece strada verso la dispensa a malapena rischiarata da una lucerna fumosa che bruciava sego. *Mustela* versò il contenuto sul tavolo: tutte monete d'argento quasi nuove che avevano circolato pochissimo. «Contali. Sono cinquecento o poco più. Per me trattengo solo il minimo indispensabile, ma muoviamoci, maledizione!» Il vecchio tornò nell'ambiente principale seguito da *Mustela* e chiamò il servo di stalla mentre il suo ospite recuperava il mantello, non meno zuppo di prima ma se non altro un po' più caldo, e uscirono in cortile accolti da un tuono che sembrava annunciare il crollo della volta celeste.

«Il cavallo non ti servirà» disse il vecchio senza un sussulto. «Lo terrò io a parziale copertura di quanto mi devi.»

«Ma che ci fai con tutti quei soldi?» brontolò *Mustela* fra un tuono e l'altro.

«Mi piace toccarli» rispose il vecchio.

Il servo apriva la via tenendo la lanterna abbastanza alta per illuminare un sentiero tortuoso e pieno di foglie morte fradice di pioggia. Il chiarore rossastro del lume rifletteva sui tronchi e sui rami delle grandi querce e dei castagni contorti un riverbero sanguigno. Il vecchio si muoveva con passo sicuro sul terreno scivoloso, come chi ne conoscesse ogni asperità e ogni avvallamento. Dava l'impressione di percorrerlo a occhi chiusi, guidato più dalle dita adunche dei piedi che dal lume opaco della vista.

Si trovarono di fronte a una roccia coperta di muschio e di rovi rampicanti. Il servo scostò con la mano i rami di un pruno scoprendo una fenditura nella pietra.

I due entrarono.

Apparve uno stretto cunicolo e sul fondo una rozza gradinata tagliata nel sasso, consunta dal tempo e dallo stillicidio dell'acqua. Presero a scendere appoggiandosi con le mani alla parete, passo dopo passo. La gradinata si fece più ripida e irregolare ma la difficoltà della discesa era compensata ora da una fune che passava dentro a fori praticati nelle sporgenze della roccia. Dalle viscere della terra si udiva il rumore di uno scrosciare d'acqua e presto il cunicolo si allargò su un antro dal fondo sabbioso percorso da un torrente sotterraneo che ribolliva impetuoso fra rocce scabre e grandi massi di calcare.

«Questo arriva a un affluente dell'Arno» disse il vecchio indicando il torrente.

Mustela lo guardò sgomento.

«Non è ciò che volevi?» domandò il vecchio. «La via segreta?»

«In quanto tempo?» domandò *Mustela* con il terrore nello sguardo.

«Dipende da te.»

«Ma che cosa vuol dire? Non c'è una barca?»

«Quando uscirai di nuovo all'aperto. La troverai fra i salici della sponda sinistra.»

Mustela non riusciva a distogliere gli occhi dall'acqua che nel lume fioco della lanterna sembrava violenta e minacciosa come l'onda dello Stige. Il volto del vecchio, scavato di rughe, incorniciato dalla barba stopposa, era quello di Caronte.

Guardò ancora l'acqua spumeggiante fra le rocce aguzze mormorando terrorizzato: «Ma è una pazzia».

«Non sei obbligato» disse il vecchio. «Posso capire le tue perplessità. Torniamo indietro, se vuoi: ti darò un cavallo robusto ed esperto, capace di percorrere la scorciatoia.»

Mustela non riusciva a distogliere lo sguardo dalla corrente vorticosa, come ne fosse ammaliato: «Finirò sfracellato tra le rocce» mormorava «così al buio... o morirò di freddo».

«La metà ci riesce» borbottò il vecchio.

«E la metà ci lascia la pelle» replicò *Mustela*.

Il vecchio si strinse nelle spalle come per dire "E allora?" e *Mustela* si sentì quanto mai stupido ad aver pagato un cifra tanto alta per comprarsi un passaggio per l'Ade. Ma evidentemente il suo terrore confliggeva con la paura ancora maggiore di qualcuno cui avrebbe dovuto rendere conto di un eventuale fallimento.

Alla fine, con un profondo sospiro, cominciò a scendere nella corrente tenendosi con le mani agli scogli che sporgevano dalla riva. Contrastò per un poco la corrente poi, lentamente, si lasciò andare e scomparve nel buio, inghiottito dal gorgo.

In Monte Appennino, Caupona ad Silvam, a.d. VI Id. Mart., prima vigilia
Monti dell'Appenino, osteria "la Selva", 10 marzo, le otto di sera

Publio Sestio percorreva al galoppo la pista che si snodava a fondovalle, per poi salire verso il crinale. Seguiva l'itinerario di *Nebula* lungo una pista che lasciava l'Emilia per tagliare la catena montuosa a sud, verso l'Etruria. Appariva e spariva tra le fronde del bosco, illuminato a tratti dal baluginare dei lampi. Quando la strada cominciò a salire, rallentò la corsa per non schiantare il cavallo e di tanto in tanto lo metteva al passo perché riprendesse fiato. Era un animale generoso e gli dava pena obbligarlo a uno sforzo così tremendo, fargli rischiare la vita per disputare una gara quasi disperata contro il tempo. Cominciò a cadere la pioggia, e il temporale scoppiò quando arrivò in vista della *mansio*, appena in tempo, prima che il cavallo gli crollasse di sotto. Gli sembrò che uno dei soldati di guardia lo avesse riconosciuto.

«Qualcosa non va, soldato?» gli domandò mentre scendeva da cavallo e si dirigeva verso la stalla.

«No» rispose il legionario. «Mi sembrava che ci fossimo visti da qualche parte.»

«Infatti. Sei della Tredicesima, non è vero?»

«Numi!» esclamò il soldato. «Ma tu sei...»

«Centurione di prima linea Publio Sestio» rispose l'ufficiale ergendosi di fronte a lui avvolto nel mantello.

Il soldato rese il saluto: «Posso essere di aiuto, centurione? Sarei onorato di servirti. Non c'è nessuno che abbia militato nell'armata di Gallia che non conosca le tue imprese».

«Sì, ragazzo» rispose Publio Sestio. «Ho bisogno di riposare un paio d'ore mentre mi cambiano il cavallo e mi preparano qualcosa da mangiare. Tieni gli occhi aperti e se dovesse arrivare qualcuno avvertimi subito, specie se fosse qualcuno che fa delle domande. Hai capito bene?»

«Contaci, centurione. Di qua non passa neanche l'aria senza il nostro permesso. Riposa tranquillo. Avrò qualcosa da raccontare ai miei nipoti quando sarò vecchio: numi, Publio Sestio in persona, detto "il bastone". Non posso crederci!»

«Grazie, non te ne pentirai. Mi avrai reso un grande servizio e me lo ricorderò. Come ti chiami, ragazzo?»
«Mi chiamo Bebio Carbone» rispose il soldato, irrigidito nel saluto militare.
«Molto bene, tieni gli occhi aperti, Bebio Carbone. Questa è una brutta notte.»
Un altro soldato prese il cavallo e lo portò nella stalla. Publio Sestio con il mantello sulla testa per proteggersi dalla pioggia raggiunse la porta della locanda ed entrò. Era stremato, ma due ore di sonno gli sarebbero bastate per rimettersi in viaggio, almeno così sperava.
L'oste gli si fece incontro: «Devi avere una fretta maledetta per andartene in giro in una notte simile, amico. Ma ora sei affidato alle nostre cure e puoi startene tranquillo».
«Temo che le cose non stiano così. Preparami qualcosa per cena e svegliami fra due ore. Mangerò e riprenderò la mia strada.»
Il tono della voce era perentorio, lo sguardo e l'imponenza dell'uomo incutevano timore e rispetto. L'oste non aggiunse parola, fece accompagnare l'ospite al piano superiore e andò in cucina a preparare qualcosa per la cena. Fuori il vento rinforzava e pioveva a dirotto ma la temperatura si era abbassata di molto e con il passare del tempo il nevischio si mescolava all'acqua coprendo il terreno di una poltiglia biancastra. Quando Publio Sestio si svegliò aveva cessato del tutto di piovere e nevicava a larghe falde.
Il centurione aprì la finestra e guardò fuori. La luce delle due lanterne che rischiaravano il cortile permetteva di vedere i grandi fiocchi bianchi turbinare nel vento di tramontana e i tronchi e i rami degli alberi ricoprirsi di un vello candido che aumentava di spessore quasi a vista d'occhio. La camera era tiepida per effetto dei bracieri e del focolare che da basso scaldava pareti e soffitto. Publio Sestio sospirò all'idea di uscire al gelo e inoltrarsi per la strada coperta di neve in piena notte.
L'oste arrivò poco dopo per svegliarlo e annunciare che la cena era pronta, e trovandolo già alzato non seppe trattenersi dal fare le sue raccomandazioni: «Sei certo di voler

continuare? Io dico che sei pazzo, amico. Mettersi in viaggio con un tempo da lupi come questo... chi te lo fa fare? Lascia perdere. Dai retta a me. Ora mangi, ci bevi sopra un bicchiere di buon vino e te ne torni a letto che è ancora bello caldo. Domani ti chiamo io di buon'ora, appena ci si vede, e ti rimetti in viaggio. Puoi perderti con il buio e la neve e tutto il tempo che guadagneresti sarebbe sprecato».

«Hai ragione» rispose Publio Sestio. «Mi serve una guida.»

«Una guida? Ma io non saprei... non credo di averne...»

«Ascoltami amico, io non mi sto divertendo a viaggiare in queste condizioni né ho tempo da perdere. Mi hai capito? Trovami una guida o passerai dei guai. Ho ordine scritto di priorità assoluta. Mi hai capito bene?»

«Sì, ti ho capito. Vedrò di trovarti qualcuno che ti porti verso il prossimo punto di sosta. Ma se finirete in un burrone non avrai che da biasimare te stesso.»

«Questo l'ho già capito. Mangerò quel che c'è in fretta. Tu intanto fammi trovare tutto pronto.»

L'oste lo accompagnò di sotto mugugnando e facendogli lume con la lucerna. Lo fece accomodare davanti a un piatto di agnello con lenticchie e se ne andò brontolando.

Publio Sestio cominciò a mangiare. La carne era buona, le lenticchie gustose e quanto al vino ne aveva bevuto di peggiore. Un pasto caldo era quello che ci voleva per affrontare il viaggio. A ogni boccone calcolava quello che avrebbe potuto guadagnare di tempo nella sua marcia di avvicinamento, pensava se davvero l'oste non avesse ragione e non gli convenisse ripartire l'indomani, ma quando ebbe trangugiato l'ultimo boccone e l'ultimo sorso di vino si era ormai confermato nella sua decisione. Si gettò sulle spalle il mantello e uscì.

Il cortile era completamente bianco. Uno stalliere portò fuori il cavallo con il suo bagaglio legato sulla groppa e vicino ce n'era un altro con quella che doveva essere la guida: un uomo sulla cinquantina con una tela cerata sulle spalle e un cappuccio. Un volto di pietra apparentemente inespressivo. Teneva nella sinistra una torcia accesa per illuminare il cammino. Altre tre o quattro erano legate al fianco del cavallo, di scorta.

Ora di guardia c'erano solo due legionari. Nessuno dei due era Bebio Carbone.

«Mi dispiace darti questo incomodo, amico» disse Publio Sestio alla guida, «ma vado di fretta e devo guadagnare tempo. Rendimi un buon servizio e sarai ben pagato. Devi solo portarmi alla prossima stazione di sosta e poi potrai tornare indietro.»

L'uomo accennò con il capo senza dire una parola e montò a cavallo. Publio Sestio fece altrettanto, toccò con i talloni i fianchi della sua cavalcatura e uscì dal portone. I due legionari salutarono militarmente il secondo cavaliere che accennò a sua volta un saluto. Lo fecero passare e richiusero il portone alle sue spalle.

Appena fuori i due furono investiti in pieno dalla tramontana e dal turbinare della neve che cadeva sempre più abbondante.

Publio Sestio si avvicinò al suo compagno che fino a quel punto non aveva aperto bocca: «Come ti chiami, amico?».

«Sura.»

«Io Publio. Possiamo andare.»

Sura si mise davanti al passo aprendo la via con la torcia. Publio Sestio procedeva al centro del sentiero dietro di lui, voltandosi ogni tanto come se avesse l'impressione di essere seguito. La strada procedeva in salita a tornanti lungo un pendio sempre più erto attraverso un bosco di querce e di castagni verdi di muschio e bianchi di neve. Non si vedeva traccia di presenza umana ma il raggio di luce della fumosa torcia di Sura era assai limitato.

Publio Sestio aveva subito capito che la sua guida non era uomo da conversazione e non insistette con gli approcci. Si limitava a chiedere l'indispensabile, ogni volta che ve n'era bisogno, ottenendone in risposta grugniti di assenso o di diniego. Cercava quindi di tenere la mente occupata con pensieri, riflessioni, progetti. Il suo intento era di raggiungere Cesare in tempo per partire con lui per la spedizione in Oriente di cui aveva sentito dire cose straordinarie, piani grandiosi, più che temerari.

Lo aveva seguito in Gallia e in Spagna, lo avrebbe seguito in Mesopotamia, in Ircania, in Sarmazia se fosse stato necessario. Fino ai confini della terra. Pensava che Cesare fosse l'uomo che poteva salvare il suo mondo. Lui aveva messo fine alle guerre civili, lui aveva proposto a tutti gli avversari una riconciliazione, lui pensava che l'Urbe dovesse coincidere con l'Orbe, che l'unica civiltà capace di governare il genere umano fosse quella che aveva in Roma il suo fulcro e la sua forza. Capiva i nemici, i popoli che avevano combattuto per salvare la loro indipendenza, ne aveva ammirato il valore, ma era anche certo che la vittoria degli uni sugli altri fosse scritta nel fato.

Più di una volta aveva avuto l'occasione di parlargli ed era rimasto affascinato dall'espressione degli occhi, dal senso di determinazione e d'imperio che ne emanava. Lo sguardo di un predatore, non di un sanguinario. Era anzi certo che il sangue gli ripugnasse.

Quante volte aveva marciato al suo fianco! Lo aveva visto passare a cavallo, parlare con gli ufficiali, con i soldati, riconoscere chi si era distinto in una giornata campale, scendere a terra a salutarlo, scambiare con lui qualche battuta, ma soprattutto ricordava la sera della battaglia contro i Nervii quando lui, Publio Sestio della Dodicesima, era stato portato all'accampamento su una barella, morente, sanguinante da molte ferite ma vittorioso. Era stato lui ad afferrare l'insegna e a portarla in avanti verso i nemici, a riorganizzare i manipoli, a infondere coraggio negli uomini e a dare per primo l'esempio.

Cesare era venuto a trovarlo, da solo nella tenda mentre i chirurghi cercavano di ricucirlo aiutandosi con la luce fioca di alcune lucerne a sego. Aveva accostato la bocca al suo orecchio:

«Publio Sestio.»

Lui riusciva a malapena ad articolare parola ma lo riconobbe: «Comandante...».

«Oggi hai salvato i tuoi compagni, a migliaia sarebbero stati massacrati e lo sforzo di anni sarebbe andato perduto in un momento. Hai salvato anche me e l'onore della repubblica, del popolo e del senato. Non c'è ricompensa per un simile atto, ma se questo può avere per te un significato sappi che sarai sempre l'uomo su cui farò affidamento, anche quando tutti mi avessero abbandonato.»

Poi aveva abbassato lo sguardo a osservare il suo corpo crivellato di colpi: «Quante ferite» aveva mormorato sgomento, «quante ferite...».

Chissà perché, in quel momento di totale solitudine, nel mezzo di una marcia notturna fra i boschi deserti dell'Appennino, nel mezzo di una tormenta di neve, quelle parole continuavano a risuonargli nella mente.

Davanti a lui l'indecifrabile Sura continuava ad avanzare al passo, tenendo la torcia in mano, chiazzando la neve immacolata di un riflesso rossastro, lasciando dietro di sé le impronte di un buon cavallo paziente e robusto che saliva, un passo dopo l'altro, sempre più in alto lungo il sentiero tortuoso, sotto i rami scheletriti dei faggi e delle querce.

A volte pensava che qualcuno avrebbe potuto precederlo e preparare un tranello, che Sura forse lo stava portando in un agguato da cui non sarebbe uscito vivo e il suo messaggio non sarebbe mai arrivato in tempo a destinazione. Ma poi ricordava che l'oste aveva insistito perché rimanesse a dormire nella *mansio*, al sicuro, sotto la sorveglianza di quattro legionari fra cui Bebio Carbone della Tredicesima. Chissà dove lo avrebbe trovato l'alba del nuovo giorno.

Sura accese la seconda torcia dalla prima e gettò nella neve il mozzicone rimasto, che baluginò per qualche istante e quindi morì nell'oscurità della notte. Un uccello sorpreso dalla luce improvvisa della torcia spiccò il volo con un urlo che sembrava di disperazione e sparì in fondo alla valle.

Il vento si era placato. Non c'erano più suoni né tracce di vita di alcun genere. Anche i rari cippi che segnavano il sentiero ormai erano sommersi dalla coltre nevosa. Non restavano a Publio Sestio che le parole di Cesare ripetute all'infinito dalla sua mente sola e vuota: "Quante ferite... quante ferite".

CAPITOLO IX

In Monte Appennino per flumen secretum, a.d. VI Id. Mart., *secunda vigilia*
Monti dell'Appennino, fiume segreto, 10 marzo, le dieci di notte

Mustela annaspava convulsamente tra le onde vorticose del torrente sotterraneo, trascinato dalla corrente; travolto dal gorgo finiva sott'acqua, doveva trattenere il respiro a lungo dibattendosi fino a riemergere più in basso per sputare l'acqua ingerita, inalare aria e poi di nuovo sparire nel fondo.

Soffocava il dolore quando la corrente lo sbatteva contro le rocce, quando sentiva il sangue fluire dalle lacerazioni. Più volte gli sembrò di perdere i sensi, più volte batté il capo o prese colpi così violenti da pensare di non sopravvivere.

A un certo momento avvertì un contatto sotto il ventre: ghiaia e sabbia e si aggrappò a una sporgenza del fondo riuscendo a fermarsi e a prendere fiato disteso nella piccola ansa in cui l'acqua era meno profonda.

Ansimando affannosamente cercò di capire se non avesse qualche osso spezzato e di distinguere che cos'era ciò che sentiva colare dal fianco. Si portò la mano alla bocca e capì dal sapore dolciastro che si trattava del suo sangue, sondò la ferita con la punta delle dita scoprendo che la pelle era lacerata dall'anca alle costole sul fianco sinistro ma che la ferita non aveva infranto le pareti del corpo e gli organi all'interno erano probabilmente ancora indenni.

Udiva a monte lo scroscio delle cascate che già aveva attraversato e più a valle un rumore diverso, profondo e gorgogliante, ma il buio completo lo riempiva di un'angosciosa incertezza, di terrore panico. Non sapeva dov'era, né quanto aveva percorso né quanto gli rimaneva da percorrere, non aveva idea del tempo che era trascorso dal momento in cui aveva messo i piedi nell'acqua gelida e aveva abbandonato l'ultimo appiglio nella roccia.

Batteva i denti per il freddo e quasi non sentiva più le membra; i piedi erano due pesanti appendici quasi inerti e fitte dolorose gli salivano dai fianchi e da una spalla. Arretrò un poco fino a trovare un anfratto, una specie di caverna in cui si acquattò avvertendo un senso di tepore. Riuscì anche a tamponare la ferita fasciandosi alla meglio con un pezzo di stoffa strappato dalla sua veste. Si lasciò ricadere all'indietro e si assopì, più per la mortale stanchezza che per il sonno. Quando riprese coscienza non avrebbe saputo dire per quanto tempo si era fermato ma era certo di dover proseguire il suo viaggio nelle viscere della montagna. Invocò le divinità dell'Ade promettendo loro un generoso sacrificio se fosse uscito vivo dal loro regno sotterraneo, quindi si trascinò fino all'acqua, si calò nel fiume gelido tenendosi ad una protuberanza della roccia e si lasciò di nuovo trascinare dalla corrente.

A lungo fu rivoltato, sbattuto, trascinato in basso e rigettato in superficie come se fosse nella gola di un mostro e tale, più volte, sembrò la realtà alla sua mente sconvolta e atterrita.

Poi, a poco a poco, la velocità della corrente cominciò a scemare, il corso dell'acqua si fece più ampio e meno precipitoso, il rumore dell'acqua meno fragoroso. Forse il peggio era passato ma si trovava sempre in una situazione di grande pericolo e incertezza.

Era a tal punto stremato per il freddo, il lungo dibattersi tra i flutti, i continui conati di vomito per sputare l'acqua ingoiata, che si lasciò quasi andare come un oggetto inerte. Passò ancora parecchio tempo, quanto non avrebbe saputo dire.

Il buio fino a quel momento era stato così denso e fitto che un riverbero di luce anche se infinitesimo non sfuggì alla sua vista. Forse era davvero la fine? Forse avrebbe rivisto il mondo dei vivi? La speranza gli restituì un barlume di vigore e riprese a nuotare tenendosi al centro della corrente. La volta dell'antro in cui scorreva il fiume sotterraneo schiarì leggermente, qualcosa che non era luce ma non era nemmeno più tenebra fitta, la speranza di un chiarore più che un lume, ma con il passare del tempo si rafforzò fino a diventare la luce, pallida, della luna che rischiarava la notte.

Sfinito, quasi esanime per l'enorme sforzo sopportato, quasi morto di freddo, *Mustela* si abbandonò, finalmente all'aperto, sotto la volta del cielo, su una riva bassa e sabbiosa. Si trascinò a stento verso l'asciutto e si lasciò andare senza più una stilla di energia.

In Monte Appennino, ad Fontes Arni, a.d. VI Id. Mart.,
ad finem secundae vigiliae
Monti dell'Appennino, alle sorgenti dell'Arno, 10 marzo,
mezzanotte

Avanzarono ancora per la strada sempre più stretta, uno appresso all'altro, nere figure in un cerchio rossastro, nella candida distesa dei monti. Publio Sestio si sforzava di contare i cippi dove ancora si scorgevano, uno dopo l'altro, e cercava di osservare tracce che non fossero di animali temendo sempre un agguato.

Una volta, oppresso dalla solitudine e dalla preoccupazione, si rivolse al compagno di viaggio:

«Ma tu, non parli mai?» chiese.

«Solo se ho qualcosa da dire» rispose Sura senza voltarsi, e non aggiunse altro.

Publio Sestio tornò a rimuginare i suoi pensieri, in particolare quello che più lo inquietava: Marco Antonio aveva ricevuto la proposta di partecipare a una congiura contro Cesare e, pur non accettando, non aveva rivelato nulla. Poteva significare soltanto una cosa: che non parteggiava per nessuno, se non per se stesso. Quindi un tipo di uomo fra i più pericolosi. Pensava che la congiura avrebbe potuto avere successo e in tal caso i congiurati gli sarebbero stati grati del suo silenzio. Oppure sarebbe fallita, e lui non avrebbe perduto alcun vantaggio. E il gesto dei Lupercali? Se era tanto astuto e cinico, come avrebbe potuto commettere un simile errore? Come avrebbe potuto prendere un'iniziativa su un gesto di tale peso e un fatto così delicato? Forse aveva sempre recitato la parte del rozzo soldato che non capisce la politica per nascondere una capacità superiore alle aspettative. Ma se le cose stavano così, che significato aveva il tentativo di incoronare Cesare come re in pubblico? Evidentemente sapeva quale sarebbe stata la reazione popolare, e allora perché non si era posto il problema di come avrebbe reagito Cesare? Anche in questo caso probabilmente si era ritenuto al riparo della sua pretesa ingenuità, ma non poteva ignorare che, qualora fosse esistita realmente una congiura, il suo gesto contribuiva a rendere Cesare più vulnerabile e più solo. E qual era lo scopo o la ragione? Qual era? Qual era?

Continuava a porsi la stessa domanda una, dieci, cento volte, come battesse la testa contro il muro. Allora guardava la neve scendere silenziosa a grandi fiocchi nel raggio di luce della torcia, guardava le impronte dei cavalli che procedevano lenti, sempre più lenti, mentre lui avrebbe voluto correre come il vento, divorare la strada, raggiungere la meta prima che fosse troppo tardi e forse era già troppo tardi, forse quello sforzo era già inutile.

Eppure una ragione doveva esserci e a tratti, quando la morsa del freddo sembrava attenuarsi per chissà quali equilibri dell'aria e della terra, gli sembrava di essere vicino alla soluzione. La risposta, forse, era circoscritta a poche persone-chiave: tre o quattro, non di più, ai loro rapporti di potere o di interessi. Doveva vagliare ogni possibilità, ogni obiettivo degli uni e degli altri, incrociarli, confrontarli. In certi momenti avrebbe voluto scendere a terra a tracciare gli schemi della sua mente nella neve immacolata con la punta del coltello, come quando disegnava nella terra attorno al bivacco i piani d'azione in battaglia per il suo reparto. Poi si perdeva. Gli schemi si dissolvevano in mille piccoli frammenti confusi e a quel punto si rendeva conto che stava di nuovo smarrendosi con lo sguardo nel turbinare candido dei fiocchi.

A volte lo prendeva anche il sospetto che la mappa lasciata da *Nebula* a Modena prima di scomparire nei vapori del mattino avrebbe potuto essere un'esca per condurlo in una trappola, ma alla fine si convinse che non aveva scelta e doveva affrontare il rischio. L'alternativa era arrivare troppo tardi a riferire il suo messaggio. Sura ruppe uno dei suoi interminabili silenzi per dirgli che erano prossimi alle sorgenti dell'Arno e che stavano percorrendo un'antica pista etrusca. Poi si richiuse nel suo mutismo.

Publio Sestio marciò, tormentandosi in silenzio, per tutta la notte.

In Monte Appennino, a.d. V Id. Mart., tertia vigilia
Monti dell'Appennino, 11 marzo, dopo mezzanotte

Soltanto Rufo soffriva in quel momento una pena simile, inoltrandosi nel territorio che stava attraversando. Cercava di raggiungere la Flaminia minore tagliando trasversalmente la montagna. Sulle prime dovette seguire la traccia appena visibile di un tortuoso sentiero lungo il pendio che costituiva la spalla occidentale della valle del Reno fino a raggiungerla. Vi riuscì non senza fatica, spesso smontando da cavallo per procedere a piedi tenendo l'animale per la briglia, finché arrivò sulla sponda del corso d'acqua. Il tempo era di nuovo peggiorato. In basso la neve scendeva mista a un'acquerugiola uggiosa e insistente che gli scivolava sul mantello di lana grezza gocciolando a terra dall'orlo.

Trovò il guado seguendo il rumore dell'acqua fra i sassi e spinse il cavallo nell'alveo. Al centro il fiume era abbastanza profondo e l'acqua arrivava al petto dell'animale, poi poté procedere verso la sponda opposta su un letto di ghiaia fine e di sabbia.

Il sentiero riprendeva a salire dalla parte opposta e quando Rufo ritrovò la neve, il diffuso chiarore del manto candido gli permise di orientarsi su un itinerario che aveva percorso molte altre volte. A mezza costa raggiunse la capanna di un pastore che conosceva bene e si fermò a bere un bicchiere di latte caldo e a mangiare un pezzo di pane con del formaggio. L'interno era rischiarato dalle fiamme del focolare, le pareti intonacate di fango secco erano completamente annerite dal fumo. Tutto puzzava di pecora a cominciare dal padrone di casa per finire al molosso accucciato sulla cenere che circondava il focolare. Un animalaccio irsuto che ognuno chiamava come voleva. Rufo lo salutò, «Come va, bestia?», e lo grattò dietro le orecchie infestate di zecche sedendosi accanto a lui su uno sgabello.

«Che ci fai in giro a quest'ora?» domandò il pastore in un misto di latino e dialetto ligure che non tutti erano in grado di capire.

«Ho un messaggio urgente da consegnare» rispose Rufo fra un boccone e l'altro. «Com'è in alto, sulla cresta?»

«Si passa ma devi fare attenzione, ho visto in giro un branco di lupi: un maschio vecchio, due o tre giovani e quattro o cinque femmine. Al buio potrebbero farsi coraggio e attaccarsi ai garretti del tuo cavallo. Ti conviene prendere un tizzone dal fuoco e badare che resti acceso finché non sei arrivato in cima.»

«Grazie dell'avvertimento» rispose Rufo.

Lasciò due assi per quello che aveva mangiato e bevuto, e con il tizzone in mano riconquistò l'aria aperta, dove gli parve di tornare a respirare dopo il puzzo di pecora che impregnava l'ambiente e gli ammorbava le narici.

Prese il cavallo per le briglie e ricominciò a salire a piedi illuminando il cammino con il tizzone acceso che teneva con la sinistra. Si domandò da quale distanza si distinguesse la fiamma. Forse in quel momento a *Lux fidelis* il comandante era salito sulla terrazza superiore e guardava dalla sua parte. Gli sembrava di sentirlo borbottare: "Eccolo là, mi gioco un mese di paga che quel bastardo è già arrivato in cresta".

E non mancava più molto infatti. In alto, a meno di mezzo miglio, un gruppo di abeti secolari segnava lo spartiacque.

Il cavallo fu il primo a sentire i lupi e un istante dopo li vide anche lui: la fiamma del tizzone si rifletteva nei loro occhi con un bagliore sinistro. Non aveva nemmeno un sasso da scagliare loro contro e non sembravano intenzionati a ritirarsi. Gridò agitando il tizzone e quelli corsero via, ma solo per fermarsi pochi passi più in là.

Rufo gridò ancora ma i lupi non si mossero, anzi cominciarono a girare intorno ringhiando. Una manovra che non prometteva nulla di buono. Stavano mettendo in atto la strategia di branco per isolare e quindi attaccare la preda. E la preda era lui o il suo cavallo, o tutti e due. Il cavallo era atterrito e difficile da controllare. Se fosse fuggito, per lui sarebbe finita. Avrebbe potuto scappare e non sarebbe riuscito a trattenerlo. Legò allora le briglie al ramo di un albero e poté muoversi meglio, impugnando il coltellaccio con una mano mentre con l'altra continuava ad agitare il tizzone ormai ridotto a poca cosa.

I lupi non erano mai stati un problema, era sempre stato piuttosto facile sbarazzarsene. Perché quella notte erano così tenaci e aggressivi? Pensò a una leggenda del suo popolo ancestrale, guidato in Italia da un lupo. Ma questi erano diversi, bestiacce affamate con pessime intenzioni. Si addossò a un grande abete e sentì con la schiena che i rami bassi erano secchi: gli dèi gli mandavano un aiuto. Li spezzò e li gettò su quanto restava del tizzone che aveva ancora in mano e la fiamma balenò vivace per la resina. L'improvviso bagliore respinse i lupi ma solo oltre il limite del cerchio luminoso. Il cavallo scalciava e nitriva, s'impennava cercando di strappare le redini. Se non avesse avuto il morso sarebbe fuggito da tempo. Chissà se il comandante vedeva anche questo fuoco dalla terrazza di Lux fidelis. Qualcuno doveva certo vederlo ma nessuno sarebbe partito senza un motivo.

Il duello tra il fuoco e la fame stava per concludersi per l'imminente esaurimento del fuoco. Rufo fece allora l'unica cosa che gli restava da fare e che gli ripugnava profondamente. Chiese perdono agli dèi degli antenati, ammassò tutti i rami che gli rimanevano contro il tronco dell'abete che prese fuoco a sua volta e si trasformò in pochi attimi in una torcia gigantesca. La sua anima celtica inorridì perché gli sembrava di udire lo spirito del grande abete urlare straziato dal fuoco, ma la sua anima romana lo giustificò perché stava eseguendo un ordine dei suoi superiori.

I lupi erano fuggiti, Rufo raccolse uno dei rami caduti che bruciavano, montò a cavallo e proseguì attraversando una radura finché raggiunse le lastre grigie di arenaria della Flaminia minore.

Lux Fidelis, a.d. V Id. Mart., *tertia vigilia*
"Luce fedele", 11 marzo, terzo turno di guardia, l'una di notte

Un servo svegliò il comandante nel profondo del primo sonno.

«Che accidenti succede?»

«Padrone, vieni subito a vedere.»

Il comandante si gettò sulle spalle un mantello e salì così com'era alla terrazza superiore. Nevicava e gli si presentò una visione fantasmagorica. Davanti a sé, a una distanza difficile da definire, in direzione sud, a un'altezza che lo faceva sembrare fisso in mezzo al cielo, vedeva un globo di luce intensissima circondato da un alone di colore rossastro che si allungava nella direzione del vento con una specie di coda luminescente.

«Dèi! Ma che cos'è?»

«Non lo so, comandante» rispose la sentinella. «Non ne ho idea. Appena l'ho visto ho mandato il ragazzo a svegliarti.»

«Una cometa... con la coda di sangue... Possenti dèi. Qualcosa di terribile sta per succedere. Le comete portano disgrazia... Tenete gli occhi aperti» aggiunse. «Questa è una notte maledetta.»

Si imbacuccò nel mantello come per proteggersi da ogni influsso maligno e scese le scale in fretta per richiudersi nella sua stanza.

Fuori, sulla terrazza, il servo scrutava stupefatto lo strano fenomeno quando a un tratto la luce si dilatò per qualche istante in un bagliore più intenso e poi si offuscò fino a essere inghiottita dal buio.

Il servo si volse verso la sentinella: «È sparita» disse.

«Già» rispose la sentinella.

«Che cosa vuol dire?»

«Niente. Non vuole dire niente. Ha detto il comandante che era una cometa: non hai sentito?»

«E che cos'è una cometa?»

«E che ne so? Vallo a chiedere a lui. E già che ci sei portami un po' di vino caldo che sto gelando.»

Il servo scomparve sotto il pavimento e la sentinella restò sola a vegliare nella notte.

Ad flumen secretum, a.d. V Id. Mart., tertia vigilia
Fiume segreto, 11 marzo, terzo turno di guardia, l'una di notte

Mustela si svegliò intorpidito e raggelato. Non sapeva quanto tempo era rimasto adagiato nell'erba umida, inzuppato d'acqua. Non c'era una parte del corpo che non gli facesse male e il petto fu scosso da una tosse secca e convulsa. Era buio e vedeva soltanto l'acqua del torrente scorrere veloce a poca distanza da lui. Dov'era la barca di cui gli aveva parlato il vecchio? Si guardò intorno e riuscì a distinguere un ciuffo di alberi lungo la sponda. Si incamminò barcollando in quella direzione. Erano quelli, i salici?

Uno squarcio nella nuvolaglia scoprì per qualche momento il disco della luna e *Mustela* poté distinguere meglio il gruppo di salici e scorgere la barca legata a un paletto sulla riva. La sagoma scura si profilò netta sulla superficie dell'acqua inargentata dalla luce lunare.

Era ormai prossimo alla conclusione della sua missione. La parte più difficile se l'era lasciata alle spalle, sempre che le forze non lo abbandonassero. Si portò la mano alla fasciatura e la ritirò rossa di sangue: l'emorragia continuava. Strinse di più la benda sul fianco, poi si avvicinò alla barca e salì a bordo impugnando i remi. Ne puntellò uno contro la sponda e sospinse la barca verso il centro della corrente.

Doveva solo lasciarsi trasportare. Così fece e, a mano a mano che procedeva verso la pianura, la temperatura diventava più dolce. Un vento leggero e tiepido da sud lo asciugò. Il cielo alle sue spalle era scuro e attraversato da lampi, ma davanti schiariva lentamente. Di tanto in tanto

Mustela si lasciava andare sul fondo e dormiva per un poco, lo stretto necessario per recuperare lucidità.

Al minimo urto, al minimo sussulto riapriva gli occhi e vedeva sfilare davanti a sé, sparsi nella pianura, villaggi e fattorie isolate, poco più che scuri profili stagliati contro la pallida luce dell'alba. Qualche rumore giungeva indecifrabile fino a lui: una volta udì un richiamo, un'altra volta quello che gli parve un grido di disperazione, altre volte solo il verso di uccelli notturni: il monotono singhiozzo dell'assiolo, lo stridere sincopato e insistente della civetta.

Poi, quando la luce del giorno fu piena e il paesaggio cominciò ad animarsi, finalmente, l'Arno!

Il torrente su cui si trovava confluiva nel grande fiume etrusco che scorreva tra le colline in un'ampia ansa dirigendosi verso la pianura. La velocità della corrente continuava a diminuire ma la distanza percorsa era ormai di molte miglia, o almeno così pensava.

Il sole, benché nascosto dietro le nubi, doveva essere già alto quando arrivò al suo punto di sbarco. Un porticciolo fluviale che raccoglieva le merci della montagna per condurle ad Arezzo, che si trovava ancora parecchie miglia a valle. Con le poche forze residue dette gli ultimi colpi di remi verso la banchina e riuscì ad accostare. Un magazziniere gli affittò un mulo e gli fornì un pezzo di tela pulita con cui poté cambiarsi la fasciatura, quindi *Mustela* proseguì il suo viaggio verso la meta: la casa dei cipressi, nascosta nell'interno.

Fra tutti i messaggeri partiti dalla *Mutatio ad Medias* doveva essere quello giunto più a sud. Chi altri avrebbe potuto percorrere l'equivalente del suo tragitto sotterraneo alla velocità di un torrente in discesa?

Ogni sussulto, quasi ogni passo, del suo mulo sull'acciottolato della strada gli procurava fitte lancinanti; i muscoli rattrappiti dal freddo, dalla fatica e dal digiuno non rispondevano più agli stimoli e *Mustela*, che pure aveva passato esperienze di qualsiasi genere nella sua vita di informatore, non sognava che di sdraiarsi su un letto pulito, in un luogo protetto e riparato.

La villa gli apparve sulla sinistra dopo un incrocio e un'edicoletta dedicata a Ecate Trivia, che lui guardò con una fuggevole occhiata in tralice. Abbandonò la strada principale e imboccò il viale che portava in cima a una collina su cui sorgeva la villa, circondata da neri cipressi.

Fu accolto dall'abbaiare furioso dei cani e dal rumore di passi sulla ghiaia del cortile. Cercò di scendere dal mulo per farsi vedere e chiedere di essere ricevuto, ma appena ebbe toccato terra si sentì girare la testa, provò un senso di vuoto e una stanchezza mortale. Si afflosciò al suolo come un cencio: fece in tempo a sentire delle voci concitate e qualcuno che diceva: «Chiama il fattore, presto! Maledizione, questo sta per morire».

Tutto divenne confuso. Gli parve di sentirsi addosso il muso di un cane o due, il loro fiato. Uno ringhiava, l'altro lo leccava, sul fianco, da dove usciva il sangue.

Ancora passi concitati. Una voce roboante: «Buttatelo nel pozzo nero! Chissà chi accidenti è!».

Si sentì prendere per le gambe e per i piedi e capì che doveva trovare il fiato per parlare, ad ogni costo.

«Di' al tuo padrone che *Mustela* gli deve parlare subito» disse rivolto a quello che lo teneva per le braccia.

«Che cosa ha detto?» domandò il fattore che camminava a fianco con i cani.

«Ha detto che deve parlare con il padrone e che si chiama *Mustela*.»

«E muoviti, figlio di puttana» ringhiò ancora *Mustela*, «se non vuoi finire alla macina. Il tuo padrone ti spellerà vivo se verrà a sapere che non hai riferito il mio messaggio.»

Il fattore fece fermare il piccolo convoglio, ed esaminò meglio l'uomo che stavano per gettare nella fossa dei liquami. Osservò la ferita, vide un pugnale costoso mostrare l'impugnatura sotto la tunica stracciata e fu colto da un dubbio.

«Fermatevi» disse.

CAPITOLO X

Romae, in insula Tiberis, a.d. V Id. Mart., *hora tertia*
Roma, isola Tiberina, 11 marzo, le otto di mattina

In barca, da Ostia, Antistio era arrivato di buon'ora nel suo valetudinario presso il tempio di Esculapio e aveva predisposto per le visite della giornata. Di scuola ippocratica, attribuiva grande importanza alla sintomatologia e all'anamnesi e amava la pulizia. Teneva quindi per ogni paziente un registro con la descrizione accurata della malattia, della dieta consigliata, dei rimedi applicati e dei risultati ottenuti. I servi venivano battuti con la verga se trovava della polvere o qualche sozzura di altro tipo negli angoli più riposti e meno visibili del suo ambulatorio.

Per giunta aspettava un cliente del massimo riguardo: Artemidoro, di nuovo alle prese con i suoi problemi di vitiligine.

Uno dei segreti di Antistio era la medicina empirica, debolezza che non avrebbe confessato nemmeno sotto tortura.

Nel corso della sua lunga pratica dell'arte medica si era convinto che le donne erano depositarie di una sapienza terapeutica notevolmente superiore a quella degli uomini, sulla base di una semplice considerazione, vale a dire che le donne da tempo immemorabile si erano dedicate alla cura dei figli e, siccome tenevano alla loro sopravvivenza più che alla propria stessa vita, avevano elaborato rimedi di cui avevano con certezza sperimentato l'efficacia. In altri termini, a loro non interessava da cosa fosse generata la malattia, da quali equilibri o squilibri di umori ed elementi derivasse, a loro interessava una cosa sola: che non uccidesse i loro figli e quindi combatterla con rimedi validi.

Gli uomini erano di gran lunga più esperti nella chirurgia: tagliare, segare, cauterizzare, amputare, cucire, erano tutte pratiche in cui sapevano il fatto loro, sia perché più brutali per natura, sia perché avevano dovuto divenirne esperti nelle retrovie dei campi di battaglia dove, da tempi altrettanto immemorabili, decine, centinaia di migliaia di uomini venivano mandati gli uni contro gli altri a massacrarsi, per ragioni che non erano mai state indagate in profondità e tanto meno spiegate.

Era così che Antistio era diventato il medico personale di Caio Giulio Cesare: dimostrando la sua impassibile capacità di rimettere insieme le membra martoriate dei reduci dal campo di battaglia e di contrastare le insidie di morbi subdoli dalle caratteristiche sfuggenti, applicando rimedi che solo lui conosceva e di cui non rivelava a nessuno la composizione.

Il suo assistente gli annunciò che Artemidoro era giunto per la visita e Antistio gli ordinò di farlo passare subito. Guardò fuori e non scorse lettighe: Artemidoro era arrivato a piedi.

«Come vanno le cose?» gli chiese appena lo vide.

«Mah, che vuoi che ti dica: questi Romani sono volenterosi, non lo nego, ma che pena. Il loro accento è insopportabile quando si applica ai maestri della nostra poesia. Se poi la tua domanda si riferiva al mio disturbo, ecco, guarda, qua dietro sulla nuca mi sembra ci sia qualcosa di recidivo.»

«Vediamo subito» disse premuroso Antistio che prese a osservare, diradando i capelli, la zona indicata. Individuò una modesta area arrossata. Con un mugugno preoccupato Antistio indagò ancora diligentemente, poi si diresse all'armadio delle medicine, lo aprì con la chiave e ne estrasse l'unguento che applicò con movimenti sapienti alla nuca del paziente, che dopo qualche tempo diede segni di sollievo.

«Questo rimedio è davvero efficace» disse. «Non so come ringraziarti. Quanto ti debbo?»

«Nulla questa volta: essendoci stata una recidiva è giusto che io abbia provveduto senza un ulteriore compenso.»

«Questo non posso permetterlo» rispose Artemidoro e insistette per pagare, ma Antistio si mostrò irremovibile.

«E per giunta» disse il paziente «vengo curato dal medico di Giulio Cesare.»

«Il dittatore perpetuo mi onora della sua fiducia, è vero» rispose Antistio «e ne sono orgoglioso. In tutta sincerità perché penso di essere la persona più adatta per garantire la sua salute, almeno per quello che riguarda ciò che è di mia competenza, il resto è... nelle mani degli dèi» concluse la frase con un sospiro eloquente.

Artemidoro lo guardò interdetto. Era evidente che in quelle parole, e in particolare nel loro tono e in quel sospiro, si celasse un messaggio. Avrebbe potuto ignorarlo e fingere di non aver capito, ma la curiosità e la sensazione che qualcosa di eccezionale lo stesse sfiorando lo indusse ad accettare la provocazione: «Che cosa intendi dire?» domandò.

«Circolano voci poco rassicuranti purtroppo» rispose Antistio. «Per non dire di peggio.»

«Molto peggio?» insisté Artemidoro.

Antistio accennò di sì accompagnando il moto affermativo del capo con un sospiro ancora più grave.

Artemidoro gli si avvicinò quasi mormorando al suo orecchio: «Qualcosa che ha a che fare con Bruto?».

Antistio lo fissò con un'espressione che non aveva bisogno di parole.

«Capisco» disse Artemidoro.

«Risulta forse anche a te?» domandò Antistio e aggiunse: «Bada, mi rendo conto che ti sto chiedendo molto, forse troppo, ma giuro che qualunque cosa tu dica nessuno saprà chi me l'abbia rivelata. Voglio comunque che tu sappia che mi sento onorato di avere in cura uno dei più eminenti letterati della cultura ellenica in questa città».

Artemidoro restò colpito da quell'espressione. Meditò a lungo prima di rispondere e poi disse: «Bruto mi tratta come un servo, con arroganza, umilia la mia dignità solo perché la mia sopravvivenza in questa città dipende dal magro stipendio che mi paga. Tu mi hai curato e continui a curarmi di un'infermità ripugnante che mi avrebbe reso ridicolo senza badare a quello che potevo pagarti, apprezzi il mio modesto ingegno più di quanto io non meriti. Se devo quindi fare una scelta, ebbene preferisco stare dalla tua parte, qualunque essa sia».

«Te ne sono infinitamente grato» rispose Antistio dissimulando a stento il suo entusiasmo «e quando sarà il momento ti assicuro che non avrai a pentirtene.»

«Dimmi che cosa posso fare per te.»

«Il nome di Bruto appare sui muri della città e sulla porta del tribunale con incitazioni a emulare il suo lontano antenato che cacciò da Roma l'ultimo re. L'allusione è chiara e significa che qualcuno vuole spingere Bruto a un gesto estremo ai danni di Cesare, ai danni di colui cui deve la vita.»

Artemidoro non rispose e Antistio credette opportuno rafforzare la propria posizione: «Bruto si comporta in modo difficile da capire. A suo tempo si schierò dalla parte di Pompeo che pure aveva fatto uccidere suo padre e ora sembra trami contro Cesare al quale deve la vita. Cesare lo perdonò dopo la battaglia di Farsalo e lo ha inserito nuovamente nel senato e nella carriera politica... Voi Greci avete un alto concetto della libertà e della democrazia e mi rendo conto di quello che puoi pensare di Cesare. Ma ricorda che ha rifiutato la corona di re quando gli è stata offerta e i poteri che gli sono stati conferiti hanno solo lo scopo di porre fine alle lotte civili. Non dimenticare che Cesare non ha figli, dunque che senso avrebbe un'aspirazione monarchica che morirebbe con lui?».

«Anch'io sono convinto di ciò che dici e quindi non è necessario che tu mi spieghi ulteriormente il tuo pensiero al riguardo...»

«Sono spiacente che Bruto ti tratti in modo indegno anche per ciò che riguarda il tuo compenso. Sappi comunque che, se ci aiuterai, le tue difficoltà saranno finite per sempre. La generosità di Cesare non ha limiti.»

«Sono disposto ad aiutarti senza bisogno d'altro» rispose Artemidoro con una certa fermezza. «Che cosa vuoi sapere?»

«Perdonami, non intendevo offrirti denaro in cambio del tuo aiuto, anche se in questa città corrotta il denaro è spesso l'unica soluzione. La verità è che sono molto preoccupato per Cesare. Circolano strane voci e quelle scritte soprattutto mi sembra parlino chiaro. Io temo che Bruto venga coinvolto in un'azione sconsiderata che potrebbe avere conseguenze drammatiche.»

«Intendi dire... una congiura?»

Antistio annuì con un'espressione grave: «Sai qualcosa che potrebbe aiutarmi?».

«Solo sensazioni, impressioni: personaggi che frequentano la casa ad ore strane.»

«Quanto strane?»

«Nel cuore della notte, o in ore antelucane. Perché mai uno dovrebbe ricevere gli amici in ore del genere se non per evitare di farsi vedere?»

«Più che giusto. E sai chi sono questi amici?»

«No. In tutti i casi era buio e le riunioni si sono tenute a porte chiuse, nello studio di Bruto. Io mi sono alzato perché ho sentito il cane abbaiare e poi la voce di Bruto che lo richiamava e un gruppo di persone che entrava dal cancello posteriore.»

«Quanti erano, secondo te?»

«Non saprei di preciso ma un gruppo abbastanza nutrito: sei, sette, forse di più.»

«Vedi altri motivi che non siano una congiura per simili riunioni?» domandò Antistio.

«Ve ne possono essere diversi... un'alleanza politica, per esempio, un accordo elettorale per i prossimi comizi che deve restare segreto...»

«Può essere, ma sono diffidente e preoccupato. Ti chiedo di vigilare. Voglio sapere chi frequenta la sua casa, in quanti sono, se ce ne sono altri che tu non vedi e per che cosa si riuniscono. E se vieni a sapere qualcosa ti prego di farmelo sapere subito.»

«Non sarà facile» rispose Artemidoro «ma farò del mio meglio. Se verrò a scoprire qualcosa te ne informerò appena possibile.»

«Vieni qui, in tal caso. Se non ci fossi, il mio assistente sa come e dove trovarmi in qualunque momento. Addio, Artemidoro, sii prudente.»

Artemidoro ricambiò il saluto e uscì.

Antistio restò a meditare in silenzio finché il servo bussò per annunciare un nuovo paziente.

Romae, in Taberna ad Oleastrum, a.d. V Id. Mart., hora octava
Roma, taverna "all'Olivo selvatico", 11 marzo, l'una di pomeriggio

Silio, seduto sotto l'olivo, guardò il sole e poi l'ombra del palo che reggeva una vite scheletrita. Chiamò il garzone dell'osteria: «Dammi un bicchiere di Tuscolano rosso e del pane abbrustolito».

Il servo gli portò quello che aveva chiesto. Silio inzuppò il pane abbrustolito nel vino e cominciò a mangiare. Non c'era molta gente per strada in quel momento. Un venditore di salsicce si piazzò con il carretto in fondo alla piazza e un gruppetto di ragazzini molesti gli si affollò intorno. Due o tre lo distrassero e gli altri, sottratte delle salsicce, se le passavano una alla volta dietro le spalle fino a raggiungere l'ultimo della fila. A quel punto, a un segnale convenuto, scapparono via ridendo. Il salsicciaio prese a rincorrerli con la frusta e altri, sbucati da un androne buio, ne rubarono ancora tre o quattro. "La tattica del branco" pensò Silio. "Attirare la vittima lontano dal suo rifugio." Alzò gli occhi al cielo a seguire per qualche minuto il volo di una coppia di gabbiani. Aspettava qualcuno che non arrivava mai.

Finì di mangiare e aspettò ancora, ordinando di tanto in tanto un altro bicchiere di vino.

Passò l'oste con un piatto di stufato di ghiro per un paio di altri clienti e quando tornò Silio lo fermò: «Sei sicuro che non sia venuto nessuno per me?».

«Te l'ho detto» rispose l'oste, «non s'è vista anima viva. Conosco tutti qui intorno, se si fosse presentato un forestiero l'avrei riconosciuto immediatamente. Ma tu sai com'è fatto questo tizio? Alto, basso, scuro, chiaro...»

«No» rispose Silio chinando il capo. «Non l'ho mai visto.»
L'oste allargò le braccia come a dire: "E allora che cosa
vuoi da me?".

Silio mandò giù un altro sorso di vino, si pulì la bocca con
il rovescio della mano e fece per allontanarsi. Ma mentre si
alzava in piedi notò una figura all'angolo di una casa alla
sua sinistra che faceva strani gesti. Era lui?

Silio si guardò intorno e, cercando di non dare nell'occhio,
si diresse verso l'individuo che continuava a fargli cenno
di avvicinarsi. Ormai poteva distinguere la figura: era una
donna di umile condizione, probabilmente una serva o
una liberta, vestita con un abito da lavoro e una cintura di
corda intorno alla vita. Poteva avere una quarantina d'anni
e aveva le mani callose di chi lavora in campagna.

«Avvicinati» gli disse. Silio le si avvicinò.

«Sono la persona che aspettavi.»

«Bene. E allora?»

«Chi mi manda dice che non può incontrarti. Ti conosce solo
di vista e non pensa di poterti fissare un appuntamento.»

Silio ebbe un moto di stizza: «Maledizione! Ma perché?
Le hanno detto che è importante? Che è questione di vita
o di morte?».

«Io non so nulla» rispose la donna. «La persona che mi ha
inviato, io non l'ho mai vista. Non so nemmeno chi sia.»

Silio la afferrò per il vestito: «Ascoltami: io devo ad
ogni costo incontrare chi ti ha mandato. Se fai quello
che ti dico sono disposto a pagarti bene: di' che ho cose
importantissime da riferire, cose che la riguardano di
persona e che riguardano suo figlio. Sei una schiava,
dimmi, lo sei?».

«Lo sono» rispose.

«Ecco, guarda, ti darò abbastanza soldi da riscattare la
tua libertà, ma fai quello che ti dico per tutti gli dèi!»

La donna toccò lievemente la mano che le stringeva la
stoffa della tunica sul petto per liberarsi e a capo basso rispose: «Ma credi davvero che una donna della mia condizione
possa parlare con persone di alto rango? Ho ricevuto un
ordine e ho imparato a memoria le parole che ti ho detto.

Domani sarò in qualche podere ad affastellare sarmenti. Mi dispiace, lo avrei fatto volentieri per te».

Si allontanò.

Silio appoggiò il gomito contro il muro, la testa sul braccio e restò in quella posizione a lungo, combattuto fra rabbia e frustrazione, senza sapere che cosa fare.

Una mano gli si posò sulla spalla. Silio si voltò di scatto, la mano all'elsa del pugnale che aveva alla cintola. Si trovò di fronte l'oste:

«Credo che sia arrivato quello che cercavi.»

«Ma che stai dicendo? Ho appena...»

«Un tizio alto, magro, occhiaie scure. Ha lasciato un messaggio per te.»

Silio non disse altro e lo seguì fino all'osteria. Il gruppetto al tavolino stava terminando con gusto lo stufato di ghiro inzuppando il pane nell'intingolo rimasto. Un cane aspettava speranzoso le ossa che tardavano ad arrivare. Sul suo tavolo c'era ancora la brocca con il bicchiere vuoto.

L'oste lo accompagnò nel retrobottega e gli porse un piccolo rotolo sigillato. Silio mise mano alla borsa e gli consegnò due denari per il disturbo, che l'oste intascò soddisfatto.

Silio si allontanò fino a sparire alla vista nell'ombra di un portico e aprì il messaggio:

A Silio Salvidieno, salute!
Le tue parole, benché velate, erano per me sufficientemente chiare. Non posso incontrarti per ragioni che puoi facilmente immaginare. Non molto è in mio potere di fare perché sono tenuta all'oscuro di tutto. La strada è fra due precipizi. Ma il poco che posso fare lo farò.
Questa lettera inizia senza la mia firma. Il mio nome sta nella persona che ti ha incontrato poco fa.
Addio.

Silio si sedette sulla base di una colonna e meditò accuratamente parola per parola la lettera che gli era stata recapitata.

Chi gli scriveva dava una risposta esauriente.

Dichiarava di essere all'oscuro di tutto, ma poi si smentiva perché affermava di voler fare qualcosa.

La strada che percorreva era fra due precipizi, il che corrispondeva perfettamente alla sua situazione. Divisa e lacerata fra due sentimenti potenti e contrastanti. Poteva fare poco ma comunque avrebbe agito.

La firma era la sua. Il suo nome era nella persona che gli aveva mandato: una serva. La conferma che si trattava di Servilia.

Si poteva dedurre che fosse sorvegliata a vista, che quindi ci fosse il timore che potesse rivelare qualcosa. Che cosa, se non una congiura?

Di preciso non gli comunicava nulla perché evidentemente temeva, nonostante le precauzioni, che la lettera venisse intercettata. Per questo aveva firmato in modo criptico la lettera, in modo che solo il ricevente potesse identificare il mittente. Perfetto. A questo punto aveva sufficienti indizi per avvertire prima Antistio e poi Cesare in persona. Lo avrebbe costretto a difendersi! Nel frattempo forse sarebbe arrivato anche Publio Sestio e anche con lui si sarebbe consigliato per organizzare una difesa.

Distrusse la lettera e ne seminò i pezzi lungo un vasto tratto di strada mentre camminava di buon passo verso il valetudinario di Antistio sull'isola Tiberina.

Vi arrivò che il sole cominciava a declinare. I legionari della Nona, di guardia al ponte Sublicio, abbassarono le lance in segno di saluto al suo rango che ormai conoscevano bene e lui raggiunse l'ambulatorio di Antistio.

Avevano notizie importanti da raccontarsi a vicenda. Cominciò Antistio: «Artemidoro collabora: ha motivi per detestare Bruto».

«Sa qualcosa?»

«Non tanto a dire la verità: solo strane riunioni a strane ore, in piena notte, prima dell'alba.»

«I nomi?»

«Nemmeno uno. Era buio e si sono chiusi nello studio di Bruto. Ma gli ho chiesto di indagare, di riferirmi tutto quello che può. Ha detto che lo farà e gli credo. E tu? Novità?»

«Ho fatto pervenire un messaggio a Servilia. Nulla di esplicito ma lei ha capito e ha risposto. Non vuole incontrarmi perché non può ma farà, mi ha detto, il poco che le è possibile.»

«Posso vedere la lettera?» domandò Antistio.

«L'ho distrutta appena dopo averla letta, ma l'ho imparata a memoria, non era molto lunga.» La recitò con precisione.

«Sì» convenne Antistio. «La tua interpretazione è giusta secondo me.»

«Bene. Vado a riferire a Cesare.»

Antistio meditò in silenzio per qualche istante mentre Silio lo guardava perplesso poi disse: «Sei sicuro che sia una buona decisione?».

«Certamente, non ho alcun dubbio.»

«E che cosa sei in grado di dirgli che lui già non sappia? Pensi davvero che lui non percepisca voci e atmosfera di una congiura serpeggiante se non in atto? Ma è chiaro che non vuole scatenare una repressione sulla base di voci. Non vuole sangue. Non ora, comunque.»

«Ma Servilia è sotto sorveglianza, non basta questo?»

«No. Non basta. Significa che Bruto potrebbe, bada bene, potrebbe, essere coinvolto, sempre che la congiura esista.»

«Ma non capisci le sue parole? "La strada è fra due precipizi."»

«È una tua interpretazione. Non è una espressione chiara. Ascolta: immaginiamo che Cesare ti creda e scateni la repressione. Cosa dovrebbe fare secondo te? Catturare Bruto e metterlo a morte? Sulla base di quale accusa? Oppure farlo uccidere da qualche sicario? L'assassinio gli verrebbe attribuito all'istante da chi lo vuole distruggere. Verrebbe additato al pubblico ludibrio come un tiranno sanguinario che finora aveva celato la sua vera e feroce natura. Proprio quello che lui vuole evitare. Lo metteresti solo in imbarazzo.»

«Ma allora?»

«Io conto molto su Artemidoro. Immaginiamo che riesca a scoprire se esiste veramente una congiura e chi sono i congiurati. A quel punto sarebbe facile per Cesare tendere una trappola, smascherarli e decidere che fare di loro. Inoltre Servilia ti dice che farà qualcosa e io credo che sarà qualcosa di importante, l'unica che gli consenta di salvare il figlio e l'uomo che ama, anche se sembra impossibile.»

«E cosa potrebbe mai essere?»

Antistio stava tracciando dei ghirigori su una tavoletta cerata con la punta di un bisturi come se inseguisse pensieri complessi. A un certo punto alzò gli occhi guardandolo di sotto in su e disse: «Per esempio far conoscere a Cesare il giorno della congiura».

CAPITOLO XI

Ad fundum Quintilianum, a.d. V Id. Mart., hora duodecima
Villa Quintiliana, 11 marzo, le cinque di pomeriggio

«Finalmente ti sei svegliato, credevo non avresti più riaperto gli occhi.»

Mustela si girò dalla parte da dove proveniva la voce e incontrò lo sguardo di un uomo robusto, dal piglio fermo e deciso. Un militare, a prima vista.

«È imprudente che tu riveli il tuo nome in codice a un servo e ancora di più che mi incontri in casa mia» disse.

Mustela cercò di rizzarsi sui gomiti ma lo sforzo gli strappò un lamento e una smorfia di dolore gli deformò il viso: «Che ora è?» domandò.

«Lascia perdere l'ora e rispondi a me.»

«Non avevo scelta» disse *Mustela*. «Guarda come sono conciato e te ne renderai conto. I tuoi stavano per buttarmi nel pozzo nero. Non sarebbe stata una bella morte, neppure per uno come me.»

«Comunque è pericoloso tenerti qui e prima te ne vai meglio è. Che cosa vuoi?»

Mustela volse lo sguardo alla finestra: «È tardi» disse.

«L'ora duodecima, circa.»

«O dèi, ho rischiato la pelle per niente. Dovevate svegliarmi, perché non l'avete fatto?»

«Ma ti dà di volta il cervello? Ti hanno ricucito, se non ti sei ancora accorto, con ago e filo. Sei arrivato più morto che vivo, non c'erano alternative.»

«Ascoltami: due uomini, forse tre o quattro, non so con certezza, per itinerari diversi stanno cercando di raggiungere Roma per impedire che giustizia sia fatta. Io ho intercettato poche parole in una *mutatio* sulla via Emilia e ho riconosciuto uno dei due: era Publio Sestio, detto "il bastone". Sai chi è?» L'uomo avvampò di collera improvvisa: «Lo so eccome. È un maledetto bastardo figlio di un cane, duro a morire». «Allora fermalo e ferma gli altri.»

«Ammettiamo che sia possibile, che siamo ancora in tempo. Come fermerò gli altri? Non sai quanti sono e nemmeno chi sono. Mi chiedi un miracolo.»

Mustela si alzò finalmente a sedere sull'orlo del letto: «Il fatto che Publio Sestio sia partito con tanta velocità e abbia lanciato altri messaggeri significa che vuole impedire ciò che sta per compiersi. La nostra è una lotta contro il tempo. Se arriviamo primi vivremo, se arriviamo secondi moriremo e con noi la libertà della repubblica».

L'ufficiale scosse il capo: «Lascia perdere la libertà della repubblica. Ti conosco fin troppo bene. Seguimi, se ci riesci».

Uscì dalla stanza e si incamminò verso il peristilio, seguito da *Mustela* che arrancava come poteva appoggiandosi al muro. Entrarono in una stanza dall'altra parte del giardino interno: lo studio del padrone di casa, che aprì uno stipo, ne estrasse un rotolo e lo spiegò sul tavolo. Era una mappa approssimativa delle strade fra la Cisalpina e Roma.

«Se hanno tanta fretta useranno soprattutto le strade meglio percorribili, per cui non sarà impossibile intercettarli...» scorreva con il dito sulle linee nere che simboleggiavano le vie consolari «sulla Cassia... sulla Flaminia.»

«Inoltre sembra che sulle montagne ci sia tempo da lupi e che certi valichi siano bloccati dalla neve. Aspettavo dei corrieri che sono in ritardo di quasi una giornata. A loro non andrà meglio, almeno spero.» Sollevò lo sguardo dalle strade dell'impero fissandolo negli occhi: «Oltre a Publio Sestio ne hai visti altri?».

«Sì» rispose. «Un uomo robusto, non molto alto, barba grigia, mani enormi, come zampe d'orso, sopracciglia unite sopra il naso.»

«Va bene. E poi? Almeno dammi qualche indizio.»
Mustela scosse il capo: «Come faccio? Non ne ho la più pallida idea, ma penso che in giro possano esserci almeno due o tre corrieri, se non di più. Comunque se ci sentiamo di scommettere che useranno le strade principali, almeno nell'ultima parte del loro percorso, dovranno dare garanzie o disporre di forti somme per i gestori delle osterie se vorranno ottenere il cambio dei cavalli».

«Ma non saranno gli unici. Rischiamo di fare ammazzare chi sta svolgendo tutt'altra attività, magari commerciale.»

«È un rischio che dobbiamo correre e comunque un segno distintivo lo hanno.»

«Quale?»

«La fretta. Una fretta maledetta. Nessuno può avere più fretta di loro. Da questo si possono riconoscere.»

«Potrei mandare delle segnalazioni luminose...»

«Sono messaggi troppo elementari e comunque è meglio di no, le conoscono. Sono informatori, anche loro membri dell'organizzazione e se io sono qua loro al massimo sono ancora in montagna, da dove li possono vedere piuttosto bene.»

«Forse hai ragione. Allora dividiamoci i compiti.»

«Io prendo la vecchia pista etrusca» disse *Mustela*.

«Noi le altre» concluse l'ufficiale.

Mustela notò che fino a quel momento non gli aveva detto il suo nome. Ma faceva parte del gioco. Aveva però osservato sulle pareti dei cimeli e in un angolo una panoplia che qualificavano il padrone di casa come un veterano di Pompeo. Probabile che avesse combattuto a Farsalo. Era uno di quei duri che non si erano mai arresi e che non avevano chiesto il perdono di nessuno. Sicuramente era in contatto con i pompeiani ancora alla macchia. Avrebbe fatto tutto quanto era in suo potere per bloccare la corsa affannosa dei corrieri verso Roma.

«Mi serve un cavallo» disse *Mustela*.

«Pronto fra pochi istanti. Ma sei sicuro di volere andare? Hai perso sangue. Sei malconcio, i punti potrebbero non tenere.»

«Ho un contratto da rispettare. E se lo porto a termine potrei anche ritirarmi da questo mestiere. Non ho più l'età per certi strapazzi. Però hai ragione: se cavalco sono finito. Dammi un veicolo leggero con un paio di cavalli. Un po' di provviste e una coperta o due.»

«Come vuoi» rispose l'ufficiale.

Lo condusse alle stalle dove scelse due animali robusti e li fece attaccare a una carrozza da viaggio. *Mustela* salì a bordo mentre un servo caricava quello che aveva chiesto.

«Che strada prenderai?» domandò il padrone della villa.

«Andrò verso la Cassia, ma potrei anche decidere, strada facendo, di seguire il mio fiuto» rispose l'informatore. «È per questo che mi chiamano *Mustela*.»

Appena tutto fu pronto diede una voce ai cavalli, li toccò con le briglie sul dorso e mentre partiva domandò: «Dimmi, comandante, perché lo chiamano "il bastone"?».

«Publio Sestio?» replicò con un ghigno il signore della villa. «Ti auguro di non scoprirlo da te.»

«Fai subito partire gli altri» disse *Mustela* avviandosi, «non c'è un momento da perdere.»

Scomparve in fondo al vialetto che usciva dalla villa verso la campagna aperta.

Si era alzato un fastidioso vento di tramontana che aveva accarezzato la schiena gelata dell'Appennino e intirizziva le membra fin dentro le ossa. *Mustela*, benché debole e con la testa leggera, si sentiva rinfrancato dal riposo, dalle cure e dal cibo che aveva ricevuto e dal fatto di disporre di un veicolo dove in caso di bisogno avrebbe potuto sdraiarsi e riposare o anche passare la notte. Mentre si inoltrava nella pianura diretto a meridione pensava che in fondo ne aveva passate altre di quel genere, e forse di peggiori, e che questa doveva essere l'ultima, se gli andava bene.

Alla villa l'ufficiale chiamò a raccolta i suoi uomini: un paio erano i suoi guardaspalle e venivano dalla scuola di gladiatori di Ravenna, altri due avevano servito nel suo reparto durante la guerra in Africa, un quinto di nome Decio Scauro era il più anziano dei suoi veterani e aveva servito anche nell'armata di Gallia sotto Cesare. Li radunò nel peristilio e li arringò.

«Ascoltatemi. Il vostro compito è intercettare un certo numero di uomini che si stanno muovendo lungo le strade che portano a Roma dalla Cisalpina. Il più pericoloso ha un nome e un soprannome: Publio Sestio detto "il bastone". È un centurione della Dodicesima, un bastardo che ha sette vite come i gatti. Nessuno di voi lo ha mai conosciuto? È un uomo abbastanza famoso.»

Decio Scauro alzò la mano: «Io ho servito nella Dodicesima prima di venire in Africa con te, comandante. Lo conosco».

«Bene. Allora tu andrai con loro» e indicò gli altri due veterani. «L'uomo che è partito poco fa percorrerà probabilmente la stessa strada, ma non so quante possibilità abbia di riuscire. La cosa più importante è fermare i messaggeri. Quanto a voi due...» disse rivolto ai gladiatori «... lo riconoscerete facilmente anche se non l'avete mai visto: è alto cinque piedi e un palmo, collo taurino, lineamenti tagliati con l'accetta. È pieno di cicatrici e ha sempre in mano il suo maledetto bastone di vite. Non fate sciocchezze. Se lo incontrate prendetelo alla sprovvista, alle spalle, mentre dorme. Se lo affrontate apertamente non avete speranza. Vi ammazzerà quanti siete.»

«Questo è da vedere» rispose uno dei gladiatori.

«Taci, idiota!» lo zittì il comandante. «Fai quello che ti dico e basta! Voialtri buttatevi sulla Flaminia passando per le montagne, voi invece» disse rivolto a Decio e ai suoi compagni «scendete sulla Flaminia minore e poi proseguite sulla Cassia. *Mustela* di solito agisce da solo, ma se lo raggiungete e vi chiede di seguirlo fate come dice. Dovete intercettare gente del servizio di informazione. Uno è facile da identificare: è una specie di energumeno con mani come zampe d'orso e ha le sopracciglia unite sopra il naso. Per lui vale la stessa cosa: è un duro, probabilmente un ufficiale. Lo voglio morto prima che abbia il tempo di fare una mossa. C'è una cosa che può aiutarvi a identificarli: vanno tutti di gran fretta, mangiano senza sedersi, non si fermano mai a dormire, forse dormono in piedi come i cavalli, un'ora al massimo e poi via. Vogliono arrivare a Roma a ogni costo. Portate a termine questa missione e non avrete a pentirvene.

Sarete ricompensati ben oltre il valore delle vostre miserabili vite. E adesso muovetevi.»

Gli uomini si separarono, chi da una parte chi dall'altra, a preparare i cavalli e le provviste. I primi a mettersi in movimento furono Decio con i due veterani. Si gettarono a cavallo per il viale e giunti in fondo volsero a sinistra sparendo in una nube di polvere.

Gli altri si diressero dalla parte opposta. L'uomo che abitava la villa restò sulla porta a vederli partire finché tutti furono scomparsi alla vista. Allora fece cenno ai servitori di chiudere e tornò al suo studio a rimuginare su quello che era accaduto nelle ultime ore.

Il suo nome era Sergio Quintiliano e aveva combattuto contro Cesare a Farsalo dove aveva perso un figlio in battaglia. Di là, aveva seguito Pompeo in Egitto: era sulla sua nave quando Pompeo aveva deciso di scendere a terra con la scialuppa a incontrare il re Tolomeo da cui sperava di ricevere aiuto, e aveva assistito impotente al suo assassinio. Aveva visto il comandante dell'esercito di Tolomeo, Achilla, sguainare la spada mentre Pompeo scendeva dalla scialuppa e immergergliela nel fianco. Una scena terribile che da allora continuava a rivivere in sogno. Quante volte si era svegliato urlando: «Attento!», per accorgersi amaramente che non c'era più nessuno da mettere in guardia. Quante volte aveva udito le grida di disperazione delle donne a bordo della nave che aveva subito spiegato le vele per fuggire da quella terra di traditori!

In seguito era passato in Africa e si era unito alle truppe repubblicane di Catone e Scipione Nasica che avevano combattuto senza fortuna a Tapso contro Cesare. E da ultimo si era battuto sotto le insegne di Tito Labieno a Munda.

Il triste bilancio di tante battaglie era che aveva perso l'unico figlio e aveva visto il massacro dei suoi.

Aveva sempre combattuto contro altri Romani, per passione politica, per rancore, per sete di vendetta, e sempre gli era rimasta un'amarezza infinita e pungente, un sentimento che gli rodeva l'animo e che lo aveva ogni giorno di più fatto incarognire contro se stesso e contro il mondo intero.

Si era ritirato alla fine in quella sua villa circondata da

cipressi secolari, quando non gli era rimasto niente più in cui sperare e in cui credere. Circondato da scherani, gladiatori e tagliagole, a volte si prendeva il gusto di colpire i suoi avversari politici che vivevano ora tranquilli, sicuri di avere vinto e di essere al riparo da ogni pericolo. Lo faceva pagando i suoi mercenari, senza mai farsi sorprendere. Eppure molti sapevano chi era e che cosa faceva, ma non osavano reagire. I loro protettori erano lontani, lui era vicino.

E spietato.

Mustela gli aveva dato una ragione per sperare. Forse non tutto era perduto. Bastava fermare un messaggio che correva affannosamente lungo le strade verso Roma e tutto si sarebbe compiuto come era giusto che fosse.

Mentre rimuginava i suoi pensieri si domandava se non sarebbe stato meglio partire e mettersi in gioco personalmente, sfidando la sorte e il pericolo di morire in una simile rischiosa impresa, ma non era riuscito a decidere. Non aveva messo morso né briglie al suo cavallo pannonico, nero anch'esso come i cipressi che incombevano sulla villa, non per una specifica ragione se non per paralisi. Era talmente pieno di veleno da non poter prendere alcuna decisione, né intraprendere alcunché. Soltanto camminare avanti e indietro come un leone in gabbia per la sua casa, dalle cui pareti pendevano solo cimeli di sconfitte e umiliazioni.

Fra essi un ritratto di Catone, colui che dopo la sconfitta di Tapso, a Utica si era dato la morte per non vivere sotto la tirannide. Era rappresentato rivestito della toga mentre arringava il senato: anche lui era presente a quella seduta e aveva descritto all'artista l'atteggiamento del grande oratore e patriota in modo così efficace che l'immagine era risultata potente e fedele.

Era anche superstizioso, Sergio Quintiliano. In un angolo della stanza, su un piedistallo di legno intagliato poggiava una statuetta di cera che rappresentava Caio Giulio Cesare rivestito degli ornamenti trionfali: le insegne della vittoria contro altri Romani, il premio per aver calpestato il sangue dei suoi concittadini. La statua era trafitta da un certo numero di spilloni che lui scaldava alla fiamma della lucerna prima di immergerli nella cera. Gli dava l'impressione del ferro che affonda nella carne.

Ora doveva solo aspettare che i suoi uomini intercettassero i messaggeri. Non aveva dubbi su quale fosse il motivo di tanta fretta e le parole di *Mustela* glielo avevano, anche se non esplicitamente, confermato: la congiura per uccidere Cesare aveva fissato il giorno della resa dei conti. Un giorno molto vicino anche se ancora segreto.

Non gli pareva vero: uccidere... Cesare!

Il pensiero mise radici nella sua mente sconvolta.

Ora davanti a sé aveva una porta, chiusa. La fissava.

A un tratto si alzò, la aprì e si trovò nel piccolo santuario domestico che aveva dedicato al figliolo caduto, trafitto da parte a parte davanti ai suoi occhi sul campo insanguinato di Farsalo.

Ne aveva fatto eseguire una statua, alla base della quale aveva posto un'urna con le ceneri e ogni tanto entrava in quel luogo di dolore e vi s'intratteneva. Gli sembrava di potergli parlare e di sentirne la voce rispondergli.

Disse: «Andrò anche io questa volta. Sarò io a vendicarti, figlio. E se fallirò, almeno ti raggiungerò nell'Ade. Avrò posto fine a una vita insopportabile».

Si era fatto scuro intanto. Sergio Quintiliano si recò nella sala delle armi e indossò l'armatura con cui aveva combattuto tutte le sue battaglie, raggiunse le stalle, mise briglia e morso allo stallone nero e spronò.

Dopo poco si immerse nella notte, nero egli stesso dei colori del lutto e dell'odio.

In Monte Appennino, Cauponae ad Silvam, a.d. V Id. Mart.,
hora duodecima
Monti dell'Appennino, osteria "alla Selva", 11 marzo,
le cinque di pomeriggio

Nevicava ancora, con meno forza e senza vento ma con una certa costanza e il manto nevoso sul terreno continuava a crescere. Nel cortile dell'osteria i servi spalavano la neve in un mucchio, sgombrando così la maggior parte dell'impiantito. La sentinella di guardia sul ballatoio vide una figura scura e imponente avanzare a cavallo alla volta della stazione. Richiamò il compagno di turno, Bebio Carbone, che montava la guardia al cancello principale.

«Ehi, arriva gente!»

«Chi sono?» domandò Carbone.

«Non lo so: uno grosso e massiccio, su un bel cavallo. È diretto dalla nostra parte. È un posto strano questo: si sta per giorni senza vedere anima viva e poi due nello stesso giorno.»

«Allora apro.»

Carbone aprì la porta e il cavaliere entrò.

«Sono sfinito e affamato» disse. «C'è qualcosa da mangiare?»

«Dentro c'è l'osteria» rispose Carbone. «Se hai dei soldi.»

L'uomo annuì. Affidò il cavallo al servo che accorreva e gli comandò di asciugarlo, coprirlo con un panno asciutto e dargli della biada. Poi si rivolse a Carbone: «Un tempaccio. Sarà dura la guardia di notte».

«Ci si arrangia» rispose Carbone.

«Passa molta gente di qua?»

«Dipende.»

«Uomo di poche parole, mi pare.»

«Nel nostro mestiere si menano più le mani che la lingua, ma dentro, se t'interessa, c'è una puttana che fa esattamente il contrario» rispose Carbone.

«Temo di no. Sono di fretta. Allora vado a mangiare. Ci vediamo.»

Entrò e Carbone lo seguì con lo sguardo finché sparì dietro la porta.

Il legionario si rivolse al compagno: «Fa troppe domande quel bestione per il mio carattere».

«Ha chiesto se passa molta gente. Ha fatto una sola domanda. Mi sembra legittimo.»

«Bene, per me ne ha fatta una di troppo.»

L'altro alzò le spalle e riprese il suo posto di guardia sul ballatoio.

Il viandante uscì dopo circa un'ora, riprese il cavallo

e si diresse verso il portone. Prima di montare si rivolse di nuovo a Carbone: «Ascolta, valoroso soldato: hai visto niente di strano da queste parti ultimamente?».

«Che cosa intendi dire?» chiese Carbone pensando fra sé: "Ecco, avevo visto giusto! Il centurione sarebbe fiero di me."

«Intendo dire se hai visto qualcuno dall'aspetto insolito, qualcuno che andava molto di fretta per esempio.»

Carbone sguainò la spada e gliela puntò alla gola: «Fermo dove sei» gridò. «Allarga le braccia, se fai una mossa sei morto.»

«Ma che ti salta in mente, razza d'idiota?»

«Un'altra mezza parola e ti apro da cima a fondo come un capretto.»

L'uomo obbedì sbuffando e si lasciò perquisire. Un attimo dopo Carbone mostrò trionfante un coltellaccio celtico: «Guarda!» disse al collega. «Te lo avevo detto che questo qua non mi piaceva e infatti è armato.»

«Un sacco di gente gira armata di questi tempi» rispose scettico l'altro.

«Senti, ragazzo, metti via quella spada e ti spiego tutto.»

Carbone chiamò il compagno a gran voce: «Vieni giù. Dobbiamo interrogarlo. Quest'uomo è sospetto e ho avuto disposizione di controllare i sospetti».

«Hai avuto disposizione? Ma da chi?» chiese l'altro, ma Carbone era incontenibile:

«Muoviti per Ercole!»

Il prigioniero venne legato sotto la minaccia delle armi e condotto nel corpo di guardia. Carbone accese un paio di lucerne e cominciò diligentemente il suo lavoro: «Come ti chiami?» gli domandò.

«Mi chiamo Rufo.»

«Rufo e poi?»

«Rufo e basta. Non va bene?»

«Non fare il furbo con me. Perché eri armato?»

«Perché sono in missione per il servizio degli informatori. E adesso mi vuoi sciogliere? Faccio esattamente come te: eseguo ordini dello stato e per una questione della massima urgenza.»

«E io come faccio a saperlo?»

«Senti, io devo partire al più presto, ogni ora che passa può essere fatale. Ho corso come un pazzo per guadagnare qualche ora e tu mi stai facendo perdere tempo prezioso. Se mi sciogli giuro che non ti farò rapporto.»

«Guarda che non sei in condizioni di trattare. Qui sono io che decido» rispose Carbone a muso duro.

Il soldato che montava la guardia con lui intervenne: «Senti, amico, a me sembra che quest'uomo abbia ragione, perché non lo lasci andare? Interrompere un servizio dello stato è cosa passibile di gravi punizioni».

«Voglio una prova» insistette Carbone.

Rufo era fuori di sé per essere caduto così stupidamente nelle mani di una recluta inesperta e in vena di guadagnarsi una promozione, ma cercò di mantenere la calma: «Ho un distintivo ma non sono autorizzato a mostrartelo mentre ho le mani legate. Se non mi venisse restituito verrei cacciato dal corpo. Scioglimi e te lo mostrerò».

Carbone borbottò fra sé qualche istante poi disse al compagno: «E sta bene. Scioglilo. Sono curioso di vedere dove ha questo distintivo. L'ho già perquisito e non ho trovato nulla».

Il compagno eseguì sciogliendo le mani al Celta gigantesco che senza perdere un istante sferrò un pugno micidiale scaraventando a terra il povero Carbone. Contemporaneamente riprese possesso con un gesto fulmineo del coltello e ruotando su se stesso come una trottola lo puntò al collo dell'altro prima che avesse il tempo di rendersi conto di quanto era successo.

«Anche tu hai qualche domanda da fare?» domandò.

«No» rispose il soldato. «No, credo di no.»

«Bene» disse Rufo di rimando, «allora se non avete più bisogno di me mi rimetterei in viaggio.» Balzò a cavallo e sparì nella neve che scendeva fitta.

Carbone si rialzò massaggiandosi la mascella tumefatta. La sua occasione di gloria era svanita miseramente.

CAPITOLO XII

Romae, in aedibus L. Caesaris, a.d. V Id. Mart., *hora decima*
Roma, casa di Lucio Cesare, 11 marzo, le tre di pomeriggio

Cesare uscì dal bagno e si sottopose al massaggio nella piccola sala termale che si era riservato nella casa di suo fratello Lucio sull'Aventino. Antistio gli sedeva di fronte con un telo di lino avvolto attorno alle reni e una tavoletta appoggiata sulle ginocchia.

Il massaggiatore, un Trace di possente corporatura, gli afferrò le spalle e tirò all'indietro facendogli inarcare la schiena. Cesare represse un mugolio di dolore.

«Ah! La mia schiena non migliora» disse. «Anzi. Mi chiedo come potrò cavalcare quando guiderò l'esercito in Oriente.»

Antistio alzò la testa dai suoi appunti: «Hai cavalcato troppo durante le scorse campagne: ecco perché hai mal di schiena».

«Specialmente durante la campagna d'Egitto» ridacchiò il massaggiatore. «In quel paese si dice tu abbia cavalcato una giumenta indomabile che ti ha messo a dura prova!» E lasciò ricadere il paziente, prono, sul lettino.

«Non dire bestialità, idiota!» lo zittì Cesare. «E fai il tuo lavoro se ci riesci.»

Il Trace riprese a massaggiargli i muscoli delle spalle, poi quelli della spina dorsale, ungendosi le mani di tanto in tanto con olio d'oliva profumato da una ciotola. L'ambiente era saturo di vapore e Antistio sudava copiosamente ma continuava ad annotare sulla sua tavoletta.

Cesare alzò il capo e lo guardò di sotto in su: «Che cosa scrivi, Antistio?» domandò.

«Nomi.»

Cesare fece un cenno al massaggiatore che si ritirò raccogliendo i suoi strumenti:

«Nomi? E di chi?»

Antistio esitò per un momento e rispose: «Dei miei pazienti. Annoto le loro malattie, i progressi delle terapie, i peggioramenti...».

«È credibile» replicò Cesare. «Eppure sento che menti.»

Antistio ebbe un sussulto appena percettibile, ma continuò a scrivere sulla tavoletta: «Vuoi leggere?».

Cesare si alzò a sedere sul lettino e lo fissò con i suoi occhi grigi da falco senza riuscire ad agganciarne lo sguardo: «È come quando si gioca ai dadi, non è così? Mi sfidi a vedere il tuo punto. Ma per vedere devo rilanciare la posta: che cosa vuoi, Antistio, per alzare il bosso dai dadi?».

«Nulla, Cesare. Non vale la pena rilanciare perché non c'è nulla di importante da vedere.»

«Allora... passo» disse Cesare distogliendo lo sguardo verso un affresco consunto dall'umidità su una parete. Rappresentava Penteo dilaniato dalle Baccanti.

Trascorse un lungo silenzio perforato dal grido sgraziato di un gabbiano che pescava nel fiume.

Entrò Silio e gli si avvicinò: «Gli invitati saranno tutti presenti» disse. «E c'è un messaggio alla tua attenzione.»

«Notizie del mio... bastone?» domandò Cesare.

Silio scosse il capo mentre Antistio diceva: «Hai mal di schiena ma non ti serve il bastone, Cesare. Non ancora. E se seguirai le mie prescrizioni non ne avrai bisogno ancora per un pezzo».

Cesare si alzò, si infilò la tunica militare da fatica e seguì Silio sotto lo sguardo perplesso e meditabondo di Antistio. Si diressero verso la *Domus Publica*.

«Purtroppo non abbiamo altre nuove di Publio Sestio. Ma perché ti preoccupi tanto?» domandò Silio. «Hai già avuto la notizia importante che ti premeva. Per che altro ti serve?» E si avvertiva quasi un tono di gelosia nelle sue parole.

«Hai ragione, Silio, ma in questo periodo sento la necessità di essere circondato da persone di cui mi fido completamente e Publio Sestio è una di quelle. In questo momento lo voglio qui. Quando è arrivato il suo primo messaggio ho pensato che sarebbe giunto anche lui in poco tempo. Non è normale che non sia ancora arrivato.»

Giunti alla *Domus*, Silio gli fece strada verso lo studio e gli indicò, appoggiato su un vassoio d'argento, il minuscolo astuccio cilindrico di cuoio sigillato che gli era appena stato recapitato. Aveva un aspetto consunto. Cesare sorrise. E nella sua mente risuonarono due parole:

"Tieni, scellerato!" Ossessivamente:

"Tieni, scellerato!"

"Tieni, scellerato!"

Risuonavano con la voce di Catone, che si era suicidato a Utica. Il suo incubo, lo spettro implacabile che lo perseguitava come un'erinni. Eppure quelle parole evocavano una situazione piuttosto comica che tragica. Era successo vent'anni prima, in senato. Catone lo accusava di essere colluso con Catilina e i suoi accusati di eversione dello stato e mentre ancora parlava Cesare aveva ricevuto un rotolo in un astuccio del tutto simile a quello che giaceva ora sul suo tavolo. La cosa non era sfuggita a Catone che aveva tuonato: «Ecco la prova: questo impudente riceve istruzioni dai suoi complici in questa stessa aula!».

Lui, senza batter ciglio, aveva passato direttamente il biglietto all'indignato oratore che aprendolo si era trovato in mano una torrida lettera d'amore di sua sorella Servilia che dava a Cesare un appuntamento in casa, in assenza del marito. Una prosa molto incisiva che non lasciava spazio all'immaginazione. Catone gliel'aveva gettato in faccia gridando: «Tieni, scellerato!».

Cesare si accorse di aver pronunciato realmente quelle parole quando vide l'espressione stupefatta di Silio.

«Non ti preoccupare» disse. «È la mia malattia. A volte i ricordi diventano il presente e il presente svanisce come un ricordo lontano. Vivo nell'incertezza, Silio. E ho ancora tante cose da fare. Tante cose. Ma lasciami ora. Vai.»

Silio si allontanò a malincuore.

Cesare staccò il sigillo con la punta di uno stilo e aprì l'astuccio che conteneva un minuscolo rotolo di pergamena con poche parole vergate da una grafia che conosceva bene. Sorrise di nuovo e ripose il messaggio in uno stipo che chiuse a chiave.

Passò nel vestibolo della sua camera da letto, depose la tunica da fatica e si vestì con cura prendendo dalla cassapanca una veste fresca.

Calpurnia entrò in quel momento. Un raggio di sole le illuminò di lato gli occhi scuri. Aveva trentatré anni e conservava la grazia acerba di ragazza di campagna.

«Che cosa fai? Perché non ti fai aiutare?»

«Non ne ho bisogno, Calpurnia. Sono abituato a vestirmi da solo.»

«Che cos'hai?»

«Sono preoccupato. È normale per un uomo di governo.»

Calpurnia lo fissò negli occhi: «Esci?».

«Sì, ma non vado lontano. Sarò di ritorno per cena.»

Cesare fu preso da un moto di affetto per la donna che lo aveva sposato per ragioni di stato e che avrebbe dovuto e voluto dargli un figlio. Sentì l'umile malinconia della sua sposa pesargli per la prima volta sul cuore. Calpurnia era stata una moglie impeccabile, al di sopra di ogni sospetto, come doveva essere la moglie di Cesare, e gli voleva anche bene. Forse addirittura lo amava.

«Chi ti accompagna?»

«Silio, mi accompagna Silio. Avvertilo di aspettarmi nell'atrio.»

Calpurnia si allontanò con un sospiro.

Cesare terminò di vestirsi, si aggiustò la toga sulla spalla come era solito fare, poi scese le scale.

«Dove andiamo comandante?» domandò Silio.

«Al tempio di Diana al Campo Marzio. Ma tu resta nei pressi della *Domus*. Penseranno che anche io ci sono. Se Calpurnia ti vede e ti chiede qualcosa dille che ho cambiato idea. È una bella passeggiata, mi farà bene dopo il massaggio.»

135

«Questa uscita ha a che fare con il messaggio che ti ho portato?»

«Sì.»

Cesare non disse altro e Silio non fece altre domande. Camminò fino al tempio, seguendo i suoi pensieri finché raggiunse il santuario. Entrò nell'edificio vuoto e silenzioso da una porticina secondaria e andò a sedersi su una panca lungo il muro perimetrale a sinistra della statua della dea. Non passò molto tempo che nella luce dell'ingresso si stagliò una figura femminile con il capo velato.

La donna avanzò con passo costante fino al simulacro di Diana: una bella statua di marmo greco che rappresentava la dea in tunica corta, arco e faretra. La donna depose nel bruciaprofumi qualche granello di incenso.

Cesare uscì dall'ombra fermandosi dietro una colonna: «Servilia...».

La donna si scoprì il capo. Era ancora incantevole, benché ormai cinquantenne. I fianchi risaltavano sotto l'alta cintura, e l'abito scollato lasciava intravedere un seno forte e fermo. Solo il volto rivelava i segni di molte emozioni passate: «Chi altri se no?» rispose lei. «Era tempo che non ti vedevo... troppo. Avevo desiderio d'incontrarti.»

«Devi dirmi qualcosa?»

I due si accostarono l'uno all'altra finché i loro volti furono così vicini che il loro respiro si confondeva. Servilia esitò prima di rispondere: «Volevo salutarti perché non so se ne avrò più l'occasione. Corre voce che stai completando lo schieramento delle tue forze per la spedizione in Oriente. Non so se riuscirò a vederti prima della tua partenza. Hai tante incombenze, tanti doveri cui assolvere, così la tua amica ha voluto incontrarti».

Cesare le prese la mano e restò quasi a contemplarla a capo chino per lunghi istanti. Poi alzò lo sguardo: «Altre volte sono stato assente a lungo e non hai sentito il bisogno di dirmi addio. Come mai?».

«Non lo so. Affronti un'impresa enorme che ti terrà lontano chissà per quanti anni. Io non sono più una ragazza. Potresti non trovarmi più al tuo ritorno.»

«Servilia... perché evochi presentimenti infausti? Le probabilità sono assai più contro di me che contro di te. Ho bisogno di pace ma sono tormentato da visioni spaventose, sento freddo... a volte... a volte ho paura.»

Servilia gli si avvicinò ancora, adesso le punte del suo seno sfioravano il petto di lui: «Vorrei tanto riscaldarti, come facevo una volta, quando mi amavi, quando non potevi fare a meno di me, quando... ero la tua ossessione. Ciò che mi preoccupa ora è che tu abbia paura di partire per la guerra. Non è mai successo».

«Non ho paura di partire... ho paura di non partire.»

«Non capisco.»

«Davvero non capisci?»

Servilia abbassò gli occhi in silenzio. Cesare sfiorò con le dita la grande perla nera incastonata fra i seni di lei, un suo regalo di favoloso valore che lei ostentava sempre nelle uscite pubbliche come un soldato ostenta una decorazione. Glielo aveva mandato il giorno in cui aveva sposato Calpurnia perché capisse che la sua passione era immutata.

«Io voglio partire, andarmene. Questa città mi opprime, la sento nemica.»

Servilia lo fissò con occhi lucidi: «Più grande è il tuo potere più forte è l'invidia, più grande è il tuo valore più forte è l'odio. È inevitabile. Hai sempre vinto, Cesare, vincerai anche questa volta».

Gli sfiorò le labbra con un bacio e s'incamminò verso la porta.

«Aspetta.» La parola quasi gli sfuggì dalle labbra.

Servilia si volse.

«Non c'è... null'altro che mi vuoi dire?»

«Sì, che ti amo, come sempre e per sempre. Buona fortuna, Cesare.»

Se ne andò. Lui appoggiò il capo a una colonna con un profondo sospiro.

La figura di Servilia attraversava ora la luce del sole che splendeva, rosso nel vano della porta. Fu sul punto di dissolversi nell'alone dorato del tramonto ma si fermò, senza voltarsi.

«Ascolta gli avvertimenti degli dèi. Non ignorarli. Questo è ciò che mi sento di dirti. Addio.»

Svanì.

Cesare restò a meditare su quelle parole che suonavano misteriose sulle labbra di Servilia. Lei sapeva quanto poco credesse agli dèi e ai loro avvertimenti. Che cosa aveva voluto dire?

Uscì dalla porticina secondaria e si avviò in direzione del Tevere. Servilia era scomparsa, non era visibile in alcun luogo. Due mendicanti gli chiesero l'elemosina senza riconoscerlo, un cane gli corse dietro scodinzolando per un po', poi si fermò ansimando, sfinito dalla fame.

Più avanti sulla destra, vicino alla sponda del Tevere si scorgeva un sacello, un'antichissima edicola con l'immagine di un demone etrusco corrosa dal tempo. Come per magia, mentre si avvicinava, sbucò da dietro il piccolo edificio una figura ammantata di grigio, un uomo di mezza età con i capelli incolti e raggrumati, i sandali sdruciti, un bastone stretto nel pugno da cui pendevano tintinnanti dischetti metallici. Lo riconobbe: era un augure etrusco di antica e nobile famiglia, gli Spurinna, che trascinava una vita dimessa e campava con le offerte dei fedeli e di coloro che lo consultavano per conoscere ciò che li aspettava nel futuro. Più volte Cesare lo aveva visto assistere alle cerimonie da lui presiedute e talvolta lo aveva ammesso a scrutare le interiora delle vittime sacrificate per trarne un auspicio.

Fece per accostarsi e salutarlo ma quello lo prevenne, gli si avvicinò e fissandolo negli occhi con uno sguardo stralunato sibilò: «Guardati dalle Idi di marzo!».

Cesare abbozzò una domanda: «Ma che cosa...?». Non ebbe il tempo di terminare. Anche Tito Spurinna era scomparso come un fantasma.

Turbato da quelle parole Cesare vagò a lungo per la città cercando di capirne il significato mentre Silio, sconvolto per la sua prolungata assenza, stava per lanciare i suoi uomini a cercarlo: se gli fosse successo qualcosa non se lo sarebbe mai perdonato.

Quando fu vicino all'isola Tiberina Cesare venne riscosso

dallo squillo di una tromba che lo richiamò alla realtà. Il segnale che montava il primo turno di guardia al quartier generale della Nona legione. Proseguì di buon passo e raggiunse Silio nei pressi del tempio di Saturno un attimo prima che sguinzagliasse un migliaio di uomini a mettere a soqquadro l'intera città.

Calpurnia, avvertita che era tornato, gli corse incontro piangendo.

Cesare si guardò intorno sconcertato: «Ma che cosa sta succedendo?» disse con una certa irritazione nella voce.

«Temevamo per la tua vita, comandante» rispose Silio. «È passato parecchio tempo da quando ci siamo lasciati.»

Cesare non rispose.

In via Flaminia minore, Cauponae ad sandalum Herculis, a.d. IV Id. Mart., ad initium tertiae vigiliae
Via Flaminia minore, osteria "al sandalo di Ercole", 12 marzo, inizio del terzo turno di guardia, dopo mezzanotte

Il cavaliere arrivò ad andatura sostenuta lungo la strada innevata. Era intirizzito dal freddo. A fianco della via si apriva una vasta radura con un edificio di sasso e le tegole di lastre di ardesia preceduto da un muro quadrato che delimitava il cortile. A destra, una bassa tettoia di legno e una lettiera di paglia offrivano riparo a cavalli e bestie da soma. Sopra l'ingresso principale pendeva un'insegna con un grande sandalo che dava il nome all'osteria. Il luogo sembrava deserto. L'uomo smontò da cavallo e passò sotto la torcia che illuminava l'ingresso mostrando il volto scavato e la barba irsuta di Publio Sestio detto "il bastone". Tese l'orecchio: dall'interno del cortile provenivano rumori, voci sommesse.

Publio Sestio legò il cavallo a un anello di ferro che pendeva dal muro e poi batté sul portone con l'impugnatura della spada, una, due, tre volte senza ottenere risposta; ma la porta si aprì e poté vedere all'interno un capannello di persone con delle lucerne in mano riunite attorno a qualcosa nei pressi della stalla. Quando si avvicinò notò che un rivolo di sangue raggrumato passava fra le loro gambe e macchiava di rosso lo strato di neve che copriva il terreno.

Publio Sestio si fece strada nel piccolo assembramento e si trovò di fronte il corpo di un uomo, prono e immobile con la faccia nel fimo, con una larga ferita alla nuca da cui continuava a colare sangue scuro e fumante. Era coperto da una veste di lana grigia lacerata in più punti anch'essi macchiati di sangue rappreso. Ferite sulle braccia e sulle mani indicavano che si era difeso come un leone.

Come colto da un cupo presentimento, Publio Sestio si avvicinò e si inginocchiò davanti al corpo inerte e rigido, fece cenno a uno degli astanti di accostare una lucerna e lo rivoltò.

Era lo scaricatore. Com'era giunto prima di lui? Certo per scorciatoie che solo lui conosceva e che l'avevano condotto giusto in tempo all'appuntamento con la morte.

Le sue mani grandi come badili mostravano i palmi callosi, le sopracciglia erano unite in mezzo alla fronte; la barba ispida, le spalle da lottatore non lasciavano dubbi sulla sua identità.

Ora era solo una povera cosa inerte.

Publio Sestio sentì la collera gonfiargli le vene del collo e accelerargli i battiti del cuore. Si volse agli astanti e, ruotando il busto, si erse in tutta la sua massiccia imponenza stringendo nel pugno il bastone di vite, lucido e nodoso:

«Chi è stato?» ringhiò.

Si fece avanti un uomo timido e pingue, dagli occhi acquosi: sicuramente l'oste.

«Due tizi sono arrivati tre ore fa da meridione. Hanno fatto governare i cavalli e stavano per ripartire quando è arrivato quest'uomo che ha abbeverato il suo cavallo e ha chiesto di dargli biada e orzo. Per sé ha ordinato qualcosa da mangiare nella stalla perché sarebbe ripartito subito. Mi è sembrato che gli altri due si scambiassero un cenno d'intesa...»

Publio Sestio gli si avvicinò sovrastandolo di tutte le spalle: «Continua» intimò.

«Devono essergli andati dietro. Lo ha scoperto il garzone di stalla che era venuto per cambiare la lettiera alle bestie ed è corso ad avvertirmi. Quando siamo arrivati era già freddo. Dopo sei arrivato tu.»

Publio Sestio si guardava intorno come se cercasse qualcuno da massacrare con il suo bastone di vite ma vedeva solo espressioni smarrite, volti lividi di freddo e di paura.

«Noi non c'entriamo, centurione» disse l'oste che aveva riconosciuto il nodoso simbolo del grado di Publio. «Te lo posso assicurare. Se vuoi faccio un rapporto scritto che puoi consegnare al giudice, giù in paese.»

«Non ho tempo» rispose brusco Publio Sestio. «Dimmi com'erano quei due.»

«Gente dall'aspetto poco raccomandabile, facce patibolari, probabilmente assassini prezzolati. Quest'uomo non aveva nulla di valore su di sé. E nulla sembra che gli sia stato rubato dalla sacca legata ai finimenti del cavallo benché sia evidente che l'hanno perquisita. Di sicuro cercavano qualcosa. Montavano cavalli di pregio, erano ben vestiti ed equipaggiati, portavano calzature di buona fattura e di cuoio robusto.»

«Non hai notato segni particolari?»

«Uno aveva uno sfregio sulla guancia destra, roba da dieci o dodici punti di cucitura, vecchia cicatrice, un altro era peloso come un orso e aveva i denti superiori all'interno di quelli inferiori. Si sarebbero detti dei gladiatori.»

«Sei un buon osservatore» disse Publio Sestio.

«Devo, se voglio sopravvivere con il mestiere che faccio.»

«Da che parte è il traghetto sull'Arno?»

«Di là» rispose l'oste indicando una pista che scendeva verso la valle. «Ci puoi arrivare in un paio d'ore e forse anche passare se riesci a svegliare e convincere il traghettatore.»

«Puoi cambiarmi il cavallo?» domandò Publio Sestio. «Il mio è sfinito. Però è una bella bestia, in pochi giorni si sarà rimesso e potrai utilizzarlo.»

«Va bene» rispose l'oste. «Sei in grado di pagare il ricarico?»

«Sì, se non è troppo esoso. Devo lasciarti anche qualcosa per seppellire questo poveretto.»

Publio Sestio contrattò in poche battute il dovuto per il

cambio del cavallo e modesti onori funebri per lo scaricatore. La stanchezza e i crampi gli mordevano le membra e aveva vesciche all'interno delle cosce per l'incessante movimento del cavalcare ma stringeva i denti. Aveva superato ben altre prove. Si accorse dopo qualche tempo che la strada scendeva e prima dell'alba udì la voce del fiume che scorreva in basso davanti a lui.

In Monte Appennino, ad rivum vetus, a.d. IV Id. Mart., *tertia vigilia*
Monti dell'Appennino, al vecchio rio, 12 marzo,
terzo turno di guardia, l'una di mattina

Rufo, che si era liberato non senza difficoltà dello zelo di Carbone, aveva tentato di recuperare il tempo perduto viaggiando più veloce che poteva lungo una scorciatoia che conosceva attraverso un bosco di castagni. Era un tratturo abbastanza agevole in terra battuta dal passaggio di innumerevoli greggi che gli permetteva di tenere un ritmo sostenuto. Di tanto in tanto urtava contro qualche fusto e una gran falda di neve gli cadeva sulla testa o sulla schiena del cavallo ma riprendeva subito la corsa. La neve non calpestata rifletteva ancora luce sufficiente e se ricordava bene fra non molto avrebbe dovuto sorgere la luna. Pensava a Vibio che a quel punto correva altrettanto velocemente verso la Flaminia per attraversare in linea obliqua l'Italia. Era sempre arrivato prima del compagno e voleva batterlo anche questa volta.

Un uccello notturno, forse un allocco, lanciò il suo verso nell'immensità silenziosa della montagna e Rufo mormorò uno scongiuro.

CAPITOLO XIII

Romae, in aedibus Bruti, a.d. IV Id. Mart., *hora secunda*
Roma, casa di Bruto, 12 marzo, le sette di mattina

La stanza di Artemidoro era quella di un retore nutrito di letteratura e di filosofia stoica. La sua *capsa* traboccava di rotoli, ognuno con la propria etichetta rubricata. Era tutto il suo patrimonio e non se ne separava mai. Sedeva su una scranna di legno con il fondo di cuoio scuro e uno schienale dello stesso materiale. Sul tavolo di lavoro una brocca d'acqua e un cestino dei suoi dolci preferiti che gli preparava una servetta delle cucine, concessione edonistica che cercava di nascondere ogni volta che qualcuno bussava alla sua porta.

Il suo rapporto con il padrone di casa era basato principalmente sulla trasmissione di abilità tecniche nella lingua greca, come la grammatica e la sintassi del discorso, l'impostazione della voce e l'abilità nel porgere e citare i grandi autori con la dovuta enfasi e la necessaria partecipazione. Da lui Bruto non aveva mai voluto ricevere insegnamenti di vita o di meditazione filosofica e questo lo faceva sentire sminuito, svalutato nella sua statura intellettuale. Se a volte intavolava l'argomento, il suo interlocutore cambiava discorso, facendogli intendere che non lo considerava all'altezza. Era questo il vero motivo per cui Artemidoro odiava il suo allievo e sarebbe stato pronto a tradirlo. Non sopportava l'esclusione, la stima inadeguata della sua levatura di filosofo.

La fede stoica di Bruto era profonda, quasi fanatica, e il suo idolo, come tutti sapevano, era lo zio morto a Utica. Catone, il patriota, colui che aveva preferito morire piuttosto che implorare la vita dal vincitore, che rinunciare alla libertà.

La sua adesione alla causa pompeiana prima della battaglia di Farsalo aveva avuto per lui il significato di una scelta eroica: Pompeo aveva fatto uccidere suo padre, ma poiché in quel momento era lui il difensore della repubblica, conveniva schierarsi al suo fianco dimenticando le ragioni personali e della famiglia.

Il cubicolo di Artemidoro comunicava direttamente con il suo studio e quella mattina, all'alba, ancora nel dormiveglia, aveva sentito dei rumori. Lasciato il letto era passato nello studio e da lì, scostando leggermente la finestra, aveva guardato nel piccolo portico del cortile interno dove era riunito un gruppetto di persone. Difficile riconoscerle però dal suo punto di osservazione. Aveva lasciato lo studio, percorso al riparo di occhi indiscreti uno stretto corridoio e poi un minuscolo cortiletto di disimpegno, raggiungendo la latrina che si trovava vicina al luogo del raduno e ne era separata da una sottile parete divisoria in cui non fu difficile perforare con lo stilo la calce snervata dalle esalazioni dell'urina per scrutare, e udire, dall'altra parte.

Accostò l'occhio al foro praticato con grande prudenza nella parete, ma si trovò di fronte la stoffa di una tunica grigia che occultava buona parte della visuale. Udì invece il timbro inconfondibile della voce di Cassio rivolgersi a un altro dei presenti chiamandolo Rubrio, poco dopo chiamando un altro Trebonio e un terzo Petronio. Poi udì quest'ultimo chiedere: «E Antonio?».

«Antonio» rispose colui che era stato chiamato con il nome di Trebonio «deve restarne fuori, da sempre ho consigliato di non coinvolgerlo.»

Un altro che Artemidoro non riusciva a distinguere disse: «Così facendo lo lasciamo libero di giocare la sua partita come vuole e a mani libere».

«Il vecchio dice che bisognerebbe...»

«Taci» intimò la voce riconoscibile di Bruto. «So bene come la pensa ma secondo me è un errore. Non se ne parla. Quello di Antonio è un discorso a parte.»

«No, non lo è» ribatté quello che aveva già avuto da ridire. «Antonio è l'uomo che gli è più vicino, è console in carica e potrebbe prendere in mano la situazione dopo che lui sarà stato eliminato.»

«Non si muoverà» replicò Bruto, «ne sono certo. Tu che ne dici, Quinto?»

"Quinto" pensò Artemidoro nascosto nella latrina. "Deve trattarsi di Quinto Ligario. Sì. Lui, accusato di alto tradimento davanti a Cesare, difeso e fatto assolvere da Cicerone." Ormai ne era sicuro: stava assistendo a una seduta di congiurati, congiurati per uccidere Cesare. Il gruppo si spostò verso il fondo del giardino diretto probabilmente allo studio di Bruto. Riconobbe di nuovo in lontananza la voce di Cassio che aveva sentito non poche volte in quella dimora e si preparò a riguadagnare il suo quartiere quando udì un passo sulla ghiaia del cortiletto che aveva alle spalle e si sentì in trappola. Qualcuno degli uomini forse veniva per usare la latrina e lo avrebbe trovato in una situazione non solo imbarazzante ma anche sospetta. Cercò di darsi il contegno di chi ha avuto un bisogno impellente per non destare dubbi ma il passo si fermò. Si udì un altro passo e poco dopo anche quello si fermò.

Voci.

Una di Quinto Ligario:

«Il vecchio dice che si deve ammazzare, che è troppo pericoloso.» Stava terminando il discorso che Bruto gli aveva troncato in bocca pochi istanti prima nel giardino interno. «E se vuoi che ti dica come la penso, Cassio, il vecchio ha ragione.»

«Sì, la penso come te. Antonio è troppo pericoloso. Anche lui va eliminato. La sua prima reazione sarà di vendicare il suo capo e poi di prenderne il posto, o viceversa, non fa differenza.»

L'uomo chiamato Cassio aveva una voce diversa da quello che lui conosceva bene. Dunque c'erano due Cassio. Questo doveva essere... ma sì, aveva incontrato anche lui in casa di Bruto e avevano discusso di teatro tragico, una sera che era presente anche Cicerone. Cassio Parmense, dunque! Ma guarda, il poeta tragico voleva passare dalla finzione alla realtà, macchiarsi le mani di sangue come i suoi personaggi con la tintura di minio sul palcoscenico.

«Purtroppo» replicò Quinto Ligario «Bruto non ne vuole sapere e non capisco il perché.»

«Credo abbia a che fare con Gaio Trebonio. Pare che si siano incontrati l'anno scorso in Gallia dopo che Cesare aveva vinto a Munda. E lì è successo qualcosa ma Trebonio non ha mai voluto parlarne. Almeno a me. Forse un patto reciproco di non belligeranza, forse un qualche tipo di alleanza. Non so.»

«E Bruto che c'entra?» domandò Cassio Parmense.

«Questo non so dirtelo. Ma non vuole sentire ragioni. Nemmeno il vecchio riuscirebbe a convincerlo, e sì che continua a dire: "Se non ammazzate anche lui ve ne pentirete!". E magari ha ragione.»

«Meglio che raggiungiamo gli altri» disse Ligario. «Il tempo per due pisciate è già abbondantemente passato.»

Si allontanarono e Artemidoro con il cuore in gola e le lacrime agli occhi per le esalazioni di urina tirò un sospiro di sollievo. Attese che il rumore della ghiaia fosse svanito e anche l'eco dei loro passi sull'impiantito di cocciopesto del peristilio e sgattaiolò fuori. Non si accorse che aveva avuto troppa fretta di uscire dal suo nascondiglio e che uno dei due lo aveva visto.

Raggiunto il suo studio, si sedette e respirò profondamente più di una volta, asciugandosi il sudore della fronte con la manica della tunica.

Quando si fu calmato andò a uno stipo, estrasse un vasetto pieno di sale, pescò con le mani fra i cristalli bianchi ed estrasse un piccolo rotolo di pergamena su cui stavano scritti alcuni nomi. Prese la penna e ve ne aggiunse altri:

Cassio Parmense
Quinto Ligario
Rubrio...
Gaio Trebonio
Petronio...

A lato annotò: «Colui che chiamano "il vecchio" dev'essere Marco Tullio Cicerone. Ma non si è mai visto. Lui dovrebbe esserne fuori».

Versò un poco di cenere sull'inchiostro fresco, arrotolò la pergamena e la nascose nel sale.

Romae, in aedibus Bruti, a.d. IV Id. Mart., hora quarta
Roma, casa di Bruto, 12 marzo, le nove di mattina

«Tua madre è uscita.»

Porzia pronunciò la brevissima frase con il tono di una sentenza di morte. Bruto era seduto sul suo scranno con la testa fra le mani, l'espressione cupa e la fronte aggrottata come di solito negli ultimi tempi. Si alzò lentamente e appoggiò i palmi delle mani sullo scrittoio.

«E questo cosa significa?»

«Significa che ha eluso la sorveglianza ed è uscita.»

«Quando?»

«Ieri sera, verso il tramonto.»

«E dov'è andata?» continuò a chiedere Bruto con voce atona, inespressiva.

«Non lo so. Forse ne sai qualcosa tu?»

«E come potrei? Ho altri pensieri per la testa.»

«Ma non ti rendi conto della gravità di questo evento? Tua madre è stata per anni l'amante di Cesare.»

«Taci!» sbottò Bruto.

«Mi dispiace» disse Porzia chinando il capo e attenuando il tono della voce «ma non ti ho detto nulla che tu già non sapessi. Tua madre avrebbe potuto incontrare Cesare e metterlo in guardia, o addirittura rivelargli la congiura.»

«Mia madre non sa niente.»

«Tua madre sa tutto! Non c'è un minimo particolare che le sfugga. Ha occhi e orecchie in ogni angolo. E metterla sotto sorveglianza non ha fatto che confermarla nelle sue convinzioni.»

«Fosse così gli scherani del tiranno sarebbero già alla nostra porta.»

«Hanno ancora il tempo per farlo.»

«Impossibile. Mia madre non mi tradirebbe mai.»

Porzia gli si avvicinò e gli prese una mano fra le sue: «Marco Junio» cominciò, «davvero conosci così poco l'animo di una donna? Non sai che non rinuncerebbe mai, per nessuna ragione, a salvare l'uomo che ama?».

«Anche a costo di fare uccidere suo figlio?»

«Non ce n'è bisogno. Perché credi che Cesare ti abbia salvato la vita dopo Farsalo? Perché ti ha sempre protetto, caparbiamente, ogni volta che qualcuno dei suoi ha chiesto la tua testa?»

«Taci!» ripeté inviperito.

«Per amore di tua madre. E anche ieri sera lei avrebbe potuto rivelargli tutto chiedendogli di salvare te. Cesare glielo avrebbe concesso. Non c'è cosa che le negherebbe se lei glielo chiedesse.»

«Ti prego, taci» disse ancora Bruto trattenendo a stento la collera.

«Se vuoi» rispose Porzia. «Ma la situazione non cambierà per questo. Io ora ti dirò ciò che so. Tu ti comporterai come meglio credi.»

Bruto non disse nulla e Porzia riprese a parlare:

«Tua madre è uscita ieri sera verso il tramonto, con il capo velato, dall'uscita di servizio della lavanderia, facendosi sostituire da un'ancella in camera sua. Ha camminato fino al tempio di Diana e lì si è trattenuta alquanto, meno di un'ora comunque, dopo di che è tornata a casa rientrando nel suo alloggio nello stesso modo.»

«Come puoi dire che ha incontrato Cesare?»

«E chi se no? Perché inscenare una simile macchinazione per niente? Tua madre non crede agli dèi e di sicuro non è andata al tempio per motivi religiosi. L'unico motivo plausibile è un incontro con Cesare e se le cose stanno così, tutti noi siamo in serio pericolo. Io sono pronta a sacrificarmi, lo sai, e non ho paura, ma se il vostro piano fallisce la repubblica sarà in balia per anni di un tiranno, subirà ogni umiliazione e forse non si risolleverà più dallo stato di abiezione in cui è caduta. Dimentica che è tua madre, ricorda che è un potenziale nemico dello stato. Ora me ne vado, lascio a te decidere. C'è un'altra persona qui fuori che vuole parlarti.»

«Chi è?»

«Quinto Ligario.»

«Fallo passare.»

Porzia uscì lasciando dietro di sé un lieve profumo di spigo, l'unica concessione esteriore alla sua femminilità.

Entrò Quinto Ligario: «Perdonami, Marco Junio» disse prima ancora di sedersi, «ero a metà strada verso casa mia quando un pensiero e un'immagine si sono presentati alla mia mente e ora voglio mettertene a parte».

«Parla, ti ascolto.»

«Questa notte, quando ci siamo incontrati, io e Cassio Parmense abbiamo visto uscire frettolosamente dalla latrina una persona che abbiamo incontrato nella tua casa altre volte: il tuo maestro di greco, Artemidoro.»

Bruto sorrise ironico: «Succede a chiunque di avere necessità di quel tipo».

«Sì, ma io e Cassio stavamo parlando in cortile e lui potrebbe avere udito qualcosa. La porta della latrina è un debole diaframma.»

«Stavate parlando di cose importanti?»

«In questi giorni non parliamo d'altro, come puoi immaginare.»

Bruto aggrottò le sopracciglia: «Capisco ma non posso certo...».

«Ovviamente non intendevo provvedimenti drastici» replicò Ligario. «Ma un'attenta sorveglianza fino al giorno convenuto sarà una precauzione da prendere. Insomma io cercherei di impedire che esca per qualsiasi motivo. Alle sue necessità, per il momento possono provvedere i tuoi servi.»

Bruto annuì: «Hai ragione. Farò in modo che non vi siano altri rischi».

«Perché, ve ne sono altri?» domandò allarmato Quinto Ligario.

«No, che io sappia» mentì Bruto.

«Meno male. A ogni ora che passa, il pericolo per noi è sempre maggiore. Allora vado. Attendo il tuo segnale quando sarà il momento.»

«Vedrò Cassio Longino nel pomeriggio. Ha cose importanti da dire. Può darsi sia necessario vederci ancora a breve.»

«Sai come trovarmi» rispose Ligario. E uscì.

Appena fu uscito, Bruto convocò il capo della servitù, un uomo di nome Canidio che era stato fedelissimo a suo suocero e continuava a esserlo a sua moglie Porzia. Lo fece sedere e gli disse che per certi sospetti che aveva Artemidoro doveva essere sorvegliato e per qualche giorno non doveva uscire di casa. Avrebbe lui stabilito quando fosse tempo di togliere questa restrizione alla sua libertà.

«Fino a che punto devo spingermi?» domandò Canidio.

«Fino al punto di impedirgli fisicamente di uscire, se le parole non bastassero. Ma senza infastidirlo più dello stretto necessario, senza umiliarlo e soprattutto senza insospettirlo.»

«Devo addurre dei motivi per questa limitazione di libertà?»

Bruto rifletté qualche istante: «Forse non sarà necessario. Artemidoro esce poco già di suo. Io gli affiderò un lavoro urgente che lo terrà impegnato per il tempo necessario. Ma se volesse uscire comunque, gli dirai che è una momentanea misura di riservatezza che la famiglia ha ritenuto opportuno adottare per un tempo limitato o semplicemente metterai un sorvegliante a controllare i suoi movimenti».

Canidio annuì e senza domandare altro si ritirò.

Artemidoro, nel frattempo, aveva passeggiato con fare noncurante lungo il peristilio del giardino interno fino a trovarsi all'altezza del punto in cui aveva praticato con lo stilo un foro nel muro che separava il giardino dalla latrina e lo aveva chiuso con un po' di gesso impastato con l'acqua della fontanella. Era dunque tranquillo, ma avrebbe voluto concludere l'incombenza che si era preso con il suo medico Antistio e gli mancavano solo pochi nomi. Uno degli schiavetti che si portava a letto in cambio di qualche spicciolo aveva un'amica che viveva dalla nascita in casa di Tillio Cimbro, altro personaggio che aveva notato frequentare la casa a ore insolite, ed entro non molto sperava di poter completare la lista.

Quando, dopo un paio d'ore, fu convocato da Bruto, si sentì lievemente a disagio come sempre ma con una ragione in più perché Bruto rispettava per le lezioni orari costanti e quella non era l'ora della lezione.

Gli disse che aspettava visite dalla Grecia, un filosofo con il suo discepolo, entro pochissimi giorni e che la biblioteca greca era in disordine e doveva essere sistemata prima dell'arrivo degli ospiti ad ogni costo. Non voleva fare brutte figure: gli chiedeva quindi di provvedere di persona – e pose una certa enfasi nella parola – affinché fosse in perfetto ordine.

Artemidoro rispose che avrebbe provveduto e si sarebbe messo subito all'opera. Di fatto non ricordava che la biblioteca greca necessitasse di molte cure. Aveva consultato un testo di Arato di Soli il giorno prima e tutto gli era parso più o meno a posto. In ogni caso sarebbe stata questione di qualche ora di lavoro. Raggiunse i locali della biblioteca nella zona occidentale della casa ed entrò, ma appena ebbe varcato la soglia si fermò sconcertato. Sembrava che fosse passata un'orda di barbari o che qualcuno avesse cercato qualcosa nascosto fra i rotoli che giacevano dappertutto in disordine, ammonticchiati qua e là o sparsi senza alcuna logica né disposizione.

La vista del disastro lo lasciò dapprima dubbioso e perplesso e quindi impaurito. Cominciò a lavorare di malavoglia rimuginando dentro di sé mille pensieri, nessuno dei quali rassicurante.

Un messo si era presentato alla porta annunciando che Gaio Cassio Longino si trovava poco distante e chiedeva di essere ricevuto. Tiro lo pregò di attendere e si presentò al padrone a riferire.

«Ti ha detto che cosa vuole?» domandò Cicerone interrompendo il lavoro.

«No» rispose Tiro. «Ha l'aria di chiedere un incontro a due, riservato.»

Cicerone si mostrò quasi seccato per l'annuncio. Cominciava a rendersi conto dello scarso senso della realtà di cui davano prova i congiurati e soprattutto della scarsa organizzazione e della mancanza quasi totale di un progetto. Questo lo convinceva ancora di più della necessità di restare fuori dall'impresa che rischiava di essere compromessa ogni momento. Non poteva comunque tirarsi indietro davanti a una richiesta così immediata. E forse gli si sarebbe offerta la possibilità di dare utili suggerimenti. Rispose:

«Digli che può venire e che lo riceverò, ma che entri dalla porta di servizio.»

Cassio. Sempre pallido, segaligno, cupo. Il suo sguardo grigio e freddo sembrava non conoscere emozione. In realtà il suo animo non era più stabile di quello di Bruto, la sua capacità di decidere quasi mai all'altezza delle situazioni che affrontava. Ma era un uomo coraggioso e un soldato notevole, come aveva dimostrato in guerra nella sfortunata campagna di Crasso in Oriente.

Cicerone cercava sempre di ricondurre alla memoria ciò che sapeva di un uomo quando lo riceveva per un incontro importante, anche se lo aveva visto da poco. Era conscio di che cosa fosse una congiura. Lui, e non Catone come aveva scritto Bruto, aveva debellato il tentativo di eversione dello stato di Catilina vent'anni prima. Allora era stata una lotta quasi alla pari fino all'ultimo e lo scontro tra eversori e istituzioni si era concluso a Pistoia sul campo di battaglia. Questa volta il potere era interamente nelle mani di un uomo. Gli altri avevano un solo vantaggio, essere vicini alla vittima designata. Alcuni ne erano addirittura intimi amici.

Quando finalmente arrivò, Cassio entrò, introdotto da Tiro, e salutò. Era più pallido del solito e la tensione spasmodica che gli opprimeva l'animo si leggeva nel colorito terreo e in un certo tremito delle mani.

Cicerone gli andò incontro e gli offrì una sedia.

«Ormai ci siamo...» disse Cassio sedendosi ma Cicerone lo interruppe: «Meglio che io non sappia. Meglio che nessuno sappia all'infuori di coloro che prendono parte all'impresa. A parte questo, che cosa volevi dirmi?».

«Che siamo pronti e ogni particolare è stato deciso. C'è soltanto una cosa che ci divide, cioè Antonio. Alcuni di noi, non pochi, lo considerano un uomo leale di cui ci si può fidare, ma io ho seri dubbi. Non si separa mai da lui ed è un uomo temibile. Inoltre ho paura che sappia qualcosa.» Cicerone meditò in silenzio per qualche tempo rigirando fra le mani lo stilo che aveva usato fino a quel momento.

«Quello che sa non ha molta importanza perché fino ad ora non si è mosso e dubito che lo farà in seguito. Antonio ha i suoi progetti ed è tutto fuorché quello che dà a vedere di essere. È estremamente pericoloso. Se non lo togliete di mezzo, l'impresa sarà stata inutile. Ricorda quello che ti dico...» e lasciò la parola in sospeso in un enfatico silenzio prima di concludere con il tono di una sentenza «... Antonio deve morire!»

Cassio chinò il capo e sospirò: «Lo sappiamo, io e altri compagni che si rendono conto della situazione, ma Bruto non sente ragioni. Ascoltami, Marco Tullio: l'unico che può convincere Bruto sei tu. Permettimi di fissare fra di voi un incontro in campo neutro. C'è un ambiente abbandonato e fuori mano negli *horrea* vicino al Tevere...».

Cicerone lo fermò con un gesto della mano: «Non posso. Mi dispiace. Non devo essere coinvolto perché la mia presenza sarà importante in seguito. Quanto a Bruto, sa come la penso e mi auguro che alla fine si convinca che ho ragione. Tu ne sei convinto e, in fondo, non avresti bisogno di altro».

Cassio aveva capito il messaggio e anche che non c'era da contare su Cicerone se non a cose fatte. Proprio per questo era indispensabile mettere in atto un altro provvedimento, nel caso fosse accaduto, prima del momento fatale, qualcosa di irreparabile.

CAPITOLO XIV

Romae, in insula Tiberis, a.d. III Id. Mart., hora decima
Roma, isola Tiberina, 13 marzo, le tre di pomeriggio

Marco Emilio Lepido, giunto dal ponte a cavallo, smontò appena toccato il suolo dell'isola. Littori coi fasci lo attendevano per scortarlo al suo quartier generale, l'onore dovuto al *magister equitum*, la seconda autorità dello stato dopo la dittatura in tempi di emergenza. In realtà si trattava di due cariche straordinarie che si sovrapponevano a quelle dei consoli regolarmente in servizio come capi dell'esecutivo della repubblica.

Antistio lo osservò dalla finestra del suo ambulatorio. Era agile e snello benché la sua età non fosse più verde. Portava i capelli pettinati in avanti fino a coprire parte della fronte, una piega più che un'acconciatura, determinata dall'uso prolungato dell'elmo durante le campagne militari cui aveva partecipato assieme a Cesare guadagnandone la stima. Aveva un profilo asciutto, quasi rapace: il volto magro, le guance scavate, il naso aquilino. In un certo senso, pur essendo da lui diversissimo, aveva qualcosa in comune con Cesare, quasi che la lunga consuetudine con il comandante supremo gli avesse trasmesso per contagio una sorta di marchio fisionomico. Portava l'armatura e il paludamento rosso allacciato in cintura sulla corazza di bronzo sbalzato e passò frettolosamente in rassegna il picchetto schierato a rendergli gli onori. Poi entrò nel quartier generale. Lo attendevano le sue incombenze di capo militare e di uomo politico e i messaggi della giornata.

Antistio accostò la finestra e tornò al lavoro. Si era da poco seduto al tavolo per controllare gli ultimi appuntamenti del giorno quando gli fu annunciata una visita: Silio Salvidieno chiedeva di vederlo. Si alzò e gli andò incontro di persona sulla soglia.

«Entra» gli disse, e lo invitò ad accomodarsi. Fece portare per lui una coppa di vino fresco e per sé una pozione diuretica.

«Come sta Cesare?»

«Questa notte ha avuto una crisi ma è durata poco e non ho ritenuto di mandarti a chiamare. Ormai io stesso sono diventato un discreto medico a forza di farti da assistente. È passata, e dopo un poco si è rimesso a dormire.»

«Meglio che mi chiami, in ogni caso. Non devi rischiare: può essere pericoloso. Che altre novità ci sono?»

«Questa sera ha convocato una riunione del suo stato maggiore.»

«Ecco perché Lepido è appena tornato. Ci sarà anche lui, immagino.»

«Ovvio. Nella situazione attuale è di fatto il suo braccio destro.»

«Infatti. E Antonio se ne risente parecchio a quanto si dice in giro. Chi altri?»

«Antonio, appunto. È pur sempre un ottimo soldato. Gaio Trebonio non può mancare: è stato governatore dell'Asia e ha una buona conoscenza dei servizi logistici in quell'area, poi Decimo Bruto, ha esperienza come comandante di fanteria e di cavalleria e ha dato prova di cavarsela benissimo, anche come comandante della flotta. È un ufficiale ancora giovane, versatile, valido per molti usi. Cesare lo stima e gli è affezionato. Il suo contributo in Gallia si è dimostrato più volte decisivo. Il comandante non dimentica certe cose e sa sempre come sdebitarsi, ma non è soltanto questione di onorare chi merita, Cesare crede nell'amicizia ed è capace di sentimenti profondi.»

«Lo so. Gli ha concesso la pretura e l'anno prossimo sarà il governatore della Cisalpina.»

«Da ciò che mi risulta quella di stasera sarà una riunione preliminare per valutare la possibilità di una campagna contro i Parti. Ora Cesare ha in mano una mappa che gli ha trasmesso Publio Sestio qualche tempo fa e che gli consente di fare piani per l'invasione. Il motivo per cui sono qui, però, è un altro: volevo chiederti se hai avuto notizie dal tuo informatore in casa di Bruto.»

«Purtroppo no» rispose Antistio. «Ma spero che si faccia vivo presto. Se avessimo un'informazione particolareggiata potremmo agire immediatamente avvertendo Cesare. Anche se la mancanza di prove sicure lo indurrebbe alla prudenza.»

«Può darsi che con i nomi arrivino anche le prove. Molte coincidenze insolite possono costituire una prova sufficiente.»

«Inoltre rimane qualche speranza che Servilia gli abbia dato almeno la possibilità di difendersi.»

«Lo spero perché da tempo Cesare non ha più la sua guardia ispanica.»

«Non è possibile.»

«È la verità. Quando me ne parlava diceva che non voleva apparire come un tiranno. Sono i tiranni che hanno bisogno di una guardia del corpo.»

«Ma che senso ha? Vuole morire? Qualunque fanatico, qualunque squilibrato che voglia essere ricordato negli annali potrebbe ucciderlo.»

«Secondo me è una scommessa con se stesso. Vuole dimostrare che la sua clemenza, la generosità che ha dimostrato con tutti lo mettono al di sopra dei rischi. Che lui può camminare per Roma come chiunque altro senza doversi guardare le spalle, che il suo presidio, la sua guardia del corpo è il popolo e forse anche il senato di Roma che ha giurato di difenderlo a prezzo del sangue.»

«Non può essere tanto ingenuo» replicò Antistio.

«Non è ingenuità. È la fede che ha in sé e nel popolo. Lui è il più grande di tutti, Antistio. E solo un grande può sfidare la morte con tale noncuranza.»

Non attese altra risposta: si alzò e si avviò all'uscita.

«Teniamoci comunque in contatto» disse Antistio. «E domani, se puoi, riferiscimi chi partecipava alla riunione questa sera e chi, fra i convocati, non si è presentato.»

Silio annuì e si allontanò in silenzio.

Romae, in aedibus Bruti, a.d. III Id. Mart., hora duodecima
Roma, casa di Bruto, 13 marzo, le cinque di pomeriggio

Artemidoro si era dedicato al riordinamento della biblioteca per un giorno intero e ancora non aveva risolto il caos che aveva trovato. Era certo che lo sconvolgimento fosse stato provocato deliberatamente e che la palese assurdità della situazione significasse che non doveva chiedere spiegazioni e semplicemente obbedire. Forse gli sarebbe addirittura toccata una fatica di Sisifo: una volta riordinata la biblioteca il giorno dopo l'avrebbe trovata di nuovo a soqquadro e avrebbe dovuto ricominciare da capo. Ma qual era il senso di una simile messinscena se non tenerlo occupato e distrarlo da altre attività? Ma se le cose stavano così, da quali attività volevano distrarlo? Il solo pensiero lo terrorizzava ma non osava fare alcuna mossa, chiedere spiegazioni, dare l'impressione di essere turbato o spaventato perché qualunque iniziativa avrebbe solo peggiorato la situazione. Cercò di recuperare tutta la lucidità possibile e dedusse che se qualcuno avesse voluto fargli del male non avrebbe escogitato un simile marchingegno. Se lo aveva fatto era perché voleva comunicargli un messaggio chiaro e preciso: "Fai quello che ti è stato ordinato e non ti capiterà niente". Non c'era altra spiegazione visto che aveva lasciato la biblioteca in perfetto ordine il giorno prima. Si augurò perfino di trovarla l'indomani di nuovo in disordine per essere confermato nella sua ipotesi.

Mentre così elucubrava entrò il ragazzo che avrebbe dovuto recargli un'informazione. Si guardò intorno perplesso e domandò: «Ti serve aiuto, Artemidoro?».

«No» rispose, «me la cavo da solo.»

«Benissimo. Allora me ne vado. Ma se dovesse servirti

aiuto fammelo sapere e verrò immediatamente. Ho già fatto altre volte questo lavoro.»

Mentre parlava il ragazzo passava le dita sui rotoli e sulle etichette o li rigirava fra le mani incuriosito. Poi, con noncuranza, trasse da sotto la tunica un rotolino e lo appoggiò sul tavolo del catalogo. Sorrise furbescamente e se ne andò senza aggiungere una parola.

Artemidoro non lo toccò nemmeno, quasi si sentisse osservato da qualche temibile sorvegliante, e proseguì nel suo lavoro; ma lo sguardo gli cadeva sempre più frequentemente sul piccolo rotolo e alla fine si arrese e l'aprì: conteneva il resto dei nomi!

Si sentì sulle spalle il peso di una responsabilità immane. Come aveva potuto prendere un simile impegno con Antistio? Come si era cacciato in un simile ginepraio? E ora come ne sarebbe uscito? Avrebbe potuto ignorare la cosa, ma ormai era troppo tardi per tirarsi indietro. Il ragazzo sapeva, la sua amica anche. Se non avesse trasmesso l'informazione e la vittima si fosse salvata, che sorte gli sarebbe toccata? E se avesse trasmesso il messaggio e le cose fossero andate male, che fine gli avrebbero fatto fare gli altri, gli uomini i cui nomi erano scritti in quella lista?

La sua mente si dibatteva fra i due scogli di Scilla e Cariddi come la fragile navicella di Odisseo e a qualunque dei due si avvicinasse vedeva un mostro con le fauci spalancate pronto a maciullarlo. In conclusione non osò fare nulla. Si limitò a nascondere il rotolo dentro a un altro più grande e con etichetta diversa e si rimise al lavoro cercando di darsi un contegno: aveva paura di essere osservato perfino da se stesso. A mano a mano che passava il tempo si faceva però strada nella sua mente un concetto, una considerazione. Se avesse vinto la fazione di Bruto la sua situazione non avrebbe potuto che peggiorare visto il modo in cui veniva trattato e visto che un sospetto su di lui doveva pur esserci. Se il piano, per suo merito, fosse stato sventato, l'uomo più potente del mondo gli sarebbe stato debitore della vita. Un uomo che aveva dimostrato mille volte di essere generoso con chi lo aveva aiutato. Anche Antistio glielo aveva garantito ed era sempre stato di parola. Gli si aprivano davanti agli occhi scenari esaltanti: lui nella casa del dittatore perpetuo, onorato, riverito, rivestito di vesti sontuose, deliziato dai cibi più raffinati. Servito da fanciulli di meravigliosa avvenenza, rispettosi e soprattutto condiscendenti. Lui che avrebbe posseduto parrucchieri, camerieri e segretari. Era l'occasione che si presenta una volta sola nella vita e se l'avesse lasciata fuggire non se lo sarebbe più perdonato. Dunque avrebbe agito.

Le sue mani scorrevano ora veloci da un rotolo all'altro: Tucidide scivolava leggero nel suo alloggio, più in basso Callimaco e Apollonio Rodio, uno vicino all'altro, riempivano di misura il vano loro destinato. Il padre Omero ed Esiodo nella loro edizione di lusso occupavano il fastigio centrale della scaffalatura tanto per diritto cronologico quanto per prestigio letterario. Ogni poeta, storico, filosofo o geografo tornava a occupare la sede che di diritto aveva sempre occupato e quando, sudato e soddisfatto, Artemidoro si guardò intorno la biblioteca era tornata al suo primitivo decoro.

Tirò un sospiro di sollievo più per aver risolto il suo dilemma interiore che per aver compiuto il lavoro assegnatogli. Però non uscì. Preferì restare, occupando il tempo a leggere e a riflettere su come avrebbe potuto far pervenire ad Antistio il risultato della sua indagine.

Aprì uno spiraglio nella porta che dava sul corridoio e notò uno dei guardaspalle di Bruto appoggiato al muro con le braccia conserte che aveva tutta l'aria di sorvegliare proprio lui. Risolto il primo problema se ne presentava un altro non meno spinoso.

Romae, in aedibus Bruti, a.d. III Id. Mart., *prima vigilia*
Roma, casa di Bruto, 13 marzo, primo turno di guardia,
le sette di sera

Artemidoro pensò che in ogni caso non avrebbe potuto trascorrere il resto dei suoi giorni nella biblioteca e che conveniva raggiungesse la cucina per il pasto serale assieme ad alcuni altri ospiti di livello non particolarmente elevato.

A volte poteva capitare che venisse invitato alla mensa del padrone di casa, ma si trattava di eventi particolari in cui le sue conoscenze avrebbero potuto aiutare e vivacizzare la conversazione.

Passò davanti al telamone a braccia conserte facendo solo un lievissimo cenno del capo al quale l'energumeno non rispose e raggiunse incolume le cucine. Anche in un ambiente del genere si respirava una certa tensione benché non ve ne fosse di sicuro la ragione. Pensò che l'atteggiamento preoccupato e apertamente turbato dei padroni di casa si trasmettesse per contagio agli altri membri della famiglia.

Finito di cenare salutò i commensali e si ritirò nel suo quartiere stanco per la giornata così densa di lavoro e di emozioni. Ma non era ancora terminata.

Passò poco tempo e si udì bussare alla porta posteriore e diverse persone entrarono alla spicciolata nel volgere di meno di un'ora. Cassio fu l'ultimo a unirsi al gruppo e la sua voce aspra si rivelò inconfondibile nel silenzio della sera.

Il giovane schiavo che gli aveva portato il messaggio si rifece vivo con un vassoio di dolci appena sfornati. Ma era un pretesto. Dopo averli deposti su una piccola mensa che Artemidoro teneva vicino al tavolo di lavoro disse sottovoce: «Il padrone mi ha fatto strane domande».

«Che tipo di domande?» chiese Artemidoro, impaurito.

«Riguardo a te. Mi ha detto che se avessi qualcosa di interessante da riferirgli mi sarebbe molto grato.»

«E tu che cos'hai risposto?»

«Niente» replicò il ragazzo, «gli ho risposto che non avevo niente da riferirgli... ora devo andare.»

«No, aspetta. Che cosa farai se lui insiste? Se ti fa pressioni, se ti minaccia?»

«Non capisci. Ora devo andare. È arrivata parecchia gente. Nessuno mi noterà: tornerò più tardi» e senza aspettare una risposta se ne andò.

La riunione si teneva di solito nello studio di Bruto e il ripostiglio delle scope, contiguo e accessibile dalla dispensa, era così angusto che solo lui poteva entrarci e cercare di capire qualcosa appoggiando l'orecchio al muro.

Nello studio di Bruto erano raccolte una quindicina di persone tra cui Tillio Cimbro, Ponzio Aquila, Cassio Parmense, Petronio, Rubrio Ruga, Publio e Gaio Servilio Casca, Cassio Longino e altri fra i principali esponenti di coloro che avrebbero partecipato all'impresa. Quinto Ligario aveva mandato a dire di non sentirsi bene ma che avrebbe atteso istruzioni. Mancavano gli amici intimi di Cesare, come Decimo Bruto, e i membri del suo stato maggiore, come Gaio Trebonio che doveva partecipare alla riunione di quella sera stessa.

Cassio Longino parlò per primo descrivendo le fasi dell'attentato, che avrebbe dovuto svolgersi durante la seduta senatoria delle Idi di marzo.

Dati i lavori in corso alla curia nel foro, la seduta si sarebbe tenuta nella curia di Pompeo nel Campo Marzio. L'azione mirava a isolare Cesare dal resto dei senatori e dagli amici che potessero rendersi pericolosi. Antonio in primo luogo.

«Resto del parere che la cosa migliore sarebbe ucciderlo» disse con il suo tono glaciale «ma so che Bruto non è d'accordo.»

Bruto, chiamato in causa, rispose immediatamente: «Ne abbiamo discusso e vi ho già detto come la penso. Noi uccidiamo Cesare per salvare la repubblica e lo facciamo a buon diritto, ma se uccidiamo Antonio commettiamo semplicemente un crimine, un omicidio».

"Omicidio" fu quella la prima parola che lo schiavetto udì infilandosi in quell'attimo nel ripostiglio delle scope e lo fece rabbrividire.

Per Cassio l'idealismo di Bruto era sconcertante, ma tentò ugualmente di ridurlo alla ragione: «Quando per la salvezza dello stato si rende necessario ricorrere alle armi è evidente che la violenza può estendersi anche a chi è contiguo al tiranno: è un prezzo che deve essere pagato per recuperare la libertà del senato e del popolo. Antonio poi non si può ritenere innocente. È sempre stato al suo fianco e ha tratto dal suo potere tutti i vantaggi possibili».

«Anche noi abbiamo tratto dei vantaggi» replicò secco Bruto.

Seguì un istante di pesante silenzio durante il quale Cassio si rese conto che coinvolgere Bruto nella congiura era stata una scelta arrischiata. Il suo fanatismo era un'arma a doppio taglio. Gestirlo era sempre più difficile.

«... non ha mai attentato alla legittimità dello stato» proseguì «e delle istituzioni.»

«Questo non è detto» disse Cassio. «Se avesse concepito qualcosa noi non lo sapremmo di certo.»

«E c'è di più» continuò Bruto. «Voi tutti sapete che Gaio Trebonio gli aveva già chiesto di unirsi a lui e agli altri in Gallia, dopo che si conobbe l'esito infausto della battaglia di Munda. Lui rifiutò ma conservò il segreto, non denunciò nessuno rispettando le scelte di ciascuno. Molti di voi gli sono quindi debitori della vita. Trebonio saprà cosa fare.»

«Spero che non dovremo pentirci di questo e spero che ti renda conto della responsabilità che ti assumi» fu la risposta di Cassio.

Bruto chinò il capo senza dire una parola.

«Ora lasciate che io prosegua» continuò. «Non pochi segnali fanno pensare che qualcuno sia a conoscenza del nostro piano o che si stia pericolosamente avvicinando alla verità.»

Gli astanti si guardarono in faccia l'un l'altro, sgomenti.

Cassio proseguì con la sua voce monocorde: «Per questo è fondamentale che siamo pronti a fronteggiare qualunque evenienza. Il luogo dell'agguato potrebbe trasformarsi nel luogo della trappola».

«Che cosa intendi dire?» chiese Petronio. «Parla chiaramente.»

«Siamo uomini di forza morale e di nobile ascendenza, abbiamo rivestito importanti cariche civili e militari, abbiamo goduto di importanti privilegi e quando è stato il momento abbiamo affrontato rischi mortali per le nostre idee. Siamo pronti. Non dobbiamo fare nulla di diverso da ciò che abbiamo già fatto. Quello che sto per proporvi potrà sembrarvi terribile ma lo ritengo un patto nobile e necessario.»

«Parla» disse Bruto.

Gli altri assentirono

«Se per qualunque motivo venissimo scoperti mentre siamo all'interno dell'aula non avremmo via di scampo.»

«No, nessuna via di scampo» confermò Ponzio Aquila.

«E allora?» domandò Rubrio Ruga.

«Allora ciascuno di noi avrà un pugnale e io propongo che ci uccidiamo a vicenda piuttosto che cadere nelle mani del tiranno, piuttosto che umiliarci ai suoi piedi, piuttosto che accettare il suo odioso perdono. Lo abbiamo già fatto una volta e il marchio infuocato brucia ancora sulla nostra pelle come su quella di uno schiavo fuggiasco. La mia proposta è che ognuno di noi si scelga un compagno, un amico, e scambi con lui questo patto di sangue. L'uno ucciderà l'altro. Cadremo tutti assieme e i nostri corpi esanimi saranno il simbolo del supremo sacrificio consumato per la libertà della patria.»

Il mormorio che la proposta aveva suscitato morì d'un tratto e si fece un silenzio profondo nella sala. Il piccolo schiavo annidato nello stipo tratteneva il fiato per non farsi udire. Avesse fatto cadere un oggetto qualunque si sarebbe scoperto e la sua vita non avrebbe avuto il valore di un asse.

Cassio si guardò intorno fissando negli occhi uno per uno i congiurati e concluse: «Se qualcuno di voi non se la sente è padrone di andarsene. Finché è in tempo. Nessuno potrà biasimarlo e da parte nostra non avrà nulla da temere: siamo certi che nessuno ci tradirà. Vi sto chiedendo un atto eroico e nessuno è obbligato a scelte tanto ardue. Ripeto, se qualcuno non se la sente se ne vada ora».

Nessuno si mosse: alcuni perché pensavano che quella sarebbe stata una degna morte per chi aveva fallito una nobile impresa. Altri perché temevano che se fossero caduti prigionieri avrebbero patito tali pene che la morte al confronto sarebbe parsa una liberazione. Altri ancora perché pensavano che non ve ne sarebbe stato bisogno e che l'impresa sarebbe andata a buon fine. A questi pareva preferibile rischiare una morte non indolore alla vergogna di abbandonare i compagni e mostrarsi codardi.

Dopo aver atteso a sufficienza che qualcuno si decidesse ad abbandonare il conciliabolo, e visto che tutti restavano, Cassio prese per primo l'iniziativa e si diresse verso Bruto. Quando gli fu di fronte gli porse il suo pugnale: «Io scelgo te, Marco Junio Bruto, se vuoi essermi d'aiuto per il viaggio verso l'aldilà».

Bruto ricambiò il gesto porgendogli il pugnale a sua volta: «Io auguro a tutti che la fortuna arrida all'impresa, ma se alla sorte piacesse diversamente farò ciò che mi viene chiesto e Cassio Longino sarà certamente un ottimo compagno di viaggio».

Affascinati e come trascinati a viva forza da un esempio così potente, anche gli altri congiurati, uno dopo l'altro, scambiarono il pugnale con colui che sentivano come l'amico migliore e più fidato.

«Nessuno di noi ha mai fatto un gesto simile» riprese a dire Cassio «ma io l'ho visto fare un giorno a Farsalo dopo che perdemmo la battaglia. Vidi padre e figlio uccidersi a vicenda e fu morte istantanea, crollarono a terra simultaneamente, uno accanto all'altro. Uno dei due deve fare un cenno con il capo e i due pugnali devono penetrare nello stesso istante. Gli amici che sono assenti decideranno con chi condividere una morte onorevole. Penserò io ad avvertirli.»

«Ora torniamo alle nostre case» soggiunse. «Possiate dormire tranquilli il sonno di chi sa di essere nel giusto.»

Guardò di nuovo tutti, uno per uno, con l'espressione stralunata degli occhi grigi e freddi e se ne andò.

CAPITOLO XV

Romae, in Domo Publica, a.d. III Id. Mart., *prima vigilia*
Roma, residenza del pontefice massimo, 13 marzo,
primo turno di guardia, le sette di sera

Cesare terminò di prepararsi per l'incontro con i suoi ufficiali. Indossò una semplice tunica da fatica, lunga fin quasi al ginocchio, di quelle che usava durante le campagne militari, stretta in vita da una cintura di cuoio fermata da una fibbia di ferro. Un servo terminò di allacciargli i calzari, poi gli rivolse un'ultima occhiata per assicurarsi che tutto fosse in ordine: «Niente altro, padrone?».

«Dammi una sistemata ai capelli» rispose Cesare guardandosi allo specchio.

Il servo gli ravviò i capelli portandoli leggermente in avanti dalla sommità del capo a coprire in parte l'incipiente calvizie.

Qualcuno bussò alla porta: Silio Salvidieno.

«Sono arrivati?» domandò Cesare.

«Sì, sono tutti dabbasso. Calpurnia sta offrendo loro una bevanda. Ci sono Emilio Lepido, Decimo Bruto, Marco Antonio, Gaio Trebonio e gli altri. Sembrano allegri.»

«I posti al tavolo sono stati assegnati?»

«Come hai chiesto. Decimo Bruto alla tua destra, Marco Antonio alla tua sinistra.»

Cesare sembrò meditare per qualche istante.

«Qualcosa non va, comandante?»

«Se ci fosse Labieno, siederebbe lui alla mia destra.»

«Labieno è morto, comandante, e tu gli hai reso gli onori dovuti a un amico fedele e a un nemico valoroso.»

«Benissimo, allora. Possiamo scendere.»

Silio gli fece un cenno con il capo per fargli capire che aveva qualcos'altro da dire e Cesare congedò il servo.

«Che c'è?» domandò subito dopo.

«Una faccenda che non mi piace per nulla. E che ti farà irritare.»

«Allora meglio che tu me la dica subito.»

«Qualcuno sta facendo circolare per Roma un'interpretazione dei Libri Sibillini secondo cui solo un re potrà sconfiggere e sottomettere i Parti.»

Cesare scosse il capo e si sedette incrociando le braccia fra le ginocchia. Sospirò:

«A questo punto siamo arrivati. Non me lo sarei aspettato.»

«È una faccenda seria, comandante. Un altro elemento di calunnia contro di te per avvalorare la tua presunta intenzione di instaurare la monarchia a Roma e nell'Impero Qualcuno mira a isolarti e perciò a indebolirti. Un re sarebbe inviso al popolo oltre che al senato. Si è visto ai Lupercali. La maggior parte dei presenti era scandalizzata dall'offerta che ti fu fatta della corona reale.»

«Sai qualcosa sulla fonte di questa notizia?»

«No.»

«Il che significa che mi verrà attribuita direttamente. Sono il pontefice massimo e quindi il custode dei Libri Sibillini da cui proverrebbe questa specie di oracolo.»

«Comandante, il segnale è ormai esplicito e tu devi difenderti.»

«Che cosa intendi dire?»

«Che i tuoi nemici stanno preparando qualcosa. Corre voce che in una delle prossime sedute del senato qualcuno proporrà che tu venga proclamato re...»

Cesare non disse nulla ma il suo sguardo era quello di un leone braccato dai cacciatori. Da basso provenivano le voci dei grandi comandanti dell'esercito che si preparavano a conquistare il resto del mondo. Silio sentiva di dover prendere una iniziativa e si fece forza: «Mi concedi di farti una domanda?».

«Sentiamo» rispose Cesare.

«In questi ultimi giorni, c'è stato qualcuno che in qualche modo ha cercato di metterti in guardia da qualche cosa?»

Cesare ebbe come un lieve sussulto e Silio si sentì sul punto di ricevere una confidenza importante che gli avrebbe consentito di andare oltre con le domande.

«Bada» soggiunse «non mi riferisco a dichiarazioni esplicite, ma a velate allusioni, forse a espressioni criptiche... Non ti viene in mente nulla, comandante?»

Cesare rivide l'espressione stralunata dell'augure Spurinna che sibilava: «Guardati dalle Idi di marzo!» ma rispose: «Andiamo, ci stanno aspettando».

Raccolse da un tavolino un rotolo di papiro con il titolo dell'*Anabasi* di Senofonte e prese a scendere le scale.

Silio lo seguì e prima di entrare nella sala della riunione ascoltò l'effetto dell'ingresso di Cesare: saluti militari, grida di entusiasmo, battute salaci, espressioni da caserma. E poi la sua voce tagliente come una spada: «Comandanti delle legioni di Roma, magistrati e capi della cavalleria e degli ausiliari!».

«Cesare!» risposero tutti all'unisono.

Gli sembrò che il leone si fosse cacciato nella cerchia dei cacciatori.

La riunione si protrasse fino a tardi, per due ore. Cesare partì dall'*Anabasi*. Ricapitolò la relazione di Senofonte sull'impresa dei Diecimila giunti circa quattro secoli prima senza colpo ferire fin quasi a Babilonia, ma fece subito presente che le cose da quel tempo erano molto cambiate, che l'esercito di Crasso era stato annientato a Carre dieci anni prima dai Parti. Il primo scopo della spedizione era quello: vendicare il massacro di Carre, l'umiliazione di Roma nella persona di uno dei suoi triumviri e di migliaia dei suoi più valorosi soldati. Riconquistare le aquile perdute. Ma quello sarebbe stato solo l'inizio. I Parti costituivano una minaccia perenne ed era necessario risolvere il problema una volta per tutte.

Passò poi a trattare gli aspetti tattici e strategici della spedizione. E lì trasse da una cassetta già predisposta sul tavolo la mappa di cui Publio Sestio era riuscito a impossessarsi, una copia, di fatto, dell'antica strada del Re, ma anche di altre vie e carovaniere che percorrevano le sterminate regioni dell'impero partico fino all'Armenia, alla Sarmazia, alla Media e alla Battriana. La distese sul tavolo e i membri del consiglio di guerra ammirarono stupiti un capolavoro di sapienza geografica quale non avevano mai visto.

Ognuno, appoggiati i gomiti sul tavolo, si chinò a guardare da vicino l'immagine della parte orientale del mondo. Ognuno faceva i suoi commenti, chi aveva delle conoscenze dell'Oriente scorreva con il dito a riconoscere le località rappresentate, i fiumi, i laghi, i mari e le montagne.

Quindi fu la volta di Cesare. E i presenti seguirono la punta del suo indice che tracciava le direttrici dell'attacco sul foglio di pergamena dipinto a colori naturali: marrone per le montagne, verde rame per i fiumi, i laghi e i mari, verde chiaro le pianure, ocra per i deserti. Un'abile mano aveva trascritto in latino i toponimi espressi in persiano.

Lui avrebbe attaccato da due diversi fronti, dalla Siria e dall'Armenia, facendo convergere a tenaglia le sue forze sulla capitale Ctesifonte.

Il problema da risolvere – diceva – era la cavalleria nemica e il tipo di archi a doppia curvatura dei Parti capaci di colpire da lunga distanza. Fece presente che se anche Crasso avesse vinto a Carre e si fosse addentrato nel territorio nemico, avrebbe avuto poche possibilità. Perso nella vastità enorme dei deserti della Siria e della Mesopotamia, privo di una cavalleria efficiente, sarebbe stato facile preda degli attacchi continui degli squadroni a cavallo dell'esercito dei Parti. La loro tattica era attaccare, colpire e ritirarsi, senza mai ingaggiare il combattimento corpo a corpo tra le fanterie. Così gli aveva riferito uno dei superstiti, scampato per miracolo all'eccidio, nascosto sotto un mucchio di cadaveri.

A mano a mano che Cesare procedeva con la sua esposizione, Silio notava che alcuni dei presenti guardavano lui più che la mappa, osservavano la sua espressione più che ascoltare le sue parole. Perché? Che cosa volevano leggere sul volto del comandante?

"La forza" pensò Silio, quanta forza c'era ancora nella

fronte corrugata, negli occhi, nella mandibola, nei pugni stretti e appoggiati sul tavolo.

Antonio sembrava il più attento al piano strategico di Cesare e a volte interveniva domandando chiarimenti. Sembrava si preparasse davvero a partire per la spedizione partica e a giocare il suo ruolo di comandante subalterno sullo sterminato teatro delle operazioni. Altri sembravano non crederci, o non esservi realmente interessati. Decimo Bruto, per esempio, scambiava ogni tanto con Gaio Trebonio battute sottovoce di cui a Silio sarebbe piaciuto conoscere il contenuto.

Forse Antonio voleva dimostrare a Cesare, che dopo i Lupercali lo aveva trattato con una certa freddezza e lo aveva voluto alla sua sinistra, di essere ancora il suo migliore ufficiale, l'unico in grado di condurre a termine operazioni di grande respiro e di grande portata e che era stato un errore metterlo da parte.

Silio stesso ne era convinto ma continuava a interrogarsi sul significato del suo comportamento ai Lupercali. Era stata una sua iniziativa? Era stato un errore, un plateale errore di valutazione? Si poteva davvero pensare che Antonio avesse voluto compiere un gesto di adulazione estrema? Offrire a Cesare la corona di re e in seguito vantarsi di avergli dato con il suo gesto il vero e unico riconoscimento che meritava? Era stato al tempo stesso un calcolo per diventare il suo uomo più fidato e il più potente dell'impero dopo di lui?

Tutto era possibile: nulla era convincente perché Antonio non era uno stupido.

Non poteva ignorare il rischio del suo gesto in pubblico davanti a una folla così numerosa. In senato era diverso: c'era un gruppo relativamente ristretto di ottimati, la maggioranza dei quali doveva tutto a Cesare e non faceva che gareggiare nell'adulazione. Ma il popolo no. Antonio non poteva ignorare che costringere a un tratto il popolo ad accettare una scelta universalmente ritenuta scandalosa, ripugnante e per di più inutile, era un rischio mortale non solo perché il popolo era imprevedibile, ma soprattutto perché la mossa non era stata concordata con Cesare. E Silio era certo che non fosse stata concordata. Ma allora che significato aveva quella mossa? Era stata sua l'iniziativa o c'era qualcun altro dietro di lui?

Silio non riusciva a liberarsi da quelle elucubrazioni e si vergognava di non seguire il discorso del comandante che illustrava il suo progetto di conquista ecumenica. I suoi generali ora lo incalzavano, lo spingevano alla conquista del mondo intero. Farneticavano, o esortavano il condottiero all'impresa iperbolica, a perdersi nel mondo disabitato, nelle desolate solitudini della Sarmazia, nei deserti sconfinati della Persia e della Battriana, dietro i sogni di Alessandro Magno, dietro le chimere e i deliri delle sue manie di grandezza, del culto della sua persona sempre vittoriosa.

Poi Silio Salvidieno osservò in mezzo all'eccitazione generale lo sguardo di Cesare. I suoi occhi grigi, illuminati da una luce stanca, quasi intermittente, esprimevano solo fatica di vivere, uno sforzo ormai insopportabile. Occhi di un uomo che poteva muovere i suoi passi solo verso l'impossibile o verso la morte.

Esiti entrambi inaccettabili.

La seduta fu sciolta in un clima di euforia e Cesare annunciò di aver convocato il senato per la mattina delle Idi di marzo. Ci sarebbero stati vari adempimenti di consuetudine ma ci sarebbero state anche importanti novità.

Cesare accompagnò di persona gli ospiti alla porta. Al momento del congedo Marco Emilio Lepido gli prese la mano: «Allora ti aspetto domani sera per cena. Spero che non ti sia dimenticato».

«E come potrei?» rispose Cesare. «Non mi sembrerebbe saggio rifiutare l'invito di un uomo che ha ai suoi ordini un'intera legione in pieno assetto di guerra.»

Lepido si mise a ridere mentre gli altri ospiti sfilavano uno dopo l'altro raggiungendo le guardie di scorta che attendevano all'esterno.

Lo sguardo di Silio si posò per caso sulla figura di Antonio che scambiava poche parole con uno dei suoi servi. Gli parve una cosa insolita e anche la sua espressione gli parve insolita. Si volse a Cesare e disse: «Comandante, se non hai bisogno di me avrei una faccenda da sbrigare».

Cesare sorrise: «A quest'ora? E come potrei negartelo. Com'è? Una faccenda bionda o bruna?».

«Bruna, comandante» rispose Silio con un mezzo sorriso.

«Fatti onore, mi raccomando.»

«Ci puoi contare, comandante» rispose Silio cercando di darsi una cert'aria di spavalderia. «Sai come siamo noi della Tredicesima.»

Varcò la soglia, ma prima di allontanarsi si volse: «Comandante.. ci potrebbe essere un'altra spiegazione...».

«A che cosa?»

«A quella diceria dei Libri Sibillini. Forse non è stato qualcuno che vuole isolarti e screditarti, o almeno non solo. Potrebbe anche essere qualcuno che vuole forzarti la mano...»

Cesare non disse nulla.

Silio sparì nel buio.

Scivolò tra l'angolo settentrionale dell'edificio e la casa delle Vestali restando nell'ombra ai margini dell'alone luminoso che diffondevano due tripodi ai lati dell'ingresso. Teneva d'occhio la lettiga di Antonio e i due guardaspalle che la scortavano armati reggendo due lanterne. Il piccolo convoglio per qualche tempo seguì la stessa strada che seguiva Lepido in direzione dell'isola Tiberina, poi piegò a sinistra lungo il Tevere fino al ponte Fabricio e proseguì fino al portico di un piccolo magazzino fluviale. Ma dove stava andando Marco Antonio?

Silio si mantenne a prudente distanza, continuando ad avanzare al riparo dei grandi ontani ai bordi della sponda meridionale del fiume. Il buio lo proteggeva mentre la lettiga di Antonio risultava abbastanza visibile a causa delle lanterne che reggevano i guardaspalle per illuminare la via e tenere alla larga briganti da strada e borseggiatori.

Silio vide la lettiga fermarsi e un certo movimento nell'ombra: stava succedendo qualcosa. Dalla distanza a cui si trovava non riusciva a distinguere quasi nulla e dovette avvicinarsi. Quando fu più vicino vide allontanarsi qualcuno sceso dalla lettiga vestito da servo che non poteva essere un servo ed entrare nella lettiga con i panni di Antonio qualcuno che Antonio non era.

Silio seguì il personaggio nelle vesti del servo che si stava dirigendo verso il ponte Fabricio. Era Marco Antonio e chiunque avesse voluto seguire la sua lettiga sarebbe andato dietro a un servo che ne indossava i panni.

Silio attraversò a sua volta il ponte e continuò il pedinamento ormai sicuro della meta a cui si stavano ambedue avvicinando: la villa di Cesare oltre Tevere, la residenza di Cleopatra! Antonio vi stava arrivando solo, al buio e senza scorta, con indosso gli abiti di uno schiavo.

Si sentì un abbaiare di cani. Una porta si aprì senza un cigolio e l'uomo entrò. I cani cessarono di abbaiare. Subito dopo, dall'angolo occidentale, sbucò il picchetto di ronda che sorvegliava il perimetro del parco.

Silio ebbe la conferma in un solo momento di molti dei suoi sospetti e al tempo stesso vide cadere altre ipotesi che avrebbe sostenuto con determinazione se si fosse presentata l'occasione.

Doveva entrare, ma come? Bisognava correre alla *Domus*, riferire tutto a Cesare, tornare con un gruppo di uomini che rilevassero le guardie, occupassero gli ingressi e gli consentissero di penetrare senza ostacoli fino alla villa e agli appartamenti della regina per spiare il suo comportamento con Antonio. Ma ci sarebbe voluto troppo. Qualunque cosa stesse accadendo in quella casa doveva essere scoperta subito.

Entrò nel giardino scavalcando il muro di cinta e raggiunse la villa. I cani dovevano essere occupati con l'ospite appena giunto. Girò attorno all'edificio con circospezione controllando ogni angolo. Era già stato in quella casa con Cesare e se fosse potuto entrare avrebbe saputo come muoversi, ma il problema era proprio entrare. La residenza di Cleopatra era una sorta di fortezza. Antonio era entrato da una porticina laterale con la chiave, i cani si erano subito quietati perché evidentemente lo conoscevano.

Gli ingressi principali erano presidiati. E una ronda girava intorno al perimetro.

Notò la canna del camino di un forno che sporgeva in fondo

all'angolo occidentale, dalla parte del quartiere dei servizi, e sul muro alcune rientranze lasciate dalla rimozione delle travi di un ponteggio di manutenzione. Calcolò, contando, il tempo fra un passaggio e l'altro della ronda e si arrampicò, scalzo, fino alla sommità. Una parte del tetto era coperta da tegole e conveniva superarla senza fare rumore e arrivare quindi alla parte terrazzata più facile da percorrere. Sul fianco destro aveva il peristilio con il giardino interno. Poteva udire il gorgoglio monotono delle fontanelle. Più avanti si trovava l'impluvio dell'atrio. In mezzo gli appartamenti padronali. Ricordò che sull'altro lato della casa c'era un piccolo impianto termale probabilmente non sorvegliato. Percorse il terrazzo e di nuovo a ritroso il tetto coperto da tegole, fino a raggiungere la zona termale, coperta in parte da tegole e in parte da intonaco fine. Si lasciò scivolare sul primo livello terrazzato e raggiunse il cupolino del laconico, il bagno di vapore, aperto al centro per consentire l'uscita ai fumi dei bracieri. Allargò l'ingresso rimuovendo senza il minimo rumore con il pugnale le lastre di laterizio e si lasciò cadere all'interno. Atterrò fortunosamente sul mucchio di cenere lasciato al centro dalle braci esauste. E subito dopo saltò incolume sul pavimento.

Era dentro!

La regina doveva essere ancora nell'appartamento invernale che confinava con le pareti del calidario così che anche i suoi ambienti beneficiassero della temperatura dei forni di riscaldamento. Abituata al clima egiziano, detestava le umide e fredde giornate dell'inverno romano.

Silio avanzava a tentoni nel buio quasi totale cercando di ricordare la pianta della casa e attratto da un debole chiarore diffuso da una lucerna in un ambiente attiguo. Cercava soprattutto di non inciampare per non farsi scoprire. La casa era immersa nel silenzio e qualunque rumore avrebbe provocato uno sconquasso.

Raggiunse il calidario collegato al laconico da un breve corridoio e contò alcuni passi fermandosi nel luogo in cui, a suo parere, l'intercapedine di laterizio che lasciava passare l'aria calda avrebbe dovuto essere in comune con l'appartamento della regina.

Accostò l'orecchio alla parete e gli parve di udire confusamente delle voci, qualcosa che sembrava una conversazione.

Rimosse con la punta del pugnale la malta che legava un segmento di canna a quello successivo con il massimo della cautela. Sapeva bene che, se lui poteva udire le voci, le persone che parlavano avrebbero potuto udire il rumore provocato da lui. Sudava copiosamente per la tensione e per l'ansia di condurre a termine la missione che si era prefissa, ma la sensazione di essere a un passo da una scoperta straordinaria gli provocava anche uno stato di grande eccitazione, quasi di ebbrezza.

Appena ebbe rimosso lo strato di malta fra una canna e l'altra, conficcò la punta del pugnale nel laterizio allargando il foro fino alla dimensione di un mezzo palmo e vi si avvicinò per ascoltare: le voci ora giungevano nette e riconoscibili.

Le voci di un uomo e di una donna.

L'uomo era Antonio.

La donna parlava latino con spiccato accento greco.

La donna doveva essere Cleopatra.

«Io ti sarò sempre grata per quello che hai fatto... Purtroppo è stato inutile.»

«Io avrei fatto qualunque cosa per te, regina: se Cesare avesse accettato la corona il giorno dei Lupercali nessuno si sarebbe opposto, il senato avrebbe ratificato, tu saresti divenuta la sovrana del mondo e io ti avrei servita con devozione, contento di starti accanto, di proteggerti. Ma Cesare non ha capito...»

«Cesare non ha voluto. Gli ho parlato più volte, ottenendo sempre un rifiuto. Ha riconosciuto suo figlio ma solo in forma privata. E ora, avrai sentito della profezia dei Sibillini.»

«Sì, ne ho sentito parlare.»

«I miei sacerdoti hanno un certo influsso sui vostri preti rozzi e primitivi. Ma non si muoverà, ne sono quasi certa. È chiaro che io per lui non conto nulla.»

«Per me invece sei tutto... tutto, regina.»

«Lo dici per consolarmi del mio abbandono.»

«Lo dico perché è vero. Ho sempre la tua immagine davanti agli occhi, giorno e notte. Il tuo volto, il tuo corpo...»

«E i miei sentimenti? Le mie speranze, le mie aspirazioni?»

«Anche quelle. Io voglio ciò che tu vuoi.»

«Sei disposto a giurarlo?»

«Lo giuro, regina, sugli dèi, sulla mia stessa vita.»

«Allora ascoltami perché ciò che sto per dirti è della massima importanza. Ne va del nostro futuro, di quello di mio figlio, del mondo intero.»

Seguì un lungo silenzio e Silio restò con l'orecchio incollato all'intercapedine temendo che i due si fossero spostati e che non li avrebbe più uditi. Invece Cleopatra si fece ancora sentire. Benché deformata e attutita, la sua voce aveva un timbro e un tono di una sensualità irresistibile cui la cadenza esotica aggiungeva un elemento di fascinazione. Silio l'aveva vista più volte ma non l'aveva mai sentita parlare. Ora si rendeva conto del perché quella donna avesse fatto innamorare Cesare e chiunque avesse avuto la ventura di incontrarla, di vederla, di ascoltarla.

«Mi è giunta voce di una minaccia che incombe su Cesare.»

Antonio non disse una parola.

«Tu non ne sai nulla?»

Antonio non rispose.

«Sono sola in questa città, non posso contare su nessuno.»

Antonio disse qualcosa che Silio non poté capire. Cleopatra riprese a parlare: «Ma ho qualche conoscenza. Così sono riuscita a mettermi in contatto con un uomo molto vicino a Cesare, un uomo che stava per partire con una missione nel Nord della penisola. A lui ho chiesto di indagare per me riguardo a quella minaccia, gli ho fornito delle indicazioni e altri contatti...».

Silio pensò a Publio Sestio ed ebbe un sussulto.

«Gli ho fatto giurare che la cosa sarebbe rimasta fra lui e me, gli ho fatto capire che era per la sicurezza di Cesare, che mi stava immensamente a cuore e di cui lui non mostrava invece di preoccuparsi. Entro domani dovrei avere la risposta. Se dovesse giungere dopo potrebbe essere tardi. Capisci?» Silio immaginò che Antonio annuisse o rispondesse con uno sguardo.

«Bene» continuò Cleopatra. «In tal caso tu saresti l'unica persona su cui io possa fare affidamento in questa città. Cicerone mi odia e molti altri non possono vedermi. Perciò stai attento Antonio, sii prudente. Fallo per me e per mio figlio.»

Silio non udì nient'altro ma era certo che Cesare gli avrebbe dato ascolto e avrebbe preso provvedimenti immediati. Il problema era uscire di lì. Non poteva percorrere all'indietro l'itinerario di entrata perché non aveva modo di arrampicarsi fino al foro che aveva allargato al centro del cupolino del laconico. Doveva quindi cercare la via d'uscita attraverso la casa. Confidava nel buio e nella conoscenza che aveva del luogo. Avrebbe raggiunto il peristilio, poi il quartiere dei servizi e di là per la porta secondaria sarebbe uscito in strada fra un passaggio e l'altro della ronda.

Un soffio improvviso di vento irruppe dal foro nella cupola e sollevò una nube di cenere dal pavimento: Silio non riuscì a trattenere un violento starnuto.

Si immobilizzò tendendo l'orecchio con il cuore in gola. Non si udì altro rumore. In fondo chiunque avrebbe potuto starnutire nella casa. Perché qualcuno avrebbe dovuto allarmarsi?

Riprese a muoversi con cautela. Attraversò il tepidario e il frigidario e raggiunse la porta e il corridoio che dava sul peristilio. L'aprì con circospezione e guardò davanti a sé. C'erano solo poche lucerne accese sotto il portico e nessuno era in vista. Uscì e s'incamminò verso l'atrio camminando rasente al muro.

Una voce risuonò alle sue spalle mentre la luce di alcune torce rischiarava il portico: «Una brutta infreddatura, Silio Salvidieno. Come mai in giro a quest'ora di notte?».

La voce di Marco Antonio.

CAPITOLO XVI

In Monte Appennino, mansio ad Castaneam, a.d. III Id. Mart.,
prima vigilia
Monti dell'Appennino, stazione "al Castagno", 13 marzo,
primo turno di guardia, le sei di sera

Publio Sestio, raggiunto l'Arno, si era fermato a riposare un paio d'ore finché aveva sentito che il traghettatore si era destato all'opera. Allora si era imbarcato con il cavallo sul pontone a fune e, giunto dall'altra parte, era andato avanti per tutto il giorno seguendo a non grande distanza il tracciato della Cassia. All'imbrunire prese a dirigersi verso una luce che scorgeva in lontananza al margine di un bosco. Percorreva un terreno impervio su una pista accidentata e non vedeva l'ora di arrivare. Dalla mappa doveva trattarsi di una *mansio*, dove avrebbe potuto rifocillarsi ed eventualmente cambiare cavallo.

A mano a mano che si avvicinava si rendeva conto che la luce promanava dai riflessi di un fuoco all'interno delle mura di cinta dell'edificio. Non si vedeva altro né vi era segno di un servizio di guardia dello stato.

Arrestò il cavallo, scese e avanzò in silenzio, cautamente, guidandolo per le briglie. Per rendersi meno visibile, lo legò al tronco di un querciolo e proseguì a piedi.

Effettivamente nel cortile ardeva un fuoco, intorno al quale sedevano quattro individui sulle sacche del loro bagaglio. Gli parve di riconoscere qualcuno che aveva già visto, un uomo con un mantello grigio, pallido e con la faccia da furetto. In un angolo c'era un carretto con due cavalli ancora fra le stanghe.

L'uomo dal mantello grigio si alzò, imitato da uno dei tre compagni. Gli altri due rimasero invece seduti.

«Avrei preferito che ve ne andaste per i fatti vostri ma, visto che mi avete raggiunto, tenete almeno gli occhi aperti» disse. «State attenti a chiunque dovesse avvicinarsi. Fra due ore vi daremo il cambio e poi si riparte. Dobbiamo precederlo dove dovrà per forza passare, sperando che sia ancora dietro di noi.»

«Tranquillo, *Mustela*» rispose uno dei due, «di qui non passa nessuno senza il mio permesso.»

L'uomo chiamato *Mustela* rispose: «Soprattutto stai attento tu, Decio, che lo conosci e attenti al suo bastone di vite: è più micidiale di una spada. È molto pericoloso e...».

«Sì, lo so, so tutto. Stai tranquillo ti dico.»

Publio Sestio trasalì a quelle parole. Nell'intrico di tanti itinerari quei quattro stavano aspettando proprio lui, e proprio lì. Doveva agire subito ma senza farsi scorgere.

I due entrarono nell'alloggio e poco dopo Publio Sestio vide accendersi al piano superiore un lume dietro la finestra di una parete esterna e poi spegnersi.

Scivolò dentro la stalla e si sedette sulla paglia. Un cane abbaiò e lui trasse dalla bisaccia un pezzo di carne salata e gliela lanciò. Il cane la trangugiò all'istante e si avvicinò scodinzolando sperando in un altro obolo. Non doveva avere molte occasioni di godere di simili liberalità. Publio Sestio lo accarezzò e gli diede ancora qualcosa. Si era fatto un amico che non l'avrebbe tradito.

Tranquillo su quel versante, passò nel fienile e di là di nuovo sull'esterno, da un portone appena accostato. Si ritrovò sul lato opposto della *mansio*. Il gigantesco castagno da cui prendeva il nome protendeva i suoi rami verso la camera che poco prima aveva visto illuminata. La luna apparve in uno squarcio fra le nubi.

Publio Sestio cominciò ad arrampicarsi salendo prima sui rami più bassi, quindi usando le biforcazioni come i gradini di una scala e arrivando fino al ramo che si protendeva maggiormente verso la finestra. Giunse senza particolari difficoltà a contatto con le imposte accostate, inserì fra i due battenti il coltello che portava in vita, aprì con cautela e cercò di scivolare all'interno senza fare rumore. Ma il raggio di luna, manifestando l'apertura della finestra, segnalò l'intruso. Uno dei due ospiti balzò in piedi gridando: «Che accidenti...». Ma Sestio, afferrato il bastone che portava alla cintura, lo colpì con violenza scaraventandolo al suolo.

Mustela, resosi conto che da cacciatore era divenuto all'improvviso preda, varcò la soglia e scappò sul ballatoio fino a trovare un piccolo balcone dal quale si gettò a terra trattenendo a stento un grido di dolore per l'impatto violento con il suolo.

Publio Sestio che lo incalzava da vicino si gettò a sua volta dietro di lui. Era rimasto solo Decio Scauro a vegliare accanto al fuoco perché il compagno era andato a prendere della legna. Cercò di sbarrargli il passo, ma il centurione lo investì in pieno rovesciandolo sul fuoco.

Mustela saltò sul primo cavallo che trovò e si lanciò al galoppo oltre il portone principale. Publio Sestio corse nell'altra direzione fino a trovare il suo, lo sciolse, balzò in groppa e spronò all'inseguimento del fuggitivo.

Si lanciò in una folle cavalcata sotto la luna, fra le ombre degli alberi che striavano il suolo di ombre contorte, di sagome paurose. A ogni curva i ciottoli della strada franavano nella scarpata sottostante.

D'improvviso un uccello, spaventato dal passaggio di *Mustela*, spiccò il volo proprio davanti al cavallo di Sestio che, atterrito, s'impennò. Il centurione, colto alla sprovvista, cadde e precipitò nel dirupo.

Mustela continuò a correre a perdifiato ma dopo qualche tempo si accorse di non essere più inseguito e tirò le briglie per trattenere il cavallo. Tornò lentamente sui suoi passi guardandosi intorno sospettoso e teso come l'animale che ricordava nell'aspetto e nel nomignolo che portava.

A un tratto vide il cavallo sciolto di Publio Sestio e un ghigno di compiacimento gli deformò i lineamenti.

Il cavallo del centurione arretrò nitrendo e sbuffando, ancora impaurito per quanto era accaduto mentre *Mustela* smontò a terra e si avvicinò all'orlo della scarpata. Vide rami spezzati e un pezzo del mantello del suo inseguitore appeso a uno sterpo che sporgeva nel vuoto.

«Addio, Publio Sestio» mormorò sottovoce, quasi temendo che lo potesse sentire, quindi rimontò a cavallo e si allontanò.

Romae, in aedibus Bruti, a.d. III Id. Mart., secunda vigilia
Roma, casa di Bruto, 13 marzo, secondo turno di guardia,
le undici di notte

Artemidoro, disteso sul letto, la lucerna accesa, fissava attonito le travi del soffitto. Rifletteva sul da farsi e di tanto in tanto si alzava per sbirciare i due sorveglianti che bloccavano il corridoio. Erano sempre là, immobili e silenziosi.

A tratti avvertiva dei rumori, passi lungo i corridoi o attraverso l'atrio. Li identificava dal suono. Il cocciopesto, il marmo, la pietra, ogni materiale ne rimandava uno diverso. Si era abituato a riconoscerli anche al buio in quella casa di fantasmi: il passo di Bruto, quello di Porzia e anche quello di Servilia quando veniva a far visita al figlio e si tratteneva per cena o a dormire.

Artemidoro si versò un altro bicchiere d'acqua e guardò con aria triste al vassoio di dolci che il suo schiavetto gli aveva portato e che lui non aveva nemmeno toccato. Il ragazzo si era trattenuto un poco e gli aveva detto che il padrone gli aveva fatto strane domande, gli aveva fatto capire che se aveva notizie interessanti da riferire su di lui, su Artemidoro, gli sarebbe stato riconoscente. Già, ma non gli aveva detto nulla, perché non c'era nulla da dire... Però sicuramente il padrone sarebbe tornato alla carica, forse gli avrebbe fatto pressioni, avrebbe insistito, minacciato.

Artemidoro si era sentito ancora più angosciato da quelle parole. Temeva che il ragazzo venisse torturato. E in quel caso che cosa avrebbe dovuto fare? Si poteva chiedergli di resistere alla tortura per non rivelare quello che sapeva? Il tempo stringeva. Se Bruto faceva al ragazzo domande simili significava che l'azione era imminente ed era necessario cautelarsi contro ogni pericolo. Si erano lasciati con l'accordo che il ragazzo sarebbe tornato a prendere le stoviglie da lavare, ma fino a quel momento non si era ancora fatto vivo.

Il silenzio e l'angoscia gli acuivano i sensi allo spasimo e, benché la temperatura della sua camera tendesse più al freddo che al caldo, Artemidoro sudava copiosamente. E beveva perché la lingua gli aderiva, secca come un pezzo di cuoio, al palato.

Udì l'uggiolare del cane nel cortile posteriore, il cigolio della porta esterna, il rumore della porta che si richiudeva, lo scalpiccio di piedi sul ghiaietto e poi sull'impiantito dell'atrio.

Quindi un rumore più vicino, il passo del suo ragazzo lungo il corridoio: finalmente!

Attese che bussasse: «Avanti» disse. Il ragazzo entrò.

«Sai che non ci sono più quei due nel corridoio?»

«Non è possibile.»

«Guarda tu stesso.»

Artemidoro socchiuse la porta e spiò nel corridoio illuminato da una sola lucerna. Non c'era nessuno.

«Non riesco a spiegarmelo. Non vorrei che fosse una trappola.»

«Forse pensano che tu dorma e hanno altro da fare in questo momento. Gli ospiti del padrone stanno partendo.»

Sollevò il vassoio con i dolci e fece per partire, ma Artemidoro lo prese per il braccio.

«Lasciami andare» disse. «Ho sentito cose terribili. Devo andare.»

«No, aspetta» disse Artemidoro. «Ho riflettuto in queste ore in cui sono rimasto da solo e sono arrivato a una conclusione. Penso che dovresti lasciare questa casa finché hai libertà di movimenti, finché non sospettano di te. Bada, lo dico perché ti voglio bene.»

«Lo so, Artemidoro» rispose il ragazzo con un sorriso. «Ma dove vado? Lo sai cosa fanno agli schiavi fuggitivi?»

«Ma io testimonierei che ti ho affidato una commissione... Sono un uomo libero e ho una reputazione, inoltre il pretore degli stranieri è Decimo Bruto e mi conosce. Stammi a sentire: appena fa giorno esci di casa con una scusa. Di' che vai a comprare una medicina per la vitiligine che mi arreca un prurito insopportabile, che poi è la pura verità, ecco, prendi i soldi. Poi recati all'isola Tiberina e lì cerca l'ambulatorio di Antistio, il mio medico. Digli che ti ho mandato io e che ti tenga con lui per qualche giorno. Sarai al sicuro perché abita in casa di Cesare, alla *Domus Publica*. Nessuno oserebbe nemmeno pensare di cercarti là. Hai capito?»

«Sì. Ho capito. Vuoi anche che gli dica dei nomi?»

«Sst!, sei matto? Parla sottovoce. No, non devi dire nulla per nessun motivo. Resta fuori da questa faccenda. A quello penserò io.»

«Vuoi darmi qualcosa da recapitare?»

«Peggio ancora. Se ti pescano e ti perquisiscono che cosa dici? Ti faranno a pezzi un po' per volta per essere sicuri che tu dica fino all'ultimo brandello di verità. Ci penserò io. Non so come ma ci penserò io. Prima o poi avranno qualcos'altro da fare che sorvegliare me. Hai capito bene?»

«Sì» rispose il ragazzo.

Artemidoro si diresse verso uno stipetto, prese un pezzo di pergamena e gliela consegnò: «Questa è una ricetta di Antistio di un preparato contro la costipazione. La riconoscerà e sarà sicuro che ti mando io e se ti ferma qualcuno e la legge non avrà certo da ridire o da indagare. Se Antistio ti chiede di me digli che non ho libertà di muovermi ma che appena mi sarà possibile mi farò vivo personalmente con lui».

«Allora vado.»

«Vai e buona fortuna. Se tutto va come spero fra qualche giorno ci rivedremo.»

Il ragazzo lo fissò per un attimo negli occhi con un'espressione curiosa, indecifrabile, tra l'affetto e il compatimento, aprì la porta e si allontanò.

Artemidoro lo guardò per un poco dalla soglia e quando si convinse che non c'era nessuno mosse qualche passo nella stessa direzione per dare un'occhiata in giro. Ma quando stava per svoltare a sinistra verso la zona del peristilio si trovò di fronte uno dei suoi sorveglianti.

«Dove vai di bello, maestro?» gli chiese beffardo.

Artemidoro ebbe prima un moto di paura e poi uno di stizza impotente: «Al cesso» rispose.

In via Etrusca vetere, a.d. III Id. Mart., secunda vigilia
Via Etrusca vecchia, 13 marzo, secondo turno di guardia,
le undici di notte

Publio Sestio, appeso con una mano al tronco di un pruno, cercava con l'altra di aggrapparsi a una sporgenza della roccia senza riuscirvi. Perdeva sangue da una lacerazione superficiale ma estremamente dolorosa e lo sentiva scorrere tiepido lungo il fianco sinistro. A un tratto udì sbuffare il suo cavallo. Lo aveva sentito muovere e si stava avvicinando.

«Qui, bello, qui, avvicinati... su, vieni...» gli disse.

Il cavallo sembrò capire la richiesta del padrone, si avvicinò e si sporse con tutta la testa oltre il ciglio della scarpata. Così facendo le briglie vennero quasi a sfiorare la mano con cui Publio si teneva aggrappato al pruno. Cercò allora di dondolarsi e di prendere sufficiente inerzia da raggiungere con l'altra le briglie e aggrapparvisi.

Appena si sentì tirare in basso, il cavallo, spaventato, puntò le zampe anteriori e cominciò ad arretrare con tutta la forza. Publio fu issato di peso sul ciglio della scarpata e subito lasciò la presa per non essere trascinato via dall'animale terrorizzato.

Cercò di bendare alla meglio l'escoriazione che si era procurato sul fianco cadendo, poi attese che il cavallo riprendesse confidenza e si riavvicinasse, attirato dalla sua voce e dalla mano protesa con un ciuffo di erba fresca. Quando finalmente l'animale fu a portata di mano, Publio afferrò di nuovo le briglie e gli balzò in groppa rimettendosi in viaggio e cercando di recuperare il tempo perduto.

Mentre avanzava a buona andatura lungo la strada al lume della luna, ripensava alla strana coincidenza che avrebbe potuto costargli la vita. Come avevano potuto quei quattro aspettarlo nella *mansio* come se gli avessero dato un appuntamento? Aveva riconosciuto l'uomo dal mantello grigio e la faccia da faina per averlo visto nella stazione sulla via Emilia qualche giorno prima. Ma per precederlo a quel modo doveva essersi mosso a colpo sicuro.

Se qualcuno lo avesse visto in quel momento avrebbe scorto un sogghigno sul volto di Publio Sestio, di soddisfazione e vittoria per aver risolto un enigma. L'arma che era stata usata contro di lui – l'itinerario di *Nebula* – si sarebbe rivolta contro i suoi nemici. Così come *Mustela* sapeva dove lo avrebbe incontrato, Publio Sestio sapeva dove avrebbe colto di sorpresa il suo avversario.

La strada si fece più ampia e la vegetazione meno fitta, di spoglianti più che di sempreverdi, che lasciavano meglio filtrare il chiarore della luna.

Quanto mancava alla meta? Publio Sestio avrebbe voluto volare, anche se la stanchezza era sempre più pesante, anche se non ricordava più quando aveva dormito per l'ultima volta a sufficienza, quando aveva consumato un pasto normale seduto a un tavolo e con una brocca di vino davanti. Doveva correre, correre, sfiancare un cavallo dopo l'altro senza mai cedere, senza prendere fiato. Ma ce l'avrebbe fatta. Lui era Publio Sestio, centurione anziano di prima linea, detto "il bastone".

L'aquila è in pericolo.

Il messaggio da riferire, da ricordare, da far risuonare nella mente mille volte ogni giorno e ogni notte.

Giunse esausto a un'osteria all'ingresso di un vico di poche decine di casupole di sasso e di laterizio circondate da recinti per pecore e capre. L'osteria fungeva da base per chi viaggiava e per chi trasportava messaggi per conto dello stato.

L'oste era un uomo sulla sessantina, con i capelli radi pettinati all'indietro, di robusta corporatura e largo più di spalle che di ventre, cosa insolita per la sua categoria.

«Sono un centurione» gli disse Publio mostrando il *titulus* che teneva al collo. «Sto cercando un uomo che è scappato da una *mansio* lassù in montagna non solo senza pagare il conto ma alleggerendo un buon numero di clienti dei loro soldi e lo stalliere di un buon cavallo. Un tizio con la faccia da faina o da topo, come preferisci, con pochi peli gialli sul labbro superiore, capelli color stoppa. Porta un mantello grigio, di giorno e di notte. Lo hai visto per caso?»

L'oste annuì: «Il tuo uomo è passato di qui».

«E dov'è ora?»

«È partito.»

«Per dove?»

L'oste esitò. Le sue informazioni non coincidevano con quelle di Publio Sestio.

«Qualcosa non va?» domandò il centurione.

«Mi sembra strano che un borseggiatore e ladro di cavalli quale mi hai descritto abbia accesso a una stazione di segnalazione. È là che è andato, ma tornerà indietro. Gli ho dato un cavallo migliore del suo e mi ha lasciato in pegno tutti i soldi che gli sono rimasti.»

Publio Sestio si grattò il mento: «Conosco il luogo, non è troppo distante. Portami una brocca di vino, del pane e un pezzo di formaggio: devo mangiare. Dai un po' di orzo al mio cavallo, se lo è meritato».

L'oste servì sia lui sia il cavallo con sollecitudine, felice che la faccenda si fosse risolta senza coinvolgerlo più di tanto, almeno per il momento.

In Monte Appennino, statio Vox in silentio, a.d. III Id. Mart.,
secunda vigilia
Monti dell'Appennino, stazione "Voce nel silenzio", 13 marzo, secondo turno di guardia, le undici di notte

La stazione, alta sul crinale dei monti, era situata in modo da captare segnali tanto da un versante quanto dall'altro, sia da occidente che da oriente. Verso la fine del secondo turno di guardia erano di servizio tre uomini: due al coperto e uno sulla torretta di avvistamento. Soffiava tramontana e l'uomo di turno all'osservatorio entrò livido e battendo i piedi sul pavimento: «C'è un codice di precedenza» disse. «Il messaggio riguarda la sicurezza della repubblica.»

«Di che si tratta?» chiese uno dei due.

«Bisogna intercettare due messaggeri diretti a sud equipaggiati come gli *speculatores*.»

«Che cosa significa "intercettare"?» domandò l'altro.

«Fermare, suppongo» rispose quello che era appena entrato.

«E se non si fermano?»

L'interrogato si passò un dito attraverso la gola con un gesto eloquente e aggiunse: «Non vedo altro modo».

Mansio ad Vicum, a.d. III Id. Mart., tertia vigilia
Stazione "al Villaggio", 13 marzo, terzo turno di guardia,
mezzanotte

La pietra miliare indicava il sesto miglio da Chiusi e *Mustela* entrò poco dopo nel cortile della *mansio*. Legò il cavallo, salì le scale verso il suo alloggio, aprì la porta e la richiuse dietro di sé. Era stremato. Alzò lo stoppino della lucerna che stava per spegnersi.

«Salve» disse una voce dal buio.

Mustela sguainò la spada.

«Si vede che non era la mia ora» disse Publio Sestio. «O se preferisci solo i morti non tornano e io non lo sono, come puoi constatare. Te la sei presa comoda visto che ero fuori combattimento e così ti ho aggirato.»

Mustela si slanciò in avanti ma Publio Sestio era pronto. Parò l'affondo con il gladio e con un tremendo fendente gli fece volare di mano la spada. Poi lo colpì con il bastone in pieno petto. *Mustela* collassò al suolo.

Publio Sestio lo raccolse da terra e lo sistemò sull'unica sedia disponibile. Adagiato contro lo schienale sembrava un pupazzo disarticolato.

«Per cominciare mi dirai che cosa hai trasmesso» gli soffiò in faccia.

«Scordatelo.»

Publio lo centrò con un pugno secco e duro come una pietra. In pieno viso. *Mustela* mugolò di dolore: «Tanto mi ammazzerai ugualmente».

«Ti sbagli. Se parli ti do la mia parola che non spargerò il tuo sangue.»

Mustela, già sofferente per le ferite del lungo viaggio, era distrutto nel corpo e nel morale: «Dicono che Publio Sestio mantiene sempre la sua parola» riuscì a dire.

«È così, in nome degli dèi» rispose Publio Sestio. «Allora?» insistette alzando di nuovo il bastone.

«Ho segnalato di intercettare altri due *speculatores* sulla Flaminia o sulla Cassia.»

«Capisco» rispose Publio passandogli con indifferenza alle spalle. «Niente altro?»

«Niente altro, lo giuro. Sono distrutto, non ce la faccio più. Lasciami in pace adesso.»

Publio gli afferrò la testa e gliela torse con un colpo secco spezzandogli il collo.

«Ecco qua» disse. «Ora tu stai in pace e io ho mantenuto la mia parola.»

Scese in cortile, montò a cavallo e ripartì di corsa.

CAPITOLO XVII

In Monte Appennino, Lux insomnis, pridie Idus Martias, tertia vigilia
Monti dell'Appennino, "Luce insonne", 14 marzo,
terzo turno di guardia, l'una di notte

Publio Sestio aveva preso possesso *manu militari* della stazione di segnalazione. Si era imposto di forza al drappello di ausiliari del genio mostrando il *titulus* e il persuasivo e nodoso segno del suo grado, quindi si era trasferito sulla torretta di segnalazione per trasmettere il contrordine e salvare la vita a Rufo e Vibio che non conosceva ma che era sicuro fossero due bravi giovani e coraggiosi servitori dello stato. Accendere il fuoco per il faro non era stata impresa da poco. Il tempo si era guastato, le nubi avevano coperto la luna e sciami di fulmini scaricavano le loro fiamme sulle vette dei monti battute da un vento impetuoso. Aveva preso a piovere a intermittenza. Era angosciato, la percezione del tempo che passava gli pesava oltremodo sull'animo e la mente calcolava in continuazione il tratto di itinerario che avrebbe intanto potuto percorrere se non avesse interrotto la sua corsa. Ma per andare dove? L'unico modo per fermare i sicari era la luce, *Lux insomnis*, come il nome in codice della stazione. Ma quando finalmente fu in grado di trasmettere nessuno rispose.

«Rispondi, bastardo ubriacone, rispondi» ringhiava Publio Sestio fra i denti, ma nessuna luce si accendeva sull'Appennino, se non quella livida dei lampi. Publio Sestio abbandonò la terrazza di segnalazione e scese nella stanza sottostante spiegando sul tavolo l'itinerario che gli aveva consegnato *Nebula*.

Ci appoggiò una lucerna e vi scorse sopra con il dito fino al punto in cui avrebbe dovuto incrociare la via Cassia.

«Troppo distante» mormorò. «Non ce la farei mai. Devo andare avanti per la mia strada. Che la fortuna vi aiuti, ragazzi!»

Uscì, montò a cavallo e spronò.

In realtà lassù, nella stazione, avevano ricevuto i suoi segnali ma non potevano fare altro che rimanersene rintanati nei loro alloggi perché il temporale che flagellava l'edificio era di una violenza inusitata. Nubi gonfie di tempesta, orlate di bianco, sconvolte dai lampi e dai fulmini rovesciavano sulla torre di segnalazione una furiosa grandinata. I grumi di ghiaccio scoppiavano all'impatto con le lastre del pavimento di pietra frantumandosi in mille pezzi che luccicavano come diamanti alla luce intermittente dei lampi e facevano rintronare l'intera costruzione come se fosse bersagliata da mille catapulte.

Avevano compreso guardando dalle piccole finestre strombate della torretta e il capo-posto si domandò che cosa mai stesse succedendo a Roma se arrivavano messaggi così contraddittori. Ma il lungo protrarsi delle guerre civili gli aveva insegnato a non porsi troppe domande e a eseguire gli ordini purché il codice fosse esatto. Ora il messaggio diceva di annullare l'ordine di intercettazione per due *speculatores* e doveva essere posto immediatamente in atto. Ebbe allora l'idea di destinare l'uomo per ogni evenienza a fermare l'ordine di uccidere. Era un ragazzo magro, quasi scheletrico con lo sguardo perennemente stralunato. Non aveva un pelo di barba, ma solo una lieve peluria, come quella dei pulcini. Per quello lo chiamavano *Pullus*.

Non aveva padre né madre, o meglio li aveva, come tutti, ma nessuno sapeva chi fossero. In pratica lo aveva allevato l'esercito e lui, per rendersi utile, faceva qualsiasi cosa: lo stalliere, il fornaio, il cuoco, lo sguattero, ma ciò che sapeva fare meglio era correre. Poteva correre per giorni e notti intere, leggero come una piuma, animato da un'energia che non si sapeva dove si procurasse. Certo non poteva correre più di un cavallo, ma quando si trattava di muoversi per luoghi impervi e scoscesi *Pullus* non era secondo a nessuno, si arrampicava come una capra, s'inerpicava come un camoscio, saltava da un'asperità all'altra con una leggerezza e un'eleganza che contrastavano con il suo aspetto gracile e sgraziato.

Il capo-posto gli consegnò un documento cifrato con il suo sigillo e gli ordinò di non fermarsi mai finché non avesse intercettato l'ordine. Aveva un vantaggio: il maltempo e la conoscenza di ogni anfratto del territorio che gli consentiva di accorciare, tagliare, semplificare ogni itinerario.

Pullus partì all'istante, sotto l'acqua e la grandine, riparandosi con uno scudo tenuto sopra la testa. La gragnuola scrosciò furibonda sul suo riparo per breve tempo e quando cessò *Pullus* nascose il suo scudo dentro a un cespuglio ripartendo ancora più rapido. Non aveva esitazioni né incertezze, correva sui sentieri inondati d'acqua sollevando schizzi che lo infradiciavano fino agli occhi. Correva attraverso i campi ancora nudi, sotto gli alberi spogli, attraverso i casolari addormentati. I cani abbaiavano al risuonare del suo passo veloce e leggero come quello del dio dei ladri e poi subito tacevano perché il passo era svanito nel nulla come dal nulla era venuto.

Pensava mentre correva il giovane infaticabile corridore, pensava a come avrebbe potuto salvarne due o se avesse dovuto fare una scelta, lasciarne morire uno – ma quale? – e salvare l'altro. Prima di tutto pensò quali potessero essere i due *speculatores* e, scartate alcune ipotesi, giunse a circoscrivere due nomi, i più probabili, due volti, due voci, due amici, fra i pochissimi che aveva. Inclusi il cane della stazione e la capretta che mungeva ogni mattina.

Vibio e Rufo? Ci avrebbe scommesso la capretta. E se erano loro non avrebbe dovuto scegliere perché conosceva il loro modo di muoversi: la moneta decideva chi sarebbe andato e dove. Faceva anche dei calcoli: erano partiti certamente da *Lux fidelis* lungo il corso alto del Reno da oltre cinque giorni, di cui due di brutto tempo. Chi era sceso verso est aveva avuto prima vita facile e poi più difficile, chi aveva affrontato direttamente la montagna aveva avuto prima passo impervio e poi più veloce. Si propose di intercettare il primo, fosse l'uno o fosse l'altro, e riprese a correre ancora più rapido attraverso i campi e i boschi, tagliando per la direzione più breve, seguendo il suo innato senso dell'orientamento nel buio, come un cieco che si muove guidato dall'istinto. Arrivò al mattino sulla strada a poche miglia da un'importante stazione di cambio e si fermò ad aspettare. Se era riuscito nel suo intento, uno dei due sarebbe dovuto arrivare prima di sera. Lui entrò nella *mansio* e presentò il codice che annullava il primo ordine e imponeva di diramare il contrordine alle successive stazioni fino a Roma. Un messo partì quasi subito.

Compiuto il suo dovere avrebbe potuto fare ritorno a *Lux insomnis*, ma non se la sentiva, e nel caso si fosse trattato dei suoi amici preferiva aspettare e vedere se se ne fosse salvato almeno uno o se il suo avviso fosse arrivato troppo in ritardo.

Aveva cessato di piovere ma *Pullus* era fradicio e tremava dal freddo. Ogni tanto si rimetteva a correre in cerchio per riscaldarsi e scrutava l'orizzonte, la strada bagnata di pioggia che scendeva da settentrione. Passò un carretto trainato da un mulo e il conducente gettò un'occhiata distratta allo strano personaggio che correva intorno a una pietra miliare, passò quindi un pastore con un gregge di pecore e un contadino che sospingeva una vaccherella lungo la parte sterrata sul lato sinistro. Il traffico aumentò con il passare delle ore ma ancora non si vedeva apparire nessuno di quelli che aspettava. Solo nel pomeriggio apparve un cavaliere e un altro, a poca distanza. Il secondo avanzava con difficoltà.

Il primo si fermò ad aspettare e *Pullus* lo riconobbe: Rufo! «Rufo!» gridò con quanto fiato aveva in gola. «Rufo!»

Il cavaliere si gettò a terra e gli venne incontro: «*Pulle!* Lo sapevo che ti avremmo incontrato». Lo abbracciò, e avrebbe potuto contargli tutte le costole e tutte le vertebre, magro e sfinito com'era.

Sopraggiunse anche il secondo cavaliere: Vibio. Sul suo corpo c'erano i segni di uno scontro violento e il suo cavallo era molto affaticato, doveva aver galoppato chissà per quanto.

«Come mai tutti e due assieme?» domandò *Pullus*.

«Ieri mattina» rispose Vibio, «mentre mi avvicinavo alla quinta *mansio*, lungo il mio itinerario due individui armati hanno cercato di fermarmi, ho opposto resistenza ma erano troppo forti così me la sono svignata e ho corso a perdifiato finché non li ho seminati. A quel punto, come è successo altre volte, ho cercato di raggiungere Rufo: prepariamo sempre un piano di riserva e un secondo appuntamento. Ma copriti o ti prenderai un accidente.»

Tolse dalla sacca una coperta asciutta e gliela gettò sulle spalle. *Pullus* recuperò un po' di colore. E anche un po' di voce.

«Abbiamo ricevuto due messaggi su alla stazione: il primo diceva di intercettare due *speculatores* ad ogni costo. E non mi ci è voluto molto a pensare a voi. Il secondo, questa notte, cercava di annullare il primo e cominciava con il codice dell'esercito. Non abbiamo potuto rispondere a causa del tempo pessimo, ma sono partito subito e non mi sono fermato fino a qui. Il messo con il contrordine è partito questa mattina, non dovreste più avere problemi.»

«Ho sempre saputo che avremmo potuto contare su di te» disse Rufo. «Ma chi può essere stato a dare il contrordine?»

«Non lo so, non mi hanno nemmeno lasciato il tempo di chiederlo.» Poi aggiunse: «Adesso che cosa farete?».

Vibio si rivolse al compagno: «Prosegui tu. Ti lascio anche il mio cavallo. Scarico farà meno fatica. E potrai alternare l'uno all'altro percorrendo più strada».

Rufo legò il cavallo del compagno ai finimenti del suo, mentre Vibio scaricava la bisaccia dei viveri e la borraccia dell'acqua. Poi si salutarono.

«Chissà che non abbiamo fatto tutta questa fatica per nulla» disse Vibio.

«Non chiederei di meglio» rispose Rufo.

«Buona fortuna, amico.»

«Buona fortuna a voi. Siate prudenti.»

«Nessuno baderà a due che vanno a piedi» rispose *Pullus* con un sorriso stanco.

Rufo balzò a cavallo e partì trascinando con sé la cavalcatura scarica del compagno.

Vibio e *Pullus* si rimisero in cammino.

Cauponae Fabulli ad flumen Tiberim, pridie Id. Mart., hora nona
Osteria di Fabullo al fiume Tevere, 14 marzo,
le due di pomeriggio

Publio Sestio riconobbe l'osteria da lontano e si fermò. Il tempo era migliorato ma non ristabilito e se l'aspetto del cielo non lo ingannava sarebbe di nuovo peggiorato durante la notte. Doveva avvicinarsi il più possibile alla meta per non perdere un altro giorno. Forse un giorno in più o in meno non avrebbe cambiato niente, ma la sua esperienza sui campi di battaglia e lungo le vie dell'impero gli aveva insegnato che in molti casi una sola ora in più o in meno poteva decidere le sorti di una battaglia, se non addirittura di una guerra, e che in ogni caso era preferibile arrivare in anticipo su qualunque evento il destino stesse preparando. Se l'evento fosse stato favorevole non sarebbe cambiato nulla. Fosse stato sfavorevole o catastrofico ci sarebbe stato più tempo per evitarlo, o almeno per limitarne i danni.

In quel momento avrebbe desiderato più di ogni altra cosa stendersi su un letto e rilassare le membra tormentate dalla fatica e dalle interminabili cavalcate, mangiare qualcosa e bere un bicchiere di vino rosso e forte, ma decise di sdraiarsi in terra sulla coperta al riparo di un olivo secolare, mangiare un pezzo di formaggio e ammorbidire il pane duro con l'acqua. Meglio non rischiare brutti incontri, dopo quello che gli era già capitato.

Dormì come era solito fare in queste situazioni, senza mai perdere del tutto coscienza e senza smarrire il senso del tempo che scorreva. Aveva lasciato il cavallo libero di pascolare, certo che non si sarebbe allontanato. Quando si sentì un po' rinfrancato, richiamò il suo animale con un fischio e riprese il cammino.

Procedette sulla stessa direttrice per qualche tempo, in modo da non avvicinarsi troppo a luoghi frequentati, ma poi tornò in prossimità della via Cassia per evitare di trovarsi ancora davanti a corsi d'acqua impossibili da attraversare. I ponti in pietra, dopo tutto, non crollavano mai.

Il terreno si faceva sempre più accidentato e fu costretto a tornare lungo la carreggiata, procedendo sugli sterrati a lato della parte pavimentata in pietra. Su quel tragitto almeno poteva recuperare velocità e riguadagnare parte del tempo perduto. La fortuna sembrava volgere ormai dalla sua e riuscì a cambiare cavallo in una fattoria nei pressi di Sutri, evitando così di entrare in un luogo frequentato. L'allevatore accettò la differenza di prezzo fra il cavallo che gli lasciava e quello che acquistava e Publio Sestio riprese a correre. Era diretto alla sponda del Tevere, oltre la Cassia, dove finalmente si sarebbe imbarcato.

Sentiva che ormai la sua missione era sul punto di essere compiuta, che presto avrebbe riferito il suo messaggio e subito dopo si sarebbe presentato a Cesare per riferirlo anche a lui.

Ma a un tratto, mentre il sole calava dietro le colline, in mezzo alla strada apparve un cavaliere che gli sbarrava il passo tenendo in mano una spada sguainata.

Sulle prime pensò di tornare indietro ma due cose glielo impedirono: non l'aveva mai fatto in vita sua, mai aveva girato le spalle, ed era curioso. Curioso di vedere chi osava opporsi da solo a Publio Sestio. Traditore o nemico, chiunque fosse meritava di essere affrontato. Portò il cavallo al passo, sguainò la spada e avanzò al centro della strada. L'altro fece lo stesso. Quando furono a una cinquantina di piedi di distanza Publio fermò la sua cavalcatura e parlò per primo:

«Chi sei? Che cosa vuoi?»

«Che ti giova sapere chi sono quando comunque stai per morire?»

«Pura curiosità.»

«Sergio Quintiliano. Ti dice niente questo nome?» Il suo avversario ora si era fermato, e con la sinistra cercava di trattenere il cavallo che sbuffava e scalpitava alla vista dell'altro stallone che gli si opponeva.

195

Il cavaliere riprese ad avanzare fino a poca distanza da lui. «Farsalo» aggiunse. «Questo ti fa tornare la memoria?» Publio lo riconobbe. «Sì» rispose. «Ora ricordo. Ti risparmiai la vita sul campo di battaglia.»

«Dopo aver ucciso mio figlio che si era parato di fronte a te per difendere il padre ferito.»

«Impossibile fermare la foga del combattimento, in guerra non si possono fare distinzioni, ma quando mi sono reso conto non ho voluto infierire. Dunque lasciami passare, ognuno di noi ha i suoi incubi.»

«Dovevi uccidermi. Lasciandomi vivere mi hai inflitto una ferita insanabile e mi hai doppiamente umiliato.»

«Avresti potuto suicidarti. Le armi non ti mancavano.»

«Fui sul punto di farlo, Publio Sestio, ma in quel breve tempo di riflessione la forza dell'odio prese il sopravvento. Sarei vissuto e ti avrei cercato per ucciderti. Dopo tanto tempo la fortuna mi ha ripagato dell'attesa.»

Indicò il sole che quasi toccava, a occidente, la linea delle colline: «Prima che sia scomparso sotto l'orizzonte il tuo sangue avrà placato i Mani del mio ragazzo».

«Devo raggiungere Roma, e se cerchi di impedirmelo dovrò ucciderti.»

«Allora usa quella spada che hai in pugno!» gridò Sergio Quintiliano spronando in avanti il cavallo.

Publio, che attendeva l'assalto, non si fece sorprendere e spronò a sua volta. Si scontrarono con una violenza immane. Le spade s'incrociarono in alto e in basso con un fragore assordante, sprizzando scintille mentre scorrevano l'una contro il filo dell'altra. Sergio affondò una, due, tre volte, cercando il cuore dell'avversario, e non riuscendo a raggiungerlo si disimpegnò, tornò indietro per riprendere la carica a tutta forza. Publio lo evitò all'ultimo momento ma lo colpì in vita con il bastone dal lato sinistro, dove non se l'aspettava.

Sergio accusò il colpo, si fermò ansimando, il torace contratto per il dolore. Era una preda facile in quel momento. Ma il centurione non si sentì di colpirlo e fermò il cavallo. Sergio Quintiliano tornò all'assalto, finse un colpo all'inguine e invece spinse la spada più in alto, verso lo sterno.

Publio Sestio scansò per un soffio, ma la lama del nemico gli riaprì la ferita slabbrata che si era procurato cadendo nel burrone. Provò un dolore acuto, bruciante.

La fitta gli risvegliò la ferocia del campo di battaglia e reagì con la spada e il bastone con una sequenza incalzante, con una potenza devastatrice. Sergio Quintiliano si batté con tutta la furia e l'odio che gli ardevano nel sangue e tentò un altro assalto prendendo nuovamente la rincorsa, ma Publio Sestio previde il suo fendente diretto al collo, si abbassò, lo lasciò passare e lo colpì ruotando sul torso e ferendolo profondamente al fianco prima che passasse oltre. Sergio Quintiliano crollò al suolo e il cavallo continuò la corsa, imbizzarrito. Publio Sestio smontò e gli si avvicinò. Il suo avversario ansimava penosamente premendosi la ferita con la mano che s'arrossava.

«Questa volta uccidimi» gli disse. «Sono un soldato come te. Non lasciarmi macerare lentamente nel mio sangue.»

Publio Sestio gli si avvicinò, anch'egli sanguinante, con il fiato mozzo per la fatica e la foga del combattimento: «Puoi ancora salvarti» gli disse. «Manderò qualcuno a prenderti. Si può vivere senza l'odio, il rancore, la ferocia. Dobbiamo dimenticare quello che è successo o moriremo tutti...»

Ma il suo avversario aveva già preso la decisione. Scattò fulmineo in avanti con un pugnale nella sinistra. Publio aveva visto l'intenzione nel suo sguardo prima che la mano si muovesse e gl'immerse la spada nel cuore.

Sergio Quintiliano si accasciò senza vita e nell'ultimo sguardo di lui, sconfitto tante volte dai nemici e dal destino e questa volta per sempre, sembrò brillare per un momento una dolente serenità.

Il sole si nascose dietro le colline, la notte lo ricoprì.

Romae, in Domo Publica, pridie Id. Mart., hora undecima
Roma, residenza del pontefice massimo, 14 marzo,
le quattro di pomeriggio

Il comandante della terza coorte dei vigili entrò nella *Domus* scuro in volto e fu introdotto subito alla presenza di Cesare: «Niente» disse. «Non ne abbiamo trovato traccia da nessuna parte.»

Cesare trasse un lungo sospiro: «Mi sembra strano che non si sia fatto vivo in un modo o nell'altro...».

«Hai detto che si era allontanato ieri notte dopo la vostra riunione per recarsi a un piacevole incontro, non è così?»

«È così, tribuno.»

«Forse non mi preoccuperei più di tanto. Hai detto che si era assentato altre volte, che lo hai sempre lasciato libero dei suoi movimenti.»

«È vero ma ormai sono abituato ad averlo sempre accanto. Se non lo vedo mi sento...»

«Ti capisco. Ma stai certo che si farà vivo: domani magari, o dopodomani. Proprio perché è sempre al tuo fianco con incarichi importanti può aver sentito la necessità di un periodo di distrazione e, se si tratta di una bella donna, non è difficile immaginare che possa trattenersi ancora un poco. Se gli fosse capitato qualcosa a quest'ora lo sapremmo.»

«Sì, può darsi» rispose Cesare. «Ma continuate a cercarlo. Non sto tranquillo. Mi serve averlo qua.»

«Non hai bisogno di chiederlo, Cesare. Le ricerche continueranno finché non lo avremo trovato.»

«Va bene. E tenetemi informato. Sia una buona notizia sia una cattiva, la voglio sapere.»

Il tribuno si congedò e tornò alle sue incombenze. Cesare restò solo nel suo studio a riflettere e a costruire mille ipotesi sullo strano comportamento di Silio Salvidieno. Non era da lui sparire in quel modo senza inviargli almeno un messaggio. Le parole che gli aveva detto congedandosi si riferivano di sicuro a un'assenza di poche ore, al massimo di una notte.

Gli sembrava anche strano che fosse stato sorpreso dal marito di una bella signora in una situazione imbarazzante, non era proprio da lui. D'altro canto tutti lo conoscevano. Chi avrebbe osato torcergli un capello? A quel punto aspettava con una certa ansia Antonio, il quale gli aveva mandato a dire che sarebbe venuto a prenderlo per andare a cena da Marco Emilio Lepido all'isola. Almeno si sarebbe distratto dai suoi pensieri. La mancanza di notizie da diversi giorni di Publio Sestio e ora di Silio Salvidieno lo turbava. Come se qualcuno avesse voluto privarlo degli uomini più fedeli, quelli su cui avrebbe potuto fare affidamento in qualunque momento.

Quando venne annunciato che Marco Antonio lo aspettava nell'atrio, Cesare si alzò per uscire.

Camminarono l'uno accanto all'altro con passo spedito parlando del più e del meno e della seduta del giorno dopo in senato.

A un certo punto, mentre percorrevano il vico Iugario in direzione del tempio di Portuno, Cesare disse: «Domani ci attende una seduta impegnativa in senato per cui cerchiamo di non fare troppo tardi stanotte. Lepido tende sempre a esagerare quando invita a cena. Per lo meno di questa stagione non ci sono zanzare. È già qualcosa».

Antonio sorrise: «Basterà un cenno e troverò una scusa per andarcene» rispose.

Mansio ad Tiberim, pridie Id. Mart., *hora duodecima*
Stazione "al Tevere", 14 marzo, le cinque di pomeriggio

Il centurione Publio Sestio raggiunse la *mansio* percorrendo circa tre miglia verso oriente, entrò dal portone principale e scivolò a terra, non senza sforzo. Vacillò per un momento, si riprese. Il complesso, ormai non lontano da Roma, era sorvegliato da guardie armate e qualche ufficiale dell'esercito. Publio si avvicinò a una guardia mostrando il *titulus*: «Chiamami il tuo comandante. Sono in missione e devo prendere il traghetto ma non ho un asse. Inoltre se possibile mangerei qualcosa: non mi reggo in piedi».

«Dai un'occhiata in quella madia. L'oste non ha ancora smaltito la sbornia di ieri sera e non credo voglia mettersi ai fornelli.»

Mentre Publio Sestio frugava fra pezzi di pane raffermo e qualche crosta di formaggio, la guardia si allontanò per presentarsi all'ufficiale responsabile del posto: «C'è di là un centurione della Dodicesima che va molto di fretta e ha bisogno di soldi per il traghetto. Ha l'aria del tale che stiamo aspettando, no?».

«Sì, è lui di sicuro. Digli che lo attendo. Fallo venire qui.» La guardia trovò Publio Sestio che sbocconcellava un pezzo di pane con un po' di formaggio deglutendo le dure croste con qualche sorso d'acqua.

«Il responsabile vuole vederti subito, centurione. Seguimi.»

L'atteggiamento, il tono della voce, l'espressione fecero sì che un semplice invito risuonasse all'orecchio di Publio come un ordine tassativo. Subodorò una trappola.

«Il comandante ti vuole subito» ripeté la guardia. «È importante.»

Publio fu certo che qualcuno lo attendeva per arrestarlo, forse per ucciderlo. Si volse alla rastrelliera dei cavalli, ne vide uno con morso, briglie e finimenti e gli saltò in groppa spronando.

La guardia gridò: «Ehi, che fai? Chiudete la porta, presto!».

Attirato dalle grida l'ufficiale si affacciò alla porta del posto di comando. A sua volta gridò: «No, fermatelo!».

Due inservienti tentarono di chiudere il portone ma era evidente che non vi sarebbero riusciti. L'ufficiale gridò ancora: «Aspetta, devo parlarti!».

Publio Sestio non sentì, il rombo degli zoccoli del cavallo sull'impiantito era troppo più intenso di qualunque parola.

Un arciere di guardia sulla torretta che sovrastava la porta d'ingresso pensò a un ladro di cavalli in fuga, vide il cavaliere allontanarsi lungo la strada, incoccò la freccia e prese la mira. L'ufficiale comandante lo vide e gridò: «No, non tirare!» ma la freccia era già partita e si conficcò nella spalla di Publio. Il centurione sembrò sul punto di crollare a terra, ma si riprese, e sospinse di nuovo il cavallo al galoppo.

L'ufficiale della *mansio* imprecò contro il suo maldestro sottoposto che aveva ferito un uomo di Giulio Cesare in persona e fece uscire un drappello per riportarlo indietro e curarlo. Ma Publio Sestio, approfittando dell'oscurità dell'ora, imboccò un sentiero laterale, si addentrò in un bosco e si nascose in una fitta macchia di tassi, rovi e pinastri, restando immobile e in silenzio. Sentì nella pioggia il galoppo dei suoi inseguitori passare non molto distante e subito svanire in lontananza.

Rimase, acuto, il dolore.

La freccia gli era penetrata nel muscolo e l'aveva passato da parte a parte. Estrasse il pugnale e incise l'asticella che portava la punta del dardo fino a troncarla. Poi sguainò la spada, l'appoggiò di piatto al troncone, strinse i denti e sferrò un colpo con una grossa pietra spingendo all'indietro l'asticella fino a farla uscire dall'altra parte. Si fasciò stretto con un pezzo del suo mantello e riprese, a denti stretti, il viaggio cercando di dirigersi verso il fiume. Avanzò a piedi con cautela fermandosi ogni tanto a origliare per sentire se qualcuno lo seguisse. Finalmente uscì in luogo aperto, una radura erbosa che terminava sulla sponda del fiume. A poca distanza alla sua sinistra c'era un'insenatura con un traghetto a fune che dondolava sulle onde e alcune barche all'ormeggio. Una era abbastanza grande per trasportarlo assieme al suo cavallo e si avvicinò al barcaiolo.

«Amico» gli disse, «ho bisogno che tu mi porti a Roma al più presto ma non ho un asse per pagarti. Sono un centurione della Dodicesima e ti giuro sulla mia parola che all'arrivo sarai pagato il doppio del prezzo normale della traversata. Se così non fosse potrai tenerti il mio cavallo. Che ne dici?»

Il barcaiolo staccò la lanterna dalla prua della barca e gliel'alzò in faccia: «Dico che sei conciato da far paura e che qualcuno deve prendersi cura di te o ci lascerai la pelle».

«Portami a Roma, amico, e non te ne pentirai.»

«Un centurione della Dodicesima hai detto? Ti porterei per niente se non avessi una famiglia da mantenere... Sali che si parte.»

Publio Sestio non se lo fece dire due volte: guidò per le briglie il suo cavallo su per la passerella e lo sistemò a bordo legando con funi i finimenti all'albero e ai parapetti. Il barcaiolo ritirò la passerella, mollò gli ormeggi e la barca prese il filo della corrente. Publio Sestio scese nella stiva barcollando sfinito dalla febbre e dalla stanchezza; si distese su un mucchio di reti coprendosi con il mantello e sprofondò nel sonno.

Alla *mansio* l'ufficiale comandante vide tornare i suoi a mani vuote e s'infuriò: «Ma vi rendete conto? Quello era un uomo di personale fiducia di Giulio Cesare e non solo l'avete quasi ammazzato, non siete nemmeno riusciti ad arrivargli dietro, un uomo sfinito e ferito. E adesso che cosa facciamo, eh? Me lo dite che cosa facciamo?».

I componenti del drappello stavano muti e confusi: «È già scuro comandante... non è facile trovare un uomo nel bosco».

«Idioti! Aveva detto che gli servivano soldi per il traghetto. È là che dovevate cercarlo. Trovatelo, altrimenti siamo tutti nei guai fino al collo, avete capito? Se lo vedete, parlategli da lontano. Fategli capire che è stato un errore, che abbiamo per lui una comunicazione importante. Muovetevi accidenti a voi!»

Gli uomini ripartirono veloci verso la sponda del fiume ma anche là non trovarono traccia dell'uomo che stavano cercando: non rimase loro che tornare a riferire l'esito infelice del loro ultimo tentativo. Nubi nere coprirono la luna e il tuono rimbombò sui mari lontani.

Romae, in insula Tiberis, pridie Id. Mart., prima vigilia
Roma, isola Tiberina, 14 marzo, primo turno di guardia,
le sette di sera

All'isola Cesare fu accolto da otto colpi di tamburo e dal picchetto d'onore che gli presentò le armi. Arrivò l'intendente di Lepido a riceverlo e lo condusse nella sala in cui già gli ospiti attendevano chiacchierando. Lepido gli andò incontro con una coppa di vino e lo introdusse nella sala da pranzo, dove attendevano gli ospiti: una trentina circa. Cesare si sentì rinfrancato alla vista di quel numero contenuto, significava una permanenza tollerabile. E anche

202

la cena fu tranquilla: nessuna eccentricità, nessuna esagerazione e la conversazione fu perfino piacevole. Filosofica, principalmente. Se gli dèi esistessero e se fossero gli stessi in tutto il mondo, se fossero aspetti diversi di un unico dio o distinte persone espressione degli aspetti multiformi della natura. Se vi fosse un aldilà dove le buone azioni venissero premiate e quelle cattive punite come sostengono alcuni o se la mente umana fosse destinata a spegnersi senza avere nessuna rivelazione, nessuna visione della verità sprofondando nell'oscurità infinita e nel silenzio.

A poco a poco la conversazione si concentrò su un argomento ancora più inquietante: la morte. E ognuno dei presenti dissertava su un argomento di tale gravità non senza eleganza e leggerezza.

Lepido si rivolse a un certo punto a Cesare chiedendo: «Secondo te, quale sarebbe la morte migliore?».

Cesare colse nei suoi occhi un'espressione che non seppe decifrare. Volse lo sguardo agli altri commensali che aspettavano in silenzio la risposta. Poi tornò a guardare Lepido e rispose: «Rapida. E improvvisa».

CAPITOLO XVIII

Viae Cassiae, ad X lapidem ab Ocriculo, Idibus Martiis, tertia vigilia
Via Cassia, decimo miglio da Ocricoli, 15 marzo,
terzo turno di guardia, prima dell'una di mattina

Lontano, sulla via Cassia deserta e flagellata dal temporale, Rufo continuava ad avanzare al galoppo sotto lo scrosciare della pioggia, fradicio, i capelli incollati alla fronte. L'ansito del suo cavallo, il rullare ossessivo degli zoccoli sul terreno, la luce stessa dei fulmini, lo caricavano di una eccitazione montante, di un'energia poderosa. A un tratto sentì che quel ritmo s'interrompeva, che il respiro dell'animale si trasformava in un rantolo e tirò a sé le redini.

Un lampo gli scoprì davanti per un attimo la pietra miliare che segnava la distanza dall'Urbe. Balzò a terra e restò immobile sotto l'ira del cielo accarezzando il muso del suo cavallo schiumante di bava, fumante di vapore. Si commosse alla vista di tanta fatica e gli tolse le briglie per lasciarlo libero e proseguire per l'ultimo tratto con l'altro.

«Addio, amico, buona fortuna» gli disse e, montato sul secondo cavallo, spronò, tuffandosi nel muro d'acqua che si rovesciava dall'alto. L'animale lasciato libero nitrì e scalciò verso il cielo poi si fermò, restò immobile a testa bassa sotto il diluvio.

Romae, in Domo Publica, Id. Mart., *tertia vigilia*
Roma, residenza del pontefice massimo, 15 marzo,
terzo turno di guardia, l'una di mattina

Cesare tornò alla sua dimora accompagnato da Antonio.
Era cupo, e taciturno.

«Qualcosa ti ha turbato Cesare?» domandò Antonio.

«No. Ma non mi sento bene. Sono stanco, da tempo non
riesco a riposare a sufficienza. Le preoccupazioni mi assillano, le responsabilità mi pesano come mai prima. Temo di
non potere condurre a termine il mio compito, di perdere
la mia dignità.»

«È capitato anche a me. Durante il mio consolato mi sono
trovato più volte in questa situazione, ho commesso errori
che non mi sarei aspettato... Forse non siamo fatti per la
politica. Il nostro posto è sul campo di battaglia. Una volta
alla testa delle tue legioni ritroverai la forza e la fiducia in
te stesso. E io con te.»

«Può essere» rispose Cesare. «Sta di fatto che ora mi sento
così e non credo che le cose andranno meglio finché mi tratterrò a Roma. E l'assenza prolungata di Silio non mi aiuta.»

«Non sapevo che Silio fosse assente, che cosa è successo?»

«Ieri sera dopo che ve ne siete andati mi ha chiesto di
potere lasciare la casa e mi ha fatto capire che si trattava di
un incontro galante. Non me ne sono preoccupato, ma da
allora non s'è più visto e non so cosa pensare.»

«Vedrai che si rifarà vivo presto, è un uomo che sa il fatto
suo. Comunque ci siamo noi, Cesare. Siamo al tuo fianco e
sai che su di noi puoi sempre contare. Domani ci vedremo
in senato.»

Cesare lo guardò e per un istante la scena dei Lupercali
gli si presentò agli occhi così vivida e reale che credette di
vedere nelle mani di Antonio la corona d'oro che stava per
porgli sul capo. Di questo gli aveva già parlato, il giorno
stesso, in uno scontro furibondo. Antonio si era scusato
dicendo che non si era reso conto della situazione. Cesare
non disse nulla ed entrò.

Antistio lo aspettava con la pozione. Calpurnia gli aveva fatto preparare un bagno perché si rilassasse prima del riposo.

Un tuono rumoreggiò sulla città.

Calpurnia si sedette accanto alla vasca. La luce delle lampade spandeva un riflesso dorato sulle sue guance. Calpurnia era dolce in quei momenti, una soave compagna. Cesare le sfiorò la mano.

«Lo sai? Antistio ha portato con sé un ragazzo.»

«Un ragazzo? Curioso. Sai chi è?»

«No. Ha detto che si è rifugiato da lui perché il suo padrone lo massacrava di botte.»

«Se Antistio ha pensato di tenerlo con sé ci sarà una ragione. Sicuramente si metterà in contatto con il proprietario e gli farà capire che non deve più infierire sul ragazzo.»

Calpurnia si strinse nelle spalle: «Sarà come dici tu. A me sembra strano. Dovresti interrogarlo».

Cesare cambiò bruscamente argomento: «Conosci l'augure Spurinna?» le domandò.

Calpurnia si mostrò sorpresa: «So chi è ma non gli ho mai parlato».

Avrebbe voluto aggiungere che quell'uomo inquietante faceva parte della cerchia di un'altra donna, sua rivale. Oppure avrebbe preferito tacere, ma sentì che Cesare desiderava parlare e proseguì: «Dicono sia un veggente. Conosco persone che lo consultano. Perché me lo chiedi?».

Cesare esitò, come se dovesse vincere un ritegno: «L'altro giorno» disse alla fine «l'ho incontrato».

E la scena si ripropose nitida alla sua vista. L'effetto terribile della sua malattia gli ripresentava il passato con improvvisa violenza. Si sentiva immerso nell'evento che gli tornava alla memoria e la sua stessa voce gli giungeva lontana, come fosse quella di un'altra persona intenta a descrivere ciò che vedeva in quel momento: «Ha un aspetto spaventoso, occhiaie profonde, scure, volto scavato, macilento».

Poi non udì più nulla, vedeva solo le labbra di Spurinna muoversi senza emettere suono.

Scosse il capo come per scacciare la visione e in quell'attimo udì la voce di Calpurnia pronunciare con angoscia poche parole: «Le Idi di marzo sono oggi».

Cesare aveva capito. Rispose con voce atona: «Infatti».

Nessuno dei due parlò più. Si udiva solo il gorgoglio dell'acqua che scorreva da una bocca marmorea di satiro dentro la vasca.

Calpurnia ruppe il silenzio insopportabile: «I veggenti e gli oracoli sono ambigui per loro natura, così qualunque cosa accada possono sempre dire di averla prevista».

«È vero» rispose Cesare, «ma perché le Idi di marzo?»

«Perché no?» replicò Calpurnia. «Avrebbe potuto dire qualunque data.» Ma la sua voce tradiva la preoccupazione.

«Io non lo credo» rispose Cesare. «Lui pensava a qualcosa di concreto: gliel'ho letto negli occhi. Io so leggere negli occhi degli uomini. L'ho fatto tante volte: gli occhi dei miei soldati, dei miei ufficiali. Tensione, paura malcelata, malumore, rassegnazione. Un comandante deve saper leggere negli occhi degli uomini.»

Calpurnia cercò di sostenere la sua ipotesi: «Magari ha visto un'infermità, o la perdita di una persona cara, o...».

«... la perdita di tutto» concluse Cesare, tetro.

Gli occhi di Calpurnia si riempirono di lacrime: «Lo sai che non posso sopportare questi discorsi. Io non ho questo tipo di forza. Ho sopportato tante cose... lo sai, senza venire mai meno alla mia dignità di sposa di Cesare. Ho sopportato perfino la mancanza di figli, non averti potuto dare un erede. Ma questo no».

Scoppiò in lacrime.

Cesare uscì dal bagno e si avvolse in un telo di lino. Sfiorò con la mano il capo di Calpurnia: «Non piangere, ti prego. Siamo tutti molto stanchi e io mi sento solo. Silio non torna. Di Publio Sestio non ho notizie da giorni. Vieni, cerchiamo di riposare».

Un tuono deflagrò sopra la Regia e il cielo aprì le sue cateratte. Un rovescio di pioggia misto a grandine crepitò sul tetto dell'edificio e subito dopo si udì lo scrosciare delle gronde. Ogni antefissa sul tetto vomitò dalla bocca un getto d'acqua torbida sull'impiantito sottostante, i lampi illuminarono di luce gelida il ghigno delle maschere satiresche.

Nel letto nuziale, Calpurnia si avvicinò allo sposo e gli passò un braccio sul petto, gli appoggiò la guancia sulla spalla. Lo tenne così finché sentì che il suo respiro si faceva più profondo e regolare e che Giulio Cesare dormiva. Allora anche lei si abbandonò al sonno, cullata dal rumore dell'acqua sul tetto.

Romae, in Domo Publica, Id. Mart., tertia vigilia
Roma, residenza del pontefice massimo, 15 marzo, terzo turno
di guardia, le due di mattina

La statua di marmo di Giulio Cesare all'ingresso della Regia luccicava sotto gli scrosci di pioggia. Il dittatore perpetuo teneva il braccio alzato nel gesto allocutorio e la corazza che indossava, scolpita in un marmo grigio, sembrava vero metallo. Un lampo la illuminò e subito dopo un fulmine la colpì in pieno, disintegrandola. I pezzi crollarono al suolo rotolando con fragore sulla gradinata di accesso. Sul piedistallo restarono solo le gambe troncate sotto le ginocchia e ˙ piedi avvolti dalle stringhe dei calzari militari.

Svegliata di soprassalto dallo schianto del fulmine, Calpurnia balzò sul letto e vide che i battenti della finestra si erano sganciati e urtavano rumorosamente contro il muro esterno. Vide la statua in pezzi e gridò atterrita. Un grido acuto e prolungato che Cesare interruppe stringendola a sé sul letto

«Calmati, è solo una finestra che sbatte.»

«No!» rispose Calpurnia. «Guarda, la tua statua è stata colpita da un fulmine, è andata in pezzi! È un presagio terribile...» Si alzò e corse al davanzale, seguita da Cesare che aveva tentato invano di fermarla.

Cesare guardò di sotto. La statua era al suo posto.

«È stato solo un sogno» disse. «Non è successo nulla. La statua è intatta.»

Calpurnia si avvicinò esitante come se temesse di guardare. Cesare aveva ragione: la statua, ritta sul piedistallo, luccicava di pioggia a ogni lampo.

«Adesso torna a dormire» disse Cesare. «Cerca di calmarti.» E mentre pronunciava quelle parole sentiva montare il terrore per un attacco del suo male. Avvertiva il sudore freddo rigargli la fronte. Scese al piano terreno con la scusa di un bicchiere d'acqua e si avvicinò alla camera di Antistio per svegliarlo ma all'ultimo rinunciò.

Era stata un'impressione. Forse un incubo, come quello di Calpurnia.

Entrò nel suo studio dove ancora ardevano le lucerne a olio appese a un grande candelabro di bronzo. Lo sguardo gli si posò sul tavolo dove su un leggio stava disteso il rotolo dei suoi *Commentarii de bello Gallico*. Vi pose sopra la mano e lo fece scorrere, srotolandolo da una parte e arrotolandolo dall'altra. Come per caso si fermò al capitolo della grande battaglia contro i Nervii e vide la scena, così intensa e fisica che gli parve di udire le grida e di sentire l'odore acre del sangue.

Lui combatteva in prima linea, un Gallo gigantesco lo colpiva con l'ascia, gli spezzava lo scudo. Si difendeva con la spada, ma scivolava sul terreno viscido di sangue, crollava sulle ginocchia, ecco, stava per essere ucciso quando Publio Sestio, ferito più volte, si lanciava sul nemico passandolo da parte a parte con la spada. Poi gli porgeva la mano, lo aiutava a rialzarsi.

«Ce la faremo, comandante!»

«Ce la faremo, centurione!»

Una voce risuonò alle sue spalle: «Cesare... che cosa fai qui? Ho sentito dei rumori... Perché non cerchi di riposare? Ti preparo ancora un poco della tua pozione?».

«Antistio... No, sono sceso per prendere un bicchiere d'acqua e mi sono fermato... a spegnere le lampade.»

«Come ti senti?»

«Credevo che stesse per venirmi un attacco e invece no, sto bene.»

«Notizie di Silio?»

«No, purtroppo.»

«E di Publio Sestio?»

«Nemmeno. Pensavo di mandare un messaggio alla stazione di cambio, nel caso lo vedano...»

«Lo ha già fatto Silio, me l'ha detto lui. Se arriva, lo fermeranno per dirgli di venire subito da te.»

«Bene... bene...» annuì Cesare meditabondo. «Allora torno a letto.»

Spense le lucerne, una dopo l'altra mormorando fra sé: «Dove sei, dove sei Publio Sestio?».

Romae, in Domo Publica, Id. Mart., ad finem quartae vigiliae
Roma, residenza del pontefice massimo, 15 marzo, fine del quarto turno di guardia, le sei di mattina

Cesare era già in piedi, turbato dall'incubo di Calpurnia aveva dormito soltanto poche ore. Antistio lo sentì, indossò una veste da notte e andò in cucina a preparare una pozione calda di erbe aromatiche e con quella lo raggiunse nel suo studio. Si udiva da occidente il suono della buccina che annunciava l'ultima vigilia.

«L'ultimo turno di guardia che smonta.»

«Sì. Oggi sarà una giornata lunga e faticosa: prima la seduta in senato, quindi la riunione ristretta con il tuo stato maggiore, la cerimonia in Campidoglio nel tardo pomeriggio. E hai un altro invito a cena...»

«Portami un mantello» rispose Cesare. «Ho freddo.»

«Non ti senti bene?»

«Sento dei brividi e ho mal di testa.»

Antistio cercò di scherzare: «Il vino di Lepido non è rinomato per essere del migliore».

«Non credo sia colpa del vino. Da tempo non riesco a riposare.»

Antistio gli toccò la fronte: «Hai la febbre. Sdraiati adesso e cerca di rilassarti. Ti farò preparare qualcosa che ti faccia sudare».

Cesare si distese su un divano e si portò una mano alla fronte. Avrebbe voluto chiedere notizie di Silio o di Publio Sestio ma ormai si era convinto che non c'erano più speranze.

CAPITOLO XIX

Romae, in aedibus Ciceronis, Id. Mart., hora secunda
Roma, casa di Cicerone, 15 marzo, le sette di mattina

Cicerone aveva fatto colazione ed era già vestito per la giornata che si preannunciava fresca con la sua tunica invernale di lana. Leggeva prendendo appunti su una tavoletta cerata. Un'altra invenzione di Tiro, che stendeva due strati di cera, il primo in basso di colore scuro, il secondo in alto di colore bianco naturale. Lo stilo incideva lo strato superiore e la scrittura appariva scura sul bianco come se uno scrivesse sulla pergamena con l'inchiostro.

Il tocco discreto sulla porta doveva essere il suo e Cicerone lo fece entrare: «Vieni avanti».

Tiro entrò tenendo fra le mani una lettera: «È di Tito Pomponio» disse. «Il suo servo l'ha recapitata poco fa. È urgente».

Cicerone l'aprì.

Idi di marzo
Tito Pomponio Attico al suo Marco Tullio: salute!
Ieri non sono stato bene, un forte mal di testa mi ha tormentato tutta la giornata e mi ha impedito di attendere alle mie occupazioni. La mia solita pozione di malva e rosmarino non mi ha giovato e anche oggi le mie condizioni non sono migliori. Dunque non potrò farti visita e me ne dolgo. Il temporale mi ha tenuto sveglio per buona parte della notte e sono certo che se uscissi il vento e l'umidità farebbero peggiorare il mio mal di testa. Esorto anche te a non uscire di casa e a riguardarti perché anche oggi ci sarà tramontana. Stammi bene.

Cicerone richiuse la lettera. "Malva e rosmarino" era l'espressione in codice che indicava un messaggio criptato e il segnale di gravità era indicato dal contenuto del tutto ordinario che contraddiceva l'urgenza dichiarata dal messaggero.

Il giorno prestabilito per l'impresa era arrivato. Le Idi di marzo!

«Ti ho fatto preparare la lettiga, padrone» disse Tiro. «La seduta oggi è alla curia di Pompeo.»

Cicerone si alzò e ripose la lettera nello scaffale che aveva alle spalle: «Non mi sento molto bene» rispose senza voltarsi. «Meglio che non esca di casa.»

Romae, in Domo Publica, Id. Mart., hora secunda
Roma, residenza del pontefice massimo, 15 marzo,
le sette di mattina

Il temporale della notte aveva lasciato non poche tracce in città: rami secchi spezzati giacevano un po' ovunque assieme a foglie morte rimaste attaccate alle piante per tutto l'inverno, tegole cadute dai tetti e andate in frantumi, imposte divelte trascinate dal vento lungo le strade e abbandonate contro i muri o sui marciapiedi. Negli angoli dei giardini e dei portici restavano grumi di grandine non ancora sciolta. L'aria, adesso, era limpida e fredda.

Con il sorgere del sole il cielo si era rischiarato; solo qualche nube sfilacciata passava veleggiando nell'azzurro intenso. In lontananza, verso oriente, le cime dei monti erano bianche di neve.

Cesare aveva fatto colazione e si preparava a uscire. Ritto nel mezzo dell'atrio, rivestito di una candida tunica laticlavia lunga fino ai piedi, osservava i servi che lo aiutavano a completare il suo abbigliamento. Uno gli fermava la cintura in vita, un altro gli allacciava un paio di eleganti calzari, altri due gli drappeggiavano la toga orlata di porpora, sulle spalle e attorno al braccio sinistro.

Calpurnia in disparte lo osservava preoccupata. Appena i

servi se ne furono andati riprese il discorso che aveva lasciato interrotto al loro arrivo: «Ho avuto degli incubi terribili, premonizioni inquietanti: prima la tua statua in pezzi, poi ho sognato che ti tenevo fra le braccia, ferito, morente... non andare ti prego. Non uscire di casa».

«Ascoltami, Calpurnia: sei una donna colta e intelligente. Non puoi credere ai sogni. Sono soltanto le conseguenze delle nostre angosce diurne, delle nostre paure o dei nostri desideri. Il sogno ci presenta ciò che già abbiamo vissuto, non quello che dovremo ancora vivere. Sai perché hai fatto quei sogni? Perché presti orecchio a certe dicerie e perché io stesso ho avuto la brutta idea di parlarti di Spurinna e del suo vaticinio. Ecco tutto.»

Calpurnia lo guardava con gli stessi occhi sbarrati umidi di lacrime. La sua mente era dominata dagli incubi e le parole di Cesare non valevano a dissiparli.

«Che cosa dovrei fare, secondo te? Mandare a dire al senato che non posso andare alla seduta che io stesso ho convocato perché mia moglie ha fatto dei brutti sogni?»

«Non stai bene» replicò Calpurnia. «Hai la febbre e nemmeno tu hai dormito abbastanza. Si vede.»

«Non se ne parla. Che cosa penserebbero di me? Voglio che approvino ingenti stanziamenti per i miei veterani e non mi presento perché non sto tanto bene?»

Calpurnia si tormentava le mani, cercava di asciugarsi le lacrime che le scendevano sulle guance: «Che cosa posso fare perché tu non esca da questa casa? Ricordarti che mi sei debitore? Che non ho mai detto una parola né mutato la mia condotta quando tutti sapevano che mi tradivi? Devo ricordarti che ho sempre custodito la tua casa con devozione anche quando la regina d'Egitto ti ha partorito un figlio, anche ora che – ne sono certa – continua a mandarti ardenti messaggi d'amore?».

Cesare si volse verso di lei di scatto, la collera avvampava nel suo sguardo ma Calpurnia non smise di incalzarlo: «Sì, puoi maledirmi, imprecare, disprezzarmi, ma fai una cosa per me, una sola! Non lasciare queste sacre mura in un giorno così infausto. Non ti ho mai chiesto nulla, non ti chiederò mai più nulla. Ti lascerò partire a ciglio asciutto quando verrà il momento. Fallo per la tua sposa legittima, non ti chiedo altro».

Non riuscì a trattenere il pianto.

Cesare restò a guardarla in silenzio, turbato. Alla fine cedette: «E sia. Cercherò di trovare un pretesto che non mi renda ridicolo E ora, ti prego, lasciami solo».

Calpurnia uscì in lacrime e Cesare chiamò il medico: «Antistio!».

«Eccomi, Cesare» rispose accorrendo.

«Manda un corriere al senato, fai annunciare che non posso andare alla seduta. Inventa tu una scusa plausibile.»

«Stai male, Cesare. Non basta?»

«No. Ma non ti mancheranno argomenti più gravi.»

«Naturalmente. E non ho bisogno di inventarli.»

«Allora vai. Non posso fare attendere i senatori.»

Antistio si gettò sulle spalle un mantello e si diresse verso il Campo Marzio. Attraversando il foro vide passare sul bordo settentrionale della piazza Cassio Longino, Tillio Cimbro, Publio Servilio Casca, e altri che non conosceva. Camminavano spediti, in gruppo. Cassio portava con sé un giovinetto, probabilmente suo figlio, che quel giorno avrebbe rivestito la toga virile.

Tirava un vento freddo da tramontana ma il cielo era quasi sgombro e il sole splendeva sulla città. A mano a mano che si avvicinava alla curia di Pompeo, dove si sarebbe tenuta la seduta, Antistio vedeva le lettighe di diversi nobili senatori che aveva imparato a riconoscere. Altri, fra i più tradizionalisti, andavano a piedi camminando di buon passo, altri ancora, affaticati dall'età, si appoggiavano a un bastone o erano sostenuti dai figli.

Vide Licinio Celere, Aurelio Cotta, Publio Cornelio Dolabella, riconobbe un anziano senatore amico di Cicerone, Popilio Lenate, e poi Gaio Trebonio e altri ancora. Affrettò il passo per arrivare prima della maggior parte di loro e quando fu giunto a destinazione si guardò intorno rendendosi conto che in pratica i senatori erano quasi tutti presenti. Non riuscì a vedere Cicerone ma vide Decimo Bruto e, poco dopo, Marco Junio Bruto. Torvo.

Si avvicinò al tavolo del senatore incaricato di redigere il verbale della seduta e gli comunicò il messaggio: «Cesare non potrà venire oggi. È indisposto e febbricitante e ha passato una notte agitata. Ti prega di presentare le sue scuse all'Assemblea».

Stava ancora parlando quando si avvicinò Decimo Bruto: «Che cosa succede, Antistio?».

«Cesare sta male, non potrà venire in senato questa mattina.»

«Che cosa? Non è possibile.»

«È come ti dico. Ha passato una brutta notte, ha la febbre. Ha chiesto di rimandare la seduta.»

Decimo Bruto si rivolse al cancelliere: «Non dare nessuna comunicazione finché non torno».

Antistio restò turbato dalla freddezza di Decimo Bruto che non aveva nemmeno chiesto che tipo di indisposizione avesse il suo comandante e amico. Tornò indietro per vedere che cosa sarebbe successo.

Un brusio percorse i gruppi di senatori che forse già si consigliavano sui temi da trattare in giornata. Adesso avevano qualcos'altro di cui discutere. Vide molti volti preoccupati, alcuni lasciare un gruppo e raggiungerne un altro, altri bisbigliare qualcosa all'orecchio di qualcuno che annuiva gravemente o mostrava sorpresa, preoccupazione, turbamento.

Uscì attraversando il grande portico e corse verso casa ma evitò di accompagnarsi a Decimo Bruto che lo precedeva di qualche decina di passi. Alla fine entrò nella Regia poco dopo di lui. E subito udì la sua voce e quella di Cesare.

«Cesare, il senato ti aspetta, che succede?»

Cesare stava sdraiato su un divano, scuro in volto. Antistio entrò in quel momento: «Credo di avere già risposto» disse. «Non vedi che sta male?»

Decimo Bruto, senza nemmeno voltarsi, si avvicinò a Cesare e lo guardò: «Non mi sembra tanto grave...».

«Decido io se è grave o non è grave» replicò Antistio. «Ha avuto anche un attacco di asma» mentì. «Deve riposare.»

Decimo Bruto dominò a stento la sua indignazione contro il piccolo Greco che osava contraddirlo. Lo ignorò e si rivolse a Cesare: «Hai convocato il senato, mancare verrebbe interpretato come un insulto e disprezzo per la sua dignità. In nome degli dèi, non farlo. Abbiamo già abbastanza difficoltà».

Calpurnia entrò in quel momento: «È malato. Riferisci al senato che Cesare non è in grado di presiedere la seduta. Sta male, lo vedrebbe anche un cieco».

«Non presentarsi sarebbe peggio di questo piccolo sforzo. Andrà in lettiga. E poi deve solo fare atto di presenza: salutare il senato, manifestare il suo rispetto, quindi scusarsi per le sue condizioni di salute e tornare a casa. In un'ora sarà di ritorno. Non presentarsi sarebbe un errore politico madornale. Alimenterebbe dicerie, pettegolezzi, malignità e calunnie di ogni genere.»

Cesare si alzò a sedere e si rivolse a Calpurnia: «Decimo ha ragione. Mi presenterò e me ne tornerò indietro. Giusto il tempo di farmi vedere e scambiare qualche parola con i presenti e in breve sarò di nuovo qui. Fra poco pranzeremo insieme, Calpurnia, stai tranquilla».

Le si avvicinò e con tono affettuoso le disse: «Non hai motivo di preoccuparti. Credimi».

Calpurnia lo guardò affranta e rassegnata. Capiva di aver perduto, aveva gli occhi pieni di lacrime senza sapere il perché. Antistio non si mosse. Restò sulla soglia a guardare Cesare che si allontanava, accompagnato da Decimo Bruto verso la curia di Pompeo.

Romae, in aedibus Bruti, Id. Mart., hora tertia
Roma, casa di Bruto, 15 marzo, le otto di mattina

Il ragazzo raggiunse non visto l'appartamento di Artemidoro constatando che non c'erano più persone di sorveglianza a tenerlo d'occhio.

«Padrone» gli disse. «Che cosa fai qui?»

«Tu piuttosto» rispose Artemidoro.

«Antistio mi manda. Sono venuto ad avvertirti che Cesare è uscito di casa. Aveva deciso di non andare perché sua moglie non voleva, ma poi è venuto un personaggio importante che si chiama come il tuo padrone.»

«Bruto?»

«Sì. Lo ha convinto, anzi quasi forzato ad andare in senato. A questo punto staranno per arrivare. Antistio è preoccupato, chiede se hai notizie per lui.»

«Dèi!» esclamò Artemidoro. «Presto, guidami fino a un'uscita praticabile.»

Mentre il ragazzo usciva nel corridoio, Artemidoro scrisse rapidamente su un biglietto poche parole:

La congiura si compirà quasi certamente oggi.
Ti consegnerò più tardi l'elenco dei congiurati.

Poi lo seguì fino a un'uscita secondaria.

«Prendi questo» gli disse porgendogli il biglietto. «Cerca di correre più forte che puoi e dàllo a Cesare prima che giunga alla curia. Io lo precederò all'ingresso con quest'altro. Uno di noi deve riuscire. Se per qualche ragione non ce la fai, vai da Antistio alla *Domus* e consegnalo a lui, e a lui soltanto. Riferisci che sto andando direttamente al senato a incontrare Cesare per consegnargli lo stesso messaggio.»

Il ragazzo imboccò un'altra strada e prese a correre per raggiungere Cesare prima che arrivasse a destinazione. Artemidoro si diresse più in fretta che poteva verso la curia. Il ragazzo intercettò il corteo di Cesare mentre stava per entrare nel Campio Marzio e cercò di avvicinarglisi ma la ressa era enorme. Tutti volevano parlargli, tutti cercavano di affidargli una petizione. Benché tentasse con tutte le forze di farsi largo, il ragazzo fu spinto indietro e ai margini e quasi gettato a terra. Provò ancora ma ormai aveva davanti un muro umano impenetrabile. Affannato e avvilito tornò verso la *Domus*. Quando vi giunse chiese dove fosse Antistio a uno dei servi, che gli rispose che era partito. Allora si sedette in un angolo della cucina.

«Aspetterò qui finché torna» disse. «Devo riferirgli una cosa di persona.»

Artemidoro si faceva largo fendendo la folla che ormai gremiva le strade e le piazze, non sapendo nemmeno lui perché si prendeva tanta briga. Forse pensava che il destino gli avesse concesso l'opportunità di cambiare il corso degli eventi e che non convenisse perderla.

Romae, ad Pontem Sublicium, Id. Mart., hora tertia
Roma, ponte Sublicio, 15 marzo, le otto di mattina

La barca accostò alla banchina dopo il ponte e il barcaiolo scese sotto coperta: «Siamo arrivati, comandante!» esclamò. «Ti sei fatto una bella dormita.»

Publio Sestio aprì gli occhi e subito li coprì con la mano per proteggersi dalla luce sfolgorante del sole, poi salì lentamente in coperta mentre il barcaiolo finiva di ormeggiare e gettava a terra la passerella. Il centurione sciolse il cavallo e lo fece scendere con cautela.

«Aspetta qui» disse, «manderò qualcuno a pagarti. Ho bisogno del cavallo.»

«Non ti preoccupare» rispose in barcaiolo, «so riconoscere un uomo di parola al primo sguardo. Aspetterò.»

Publio Sestio montò a cavallo e si diresse verso i giardini di Cesare.

Romae, in Curia Pompeii, Id. Mart., hora quarta
Roma, curia di Pompeo, 15 marzo, le nove di mattina

Cesare scese dalla lettiga poco prima di arrivare alla curia, preferendo giungere a piedi come sempre. Ma c'era un'altra folla di persone che lo attendeva all'ingresso. Dalle gradinate lo vide Antonio e gli andò incontro per fargli strada, mentre Decimo Bruto lo fiancheggiava per proteggerlo dagli urti della folla. C'era chi lo prendeva per la tunica, chi cercava di porgergli una supplica, chi una petizione, chi voleva semplicemente toccarlo perché lui era tutto ciò che ciascuno avrebbe voluto essere.

D'un tratto Cesare si arrestò perché aveva scorto, fra la gente che lo assediava, un personaggio che conosceva.

Spurinna. Il veggente.

Lo chiamò: «Spurinna!».

L'uomo si volse e coloro che gli si accalcavano attorno si fecero da parte intuendo che nessuno poteva interferire nel contatto di sguardi fra quei due uomini.

«Spurinna» riprese a dire Cesare con un sorriso ironico. «Ebbene? Oggi sono le Idi di marzo e non è successo nulla.»

L'augure lo fissò intensamente come se volesse dire: "Ma non capisci?".

Rispose: «Sì, ma non sono ancora trascorse». Poi si volse e scomparve tra la folla.

Artemidoro giungeva in quel momento, trafelato, il cuore che gli scoppiava. Non aveva mai corso così da quando frequentava il ginnasio da ragazzo a Cnido.

Antonio si stava avvicinando a Cesare.

Decimo Bruto lo salutava. La folla si ingrossava al loro passaggio. Artemidoro calcolò il punto in cui Cesare sarebbe arrivato dopo pochi passi e vi si diresse; sgomitando si portò in prima fila e quando se lo vide vicino gli mise in mano il rotolo quasi di forza dicendo: «Leggilo, ora!». E subito corse via, spaventato dal suo stesso gesto.

La calca aumentò al punto che Cesare venne sospinto quasi di peso verso l'ingresso della curia. Più volte cercò di aprire il rotolo ma la ressa dei postulanti, le spinte, la calca glielo impedirono. Altri senatori si fecero avanti creando una sorta di corridoio attraverso il quale potesse camminare tranquillamente fino all'aula. Antonio gli tenne dietro mentre Decimo Bruto sembrava volesse scambiare qualche parola con lui. Apparve in quel momento Gaio Trebonio e lo prese per un braccio trattenendolo all'esterno per dirgli qualcosa che gli premeva.

Cesare passò loro vicinissimo. Avrebbero potuto toccarlo.

Porzia non riusciva a trovare pace, l'ansia la torturava, cercava di calcolare il tempo dell'azione che si stava preparando, di contare i passi di suo marito e degli altri che si accingevano all'impresa ma non resisteva all'angoscia montante che la stritolava. Tornata un'ancella dal foro dove era andata a fare acquisti, le chiese se aveva sentito notizie di Bruto. Ma non avendo ottenuto alcuna risposta che la soddisfacesse chiamò un servo e gli comandò di correre alla curia a vedere se fosse successo qualcosa e poi, vedendo che non tornava, ne mandò un secondo.

L'attesa spasmodica dilatava per lei il tempo a dismisura e le faceva pensare che la mancanza di notizie di ritorno fosse dovuta al fatto che tutto era perduto, che l'impresa era fallita, Bruto e i suoi amici catturati, esposti al ludibrio.

In realtà i servi non tornavano perché non erano ancora arrivati.

L'ansia si fece per lei intollerabile, camminava avanti e indietro per l'atrio torcendosi le mani, si sentiva mancare il respiro, il cuore le batteva in gola. Cercò di raggiungere il proprio appartamento per stendersi sul letto, ma il battito del cuore divenne così forte e frequente che le venne meno il respiro. Le labbra bellissime si fecero smunte, il colorito del volto terreo, le gambe le si piegarono e crollò al suolo esanime.

Le ancelle accorsero gridando atterrite, cercarono di rianimarla ma ogni tentativo fu inutile. Le grida richiamarono i vicini che videro Porzia immobile e pallida, senza segni di vita. Si sparse la voce che era morta e qualcuno corse alla curia per avvertire Bruto di ciò che era accaduto.

Porzia si riprese non molto dopo e si rialzò. Ma nessuno di quelli che erano presenti sapeva che la notizia della sua morte era già partita verso la curia, dove ormai Bruto stringeva il pugnale e si apprestava a colpire.

Publio Sestio arrestò il cavallo davanti all'ingresso della villa e si rivolse all'ostiario mostrando il *titulus*: «Annunciami alla regina. Sono il centurione Publio Sestio. Mi sta aspettando. Poi manda qualcuno a pagare il barcaiolo che aspetta all'ormeggio del ponte Sublicio».

L'ostiario lo riconobbe, gli fece cenno di seguirlo e lo portò all'interno verso gli appartamenti di Cleopatra. La regina lo ricevette immediatamente: «Sei ferito» disse vedendolo barcollare, mortalmente pallido. «Ti faccio curare dai miei medici.»

«No» rispose Publio Sestio. «No, non c'è tempo. Ascolta regina, ho assolto al compito che mi hai assegnato: ho indizi importanti per ritenere che sia in atto una congiura per uccidere Cesare. E il fatto che in ogni modo si sia cercato di impedirmi di raggiungere la città e addirittura di uccidermi mi fa pensare che la cosa sia imminente. Ora permettimi di raggiungerlo e avvertire anche lui di persona.»

Cleopatra sembrò esitare: «Ne sei certo?».

«No, regina. Certo no, ma la cosa è altamente probabile. Dov'è lui ora? Io devo stargli vicino.»

«È alla seduta del senato» rispose Cleopatra.

«Prendi tutte le precauzioni che puoi per la tua incolumità. Io devo andare. Ti spiegherò dopo quello che sono riuscito a sapere.»

«Aspetta» disse la regina. Ma Publio Sestio era già partito.

Lei allora chiamò il precettore del bambino: «Prepara il principe» ordinò. «E fai tenere pronta la mia nave. Dobbiamo essere pronti a partire in qualunque momento.» Il precettore, un eunuco di pelle scura, si allontanò sollecito.

Marco Junio Bruto tentava di dominare il battito del cuore e cercava continuamente lo sguardo rassicurante di Cassio. Gli altri congiurati non erano in condizione migliore della sua. Ogni movimento, ogni parola inattesa li faceva trasalire.

Publio Servilio Casca sussultò quando un senatore lo prese per il braccio e si sentì ancora peggio quando, afferratagli la mano, gli sussurrò: «Lo sai? Bruto mi ha riferito il segreto che nascondi...».

Casca si vide perduto, fu sul punto di perdere il controllo e cominciò a balbettare: «Non è possibile, lui non...».

Ma l'uomo proseguì: «Lo so che vuoi presentarti candidato per diventare edile. E Bruto mi ha detto come hai fatto a fare tanti soldi da finanziarti la campagna elettorale».

Casca tirò un sospiro di sollievo e recuperò il controllo di sé, sufficiente per congedarlo bruscamente: «Non accetto insinuazioni di questo tipo, il mio comportamento è sempre stato ineccepibile».

Bruto s'era accostato a Cassio e stava conversando sottovoce con lui quando si avvicinò loro con un'espressione cordiale il vecchio Popilio Lenate, uno degli anziani dell'augusto consesso, e li prese in disparte bisbigliando: «Vi auguro di condurre a compimento il vostro piano. Ma fate presto, perché una cosa del genere non può rimanere a lungo nascosta».

Detto questo si allontanò in fretta lasciando Bruto e Cassio costernati.

Forse Popilio sapeva? E come lui quanti altri? Ma intanto Cesare era quasi giunto alla soglia dell'aula. Popilio gli andò incontro e Bruto lo vide: «Guarda!» disse. «Si sta avvicinando a Cesare... È finita, amico mio, stiamo pronti a darci una morte onorevole. Che il nostro sangue ricada sul tiranno! Passa parola agli altri.» Brandì il manico del pugnale sotto la toga. Cassio passò parola a Ponzio Aquila che gli stava accanto, il quale si rivolse a sua volta a Rubrio Ruga e questi a Gaio Casca.

Popilio Lenate cominciò a chiacchierare con Cesare con fare disinvolto e i due conversarono per un poco senza prestare attenzione ad altro. Nessuno riusciva a captare le loro parole.

I congiurati, avvertiti per passaparola, strinsero il pugnale e si avvicinarono ognuno al compagno con cui avrebbero dovuto scambiare fra breve il colpo letale.

Ma non accadde nulla.

Popilio aveva l'aria di chiedere e non di rivelare qualcosa. Baciò la mano di Cesare che sembrò rispondergli con parole rassicuranti.

Bruto guardò allora tutti gli altri con un'espressione tranquillizzante, annuendo con il capo come per significare che non c'era pericolo. Tutti si calmarono.

In quel momento arrivò un messaggero trafelato chiedendo di Bruto. Lo vide e gli si avvicinò ansimando, trattenendo a stento l'emozione: «Tua moglie, signore, Porzia...».

«Parla, che cosa è successo?»

«Sta molto male, o forse...»

«Che cosa?» insistette Bruto afferrandolo per le vesti.

«... forse è morta» rispose il servo e fuggì via.

Bruto chinò il capo affranto. Avrebbe voluto correre da Porzia ma non poteva abbandonare gli amici in quel momento. Per lui, comunque andasse, la giornata sarebbe stata funesta. Cassio gli appoggiò una mano sulla spalla.

Cesare andò a sedersi.

Un breve contatto di sguardi fra Cassio e Tillio Cimbro avviò l'azione successiva.

Cimbro si avvicinò a Cesare.

«Che c'è, Cimbro?» gli domandò lui. «Non chiedermi ancora che richiami dall'esilio tuo fratello. Sai come la penso e non ho cambiato idea.»

«Ma Cesare» replicò Cimbro. «Ti prego...» E così facendo si aggrappò alla toga che gli scivolò dalle spalle.

Era il secondo e definitivo segnale. Casca che si era portato alle spalle di Cesare vibrò il colpo.

Cesare urlò.

Il ruggito del leone ferito rimbombò nell'aula e fuori.

Gridò: «È un attacco!» e prima che il pugnale lo colpisse torse il busto impugnando lo stilo per trafiggere il braccio dell'assalitore. La mano di Casca tremò e il secondo colpo ferì solo di striscio. Ma ogni via di scampo era preclusa: dovunque Cesare si volgesse vedeva un pugnale proteso contro di lui.

L'intero senato s'incendiò di urla. Qualcuno gridò il nome di Cicerone.

Assente.

Fuori, Antonio si volse d'istinto verso l'aula ma la mano di Gaio Trebonio lo inchiodò al muro: «Lascia perdere. Ormai è fatta».

Antonio, atterrito, fuggì.

Gaio Trebonio brandì a sua volta il pugnale ed entrò.

Cesare cercava ancora di difendersi ma tutti gli erano addosso. Lo colpì Ponzio Aquila, e Cassio Longino, e di nuovo Casca e Cimbro, Ruga e lo stesso Trebonio...

Tutti volevano affondare il pugnale nel corpo di Cesare e s'intralciavano l'un l'altro o addirittura si ferivano. Cesare si dibatteva furiosamente urlando e buttando sangue da ogni ferita. La veste era arrossata e una pozza vermiglia si allargava sul pavimento. Ad ogni suo movimento i congiurati lo serravano da presso, lo braccavano come una belva in trappola, continuando a colpire tanto più duramente quanto la vittima era sempre più incapace di difendersi o anche solo di muoversi.

Ultimo, Marco Junio Bruto.

All'inguine.

Cesare mormorò qualcosa, fissandolo negli occhi, e si lasciò cadere.

Si tirò la toga sul capo come un sudario in un ultimo tentativo di salvare la propria dignità e crollò ai piedi della statua di Pompeo.

I congiurati levarono i pugnali insanguinati gridando: «Il tiranno è morto! Siete liberi!».

Ma i senatori fuggirono abbandonando precipitosamente gli scranni e si dileguarono all'esterno.

I pochissimi rimasti, quasi tutti aderenti alla congiura, seguirono Cassio e Bruto che attraversarono la città diretti verso il Campidoglio gridando ai pochi passanti spaventati: «Siete liberi! Romani, ora siete liberi!».

Nessuno osava unirsi a loro. Sbarravano porte e finestre, le botteghe venivano chiuse, il terrore e lo sgomento serpeggiavano ovunque.

Un vecchio accattone con le pelle rosa dalla scabbia li degnò appena di uno sguardo. Per lui non cambiava nulla.

Publio Sestio sopraggiunse al galoppo e balzò a terra davanti alla gradinata della curia su cui gocciolava sangue dall'aula.

Il cuore gli morì in petto.

Salì i gradini a uno a uno già certo di quanto era accaduto, invaso da un'infinita disperazione.

L'inutilità del suo sforzo.

La scena gli s'aprì davanti d'un tratto: il corpo sfigurato, la veste lorda di sangue. L'espressione impassibile della statua di Pompeo.

Il silenzio. Anch'esso insanguinato.

Da dietro il piedistallo apparve Antistio che lo aveva riconosciuto, gli occhi pieni di terrore e di lacrime.

«Aiutami» gli disse.

In quel momento entrarono tre dei quattro servi lettighieri portando la barella pieghevole che tenevano sempre pronta con la lettiga, secondo le istruzioni di Antistio. La deposero a terra.

Publio Sestio prese il corpo per le spalle e lo adagiò sulla barella, mentre Antistio lo sollevava per i piedi. Lo ricoprirono alla meglio con la toga intrisa di sangue.

I lettighieri alzarono il piccolo feretro e si diressero all'uscita.

Publio Sestio sguainò la spada e la protese in alto, irrigidito nell'ultimo saluto al suo comandante che veniva sollevato e condotto fuori dall'aula. Nello stesso istante il braccio di Cesare scivolò fuori dalla barella ondeggiando a ogni movimento dei portatori. E quella fu l'ultima immagine che s'impresse nella mente di Publio Sestio detto "il bastone": il braccio che aveva domato i Celti e i Germani, gli Ispanici, i Pontici, gli Africani e gli Egizi, che penzolava nel vuoto, appendice inerte di un corpo senza vita.

Viae Cassiae, ad VIII lapidem, Id. Mart., hora aecima
Ottavo miglio della via Cassia, 15 marzo, le tre di pomeriggio

Rufo arrivò di gran carriera alla stazione dell'ottavo miglio, meta agognata, spingendo il suo cavallo all'ultimo sforzo. Balzò a terra passando fra due sentinelle con il suo distintivo di *speculator* bene in evidenza.

«Dov'è l'ufficiale comandante?» chiese mentre si avvicinava al corpo di guardia.

«Dentro» rispose una delle sentinelle.

Rufo entrò e si presentò al giovane decurione in servizio: «Messaggio del servizio della repubblica. Priorità assoluta e massima urgenza...».

Il decurione si alzò in piedi.

«... il messaggio è: "L'aquila è in pericolo".»

Il decurione lo guardò cupo.

«L'aquila è morta» rispose.

CAPITOLO XX

Romae, in insula Tiberis, Id. Mart., hora undecima
Roma, isola Tiberina, 15 marzo, le quattro di pomeriggio

Lepido, asserragliato nel quartier generale, teneva consiglio con il suo stato maggiore sul da farsi quando fu annunciato l'arrivo di Marco Antonio.

Sporco e sudato, coperto da un mantello sdrucito, vestito come un pezzente, il console in carica fu condotto alla presenza di Lepido.

«Sappiamo tutto» disse Lepido. «Speravo che saresti venuto qui. Dove sei stato fino adesso?»

«In giro, nascosto. Ho visto quello che è successo dopo. Quei pazzi credevano che gridando "Libertà!" il popolo sarebbe accorso al loro fianco e li avrebbe acclamati come tirannicidi. E invece al foro per poco ci lasciavano la pelle appena qualcuno di loro ha cominciato a parlare contro Cesare. Hanno dovuto tornare precipitosamente in Campidoglio e per quello che ne so sono ancora là, assediati dalla folla inferocita. Comunque ho capito una cosa importante: non sanno che cosa fare. Non ne hanno idea. Nessuno si è preoccupato di pensare a che cosa sarebbe successo dopo. È incredibile ma è così.»

«Benissimo» fu la risposta di Lepido. «La Nona è acquartierata a poca distanza da qui, in pieno assetto da combattimento e in stato di preallarme. Un ordine e si getteranno sulla città. Li staneremo uno per uno e li...»

Antonio alzò la mano: «Nulla di tutto questo, Marco Emilio, sarebbe un grave errore. Il popolo ne verrebbe terrorizzato, il senato ancora di più. Tornerebbe il clima della guerra civile che lui voleva chiudere per sempre. Trattiamo».

«Che cosa? Ma sei pazzo?»

«Sono sanissimo di mente e ti dico che è l'unica cosa giusta da fare. Il popolo è frastornato, il senato atterrito e sgomento, la situazione confusa. Dobbiamo prendere tempo per volgere l'intera situazione a nostro favore, quindi non dobbiamo fare nulla che sparga terrore, sangue, disperazione. Dobbiamo far capire che l'eredità di Cesare è ancora viva e sarà perpetuata. La presenza dell'esercito in città deve essere limitata al minimo, quindi ritira la legione. Domani sera tu cenerai con Bruto e io con Cassio.»

Lepido ascoltava incredulo Antonio che gli spiegava come e cosa chiedere a Bruto e cosa concedere. Poi proseguì deciso: «Dobbiamo metterli a loro agio, far capire che rispettiamo i loro ideali di libertà e che anche noi li condividiamo. Solo quando saremo sicuri che la città è dalla nostra parte daremo inizio al contrattacco».

Lepido meditò in silenzio sotto lo sguardo dei suoi ufficiali, sei tribuni militari in tenuta da combattimento e infine disse: «E come dovrei rivolgermi al mio ospite? "Salve, Bruto, com'è andata stamattina in senato? Seduta movimentata ho saputo. Vuoi lavarti le mani?"».

«Non c'è da scherzare. Se facciamo sapere in giro che i capi dei due schieramenti politici opposti sono a cena insieme e trattano per il bene del popolo e dello stato, la situazione tornerà alla normalità e in senato passeranno i provvedimenti di Cesare, gli stanziamenti per i veterani e tutto il resto. E quando sarà il momento, faremo i nostri passi. Non temere. Tu fagli capire che possiamo condividere in parte il loro punto di vista, ma che Cesare era nostro amico e che abbiamo dei doveri da assolvere verso l'esercito e verso il popolo. Al resto penso io. Domani tornerò qui e prepareremo le prossime mosse.»

Lepido assentì: «Sei il console in carica. Si fa come dici tu, ma se fosse per me...».

«Benissimo» rispose Antonio. «Manda subito un manipolo di legionari a presidiare la Regia. Nessuno che non faccia parte della famiglia deve avvicinarsi al corpo di Cesare prima dei funerali. E adesso dammi degli abiti decenti e una decina di uomini di scorta, a cavallo.»

Lepido lo fece accomodare nel quartiere degli ufficiali e lo rifornì di quello che gli serviva.

Antonio uscì con la scorta e si diresse dall'altra parte del Tevere, verso la villa di Cesare.

La trovò abbandonata. Anche i servi erano fuggiti. Attraversò l'atrio e poi il peristilio fino al quartiere della servitù e si fermò davanti a una porticina ferrata chiusa dall'esterno. Prese la chiave dal sovraporta e aprì. Silio Salvidieno si fece avanti, lo sguardo incerto e dubbioso.

«Cesare è morto» disse Antonio. «Il resto non conta più niente.»

Silio spalancò gli occhi incredulo: «Che cosa?».

«Lo hanno assassinato, questa mattina alla curia di Pompeo. Una congiura ordita da Bruto e Cassio. Io sono stato trattenuto fuori con un pretesto. Non ho potuto fare nulla.»

Silio chinò il capo senza riuscire ad articolare parola. Gli occhi gli si riempirono di lacrime.

«Gli volevo bene anch'io» disse Antonio. «Qualunque cosa tu pensi. E chi lo ha ucciso la pagherà, te lo assicuro. Adesso torna da lui a rendergli l'ultimo saluto.»

Silio lo fissò per pochi istanti con gli occhi lucidi, pieni di sgomento e s'incamminò lentamente verso l'uscita.

Antonio lasciò due uomini di guardia e tornò con il resto della pattuglia al di là del Tevere diretto a casa.

Romae, in Colle Capitolio, Id. Mart., hora duodecima
Roma, colle Capitolino, 15 marzo, le cinque di pomeriggio

Gaio Casca, di guardia con alcuni armati sul lato settentrionale del Campidoglio, non credette ai suoi occhi quando vide il console superstite Marco Antonio salire dalla via Sacra assieme ai suoi figli preceduto dalla bandiera di tregua.

Casca tornò indietro di corsa a raggiungere suo fratello Publio: «Antonio chiede di parlamentare. È in fondo alla strada e ha portato con sé i figli».

«Che succede?» domandò Bruto.

«Antonio chiede di parlamentare e ha con sé i suoi figli» ripeté Gaio Casca. «È piuttosto strano.»

«Andate a sentire che cosa vuole.»

I due uscirono sulla spianata settentrionale e cominciarono a scendere anch'essi, preceduti dalla bandiera di tregua e da una coppia di uomini armati. In poco tempo si trovarono gli uni di fronte agli altri. Antonio parlò per primo:

«Ognuno di noi ha pensato di essere nel giusto facendo ciò che ha fatto, ma adesso lo stato è in preda alla confusione ed è necessario evitare di cadere di nuovo nel disastro della guerra civile. La repubblica deve essere restaurata nella pienezza dei suoi poteri e perché questo accada tutti dobbiamo rimettere piede in senato, e discutere il da farsi, in una regolare seduta. Per questo propongo che torniate in senato a discutere il futuro assetto dello stato. Abbiamo un'intera legione acquartierata fuori dalle mura e potremmo far valere la nostra forza, ma preferiamo un rapido ritorno alla normalità e porre fine al sangue Questa sera stessa aspetto Cassio a cena a casa mia e Bruto è invitato da Marco Emilio Lepido. In pegno e garanzia sono disposto a lasciarvi in ostaggio i miei figli.»

Publio si rivolse al fratello: «Vai a riferire. Io ti aspetto qui con la risposta».

Gaio Casca annuì e tornò verso la cima del colle. Ogni tanto si voltava a guardare i due piccoli gruppi a metà della rampa che si fronteggiavano immobili e in silenzio. I due ragazzi stavano seduti su un muretto a lato e parlavano fra di loro.

Cassio, Marco e Decimo Bruto, Trebonio e gli altri accettarono le condizioni e il messo raggiunse nuovamente i suoi per riferire che le condizioni erano accolte. Antonio salutò i suoi figli abbracciandoli e raccomandando loro un comportamento dignitoso fino a quando si sarebbero di nuovo ricongiunti, poi montò a cavallo e si allontanò.

Romae, in Domo Publica, Id. Mart., *prima vigilia*
Roma, residenza del pontefice massimo, 15 marzo,
primo turno di guardia, le sette di sera

Silio entrò con passo esitante come se mettesse piede nell'aldilà. Gli stipiti della porta erano velati di nero. Dall'interno giungevano pianti e lamenti. Attraversò l'atrio e arrivò nella sala delle udienze dove giaceva il corpo di Cesare. Antistio lo aveva fatto lavare e ricomporre e il volto era stato atteggiato dalla sapienza dei necrofori nella solenne gravità della morte.

Calpurnia, vestita di nero, piangeva sommessamente in un angolo. Aveva gli occhi gonfi e le guance pallidissime. Anche lei era stata sconfitta da una morte che pure aveva sentito approssimarsi e quasi annunciarsi.

Inascoltata, come Cassandra, dagli uomini e dagli dèi.

Antistio non disse nulla perché ciò che vedeva sul volto di Silio era troppo duro per essere scalfito da parole. Si fece da parte e si sedette su uno sgabello appoggiato alla parete, a capo chino. Tutti i loro tentativi erano andati frustrati. Antistio teneva fra le mani, insanguinato, il rotolo di pergamena di Artemidoro che conteneva la denuncia della congiura e la lista completa dei congiurati, il messaggio che non era mai stato aperto, che non aveva salvato la vita di Cesare per uno scherzo amaro della fortuna, per un istante in più che avrebbe cambiato i destini del mondo. Sullo sgabello c'era la tavoletta con i suoi appunti e c'era l'altro messaggio, quello che aveva portato il ragazzo di Artemidoro. Inutilmente. Sulla tavoletta aveva annotato con diligenza, come suo solito, la descrizione di ogni ferita. Erano tante, ma i colpi affondati nel suo corpo, quelli che avevano drenato fino all'ultima stilla di sangue, erano ventitré.

Uno solo mortale.

Al cuore.

Chi sarà stato? Chi aveva spaccato il cuore di Caio Giulio Cesare?

Pensieri che gli passavano per la mente in continuazione.

Inafferrabili, indefinibili, inutili: "Se avessi fatto... se avessi detto..."

Almeno si era abituato a vederlo morto, a considerarlo partito per sempre. Ma Silio no. Silio lo vedeva soltanto ora per la prima volta in quello stato. I lineamenti intatti e composti conferivano una totale assurdità al suo silenzio e alla sua immobilità. Non poteva accettare né credere, Silio Salvidieno, che il braccio non si levasse, che l'occhio non si aprisse fiammeggiante nell'espressione d'imperio. Non poteva credere che la forma e la riconoscibilità del volto non bastassero a richiamare la vita nelle membra.

Dovette accettarlo come estrema, ineluttabile violenza, e allora le lacrime gli scesero ardenti sul volto terreo, dagli occhi spenti e smarriti.

Restò in piedi, immobile e in silenzio per lungo tempo davanti al cataletto poi, con espressione stralunata, s'irrigidì nel saluto militare, la voce gli uscì metallica dai denti serrati:

«Centurione di prima linea Silio Salvidieno, seconda centuria, terzo manipolo, Decima legione, salve, comandante!»

Poi si volse e si allontanò.

Avrebbe voluto un cavallo e galoppare lontano, in un altro mondo, attraversare sconfinate pianure portato dal vento come un foglia disseccata da un lungo inverno. Si fermò invece, dopo pochi passi, incapace di procedere oltre. Si sedette sui gradini della Regia che davano sulla via Sacra e dopo qualche tempo vide due persone uscire dalla casa delle vestali proprio alla sua destra. Gente che conosceva bene: Marco Antonio e Calpurnio Pisone, il suocero di Cesare. Che ci facevano a quell'ora e in una simile situazione alla casa delle vestali?

Si fermarono davanti all'ingresso per qualche tempo ed ecco che arrivò un servo con un asino che trascinava un carretto con sopra una cassa. Allora si rimisero in cammino e tutti assieme scomparvero nel buio.

Silio si accorse che anche Antistio era uscito e aveva assistito alla scena. Disse: «Sono andati a prendere il testamento di Cesare, non c'è dubbio. Pisone è il suo esecutore testamentario e il documento è custodito dalla vergine vestale massima».

«E Antonio? Che cosa c'entra Antonio con il suo testamento?»

Antistio rifletté qualche istante prima di rispondere: «Non è l'eredità dei beni che gli interessa, è l'eredità politica. Bruto e Cassio si sono illusi: Cesare ha dimostrato che un uomo solo può dominare il mondo. Nessuno aveva mai mostrato i caratteri di un simile sconfinato potere. Altri vorranno ciò che lui ha avuto. Molti proveranno a succedergli. La repubblica è morta comunque».

Romae, in aedibus Antonii, Id. Mart., *secunda vigilia*
Roma, casa di Antonio, 15 marzo, secondo turno di guardia,
le nove di sera

Come era stato concordato, Antonio ricevette Cassio, mentre i suoi figli erano tenuti in ostaggio in Campidoglio. Nello stesso tempo Bruto avrebbe cenato all'isola Tiberina, nel quartier generale di Marco Emilio Lepido. Tutto era stato preparato nei minimi particolari.

Cassio, il vincitore, era più pallido del solito. Il volto emaciato non esprimeva che notti insonni e tetri pensieri.

I due erano sdraiati sui letti triclinari esattamente uno di fronte all'altro, solo le due mense li separavano, imbandite in modo austero: pane, uova, formaggio e legumi. Antonio aveva scelto un vino denso dal colore sanguigno e lo mesceva di persona al suo ospite con un certo indugiato compiacimento, senza mai versarne una goccia.

Cominciò Antonio: «Cesare ha osato troppo ed è stato punito. Io... capisco il significato del vostro gesto. Non avete voluto colpire l'amico, il benefattore, colui che vi ha salvato la vita per magnanimità, ma il tiranno, l'uomo che ha violato la legge, che ha ridotto la repubblica a un fantasma senza corpo. Vi capisco dunque e vi riconosco come uomini d'onore».

Cassio accennò gravemente con il capo e abbozzò con le labbra esangui un lieve, enigmatico sorriso. Antonio proseguì: «Ma io sono incapace di separare l'amico dal tiranno. Sono un uomo semplice e dovete cercare di comprendermi.

Cesare per me rimane prima di tutto un amico. Anzi, ora che è morto, ora che giace freddo e bianco come il marmo sul suo cataletto, solo un amico».

«Ognuno è quello che è» rispose Cassio gelido. «Vai avanti.»

«Domani il senato si riunirà nel tempio di Tellus. La curia di Pompeo è ancora... in disordine.»

«Vai avanti» insistette Cassio controllando l'irritazione.

«Tutto dev'essere ricomposto. Tutto deve tornare alla normalità. Proporrò per voi un'amnistia e vi saranno assegnate le cariche di governo nelle province. Se il senato vorrà rendervi onore sarà libero di farlo. Che mi dici?»

«Mi sembrano proposte assennate» rispose Cassio.

«Per me chiedo solo una cosa.»

Cassio lo fissò con uno sguardo carico di sospetto.

«Lasciate che celebri il suo funerale. Lasciate che lo seppellisca con onore. Ha sbagliato, è vero, ma ha ingrandito a dismisura il dominio del popolo romano, ha portato i confini di Roma alle rive dell'oceano ed era il pontefice massimo. Inoltre... amava Bruto. È morto. Basta. Consegniamolo al suo riposo. La punizione è stata adeguata all'errore.»

Cassio si morse il labbro inferiore e restò a lungo senza dire una parola. Antonio lo fissava tranquillo con sguardo interrogativo.

«Questo non è in mio potere di concederlo.»

«Lo so, ma puoi convincere i tuoi e sono certo che farai il possibile. Io ho fatto il mio dovere, ho dato le prove della mia buona fede. Ora fate la vostra parte. Non chiedo altro.»

Cassio si alzò e se ne andò dopo aver salutato con un cenno del capo. Il cibo era ancora sulla mensa. Non aveva toccato nulla.

Portus Ostiae, Id. Mart., ad finem secundae vigiliae
Porto di Ostia, 15 marzo, fine del secondo turno di guardia,
mezzanotte

Antonio arrivò al porto scortato da un paio di gladiatori che si tennero a distanza.

Dalla nave calarono una passerella e lui cominciò a salire. L'odore del mare immobile del bacino portuale aveva un sentore come di decomposizione che gli indusse un senso di nausea. La nave che stava per salpare, la regina che fuggiva. Un mondo che si sgretolava.

Lei uscì d'improvviso dalla cabina di poppa.

Regale anche in quella situazione, superba, fasciata da un abito di lino plissettato e trasparente, con la fronte cinta da un sottile diadema di lamina dorata, le braccia nude, le labbra rosse, gli occhi allungati dal bistro fin quasi alle tempie.

«Ti ringrazio per essere venuto a salutarmi» gli disse. Parlò sommessa ma nel grande silenzio della notte la sua voce risuonò ugualmente netta.

Erano soli. Nessun altro si vedeva sulla tolda. Eppure la nave era pronta a salpare.

«Dov'è lui, ora?»

«Nella sua casa» rispose Antonio. «Vegliato dai suoi amici.»

«Amici? Cesare non aveva amici.»

«Siamo stati colti di sorpresa. Nessuno poteva pensare che accadesse in quel giorno, in quel modo.»

«Però tu sei stato prudente, come ti avevo chiesto.» La voce della regina suonava pacata, ma ironica, come quella di tutti i potenti quando si compiacciono di aver corrotto o asservito un uomo. «Che cosa succederà, ora?»

«Sono già in difficoltà, non hanno un piano, né un progetto, sono degli illusi incapaci. Io sono il console superstite. Ho convocato il senato per domani e li ho indotti a presentarsi. Prima che le sue ceneri vengano deposte nell'urna saranno ridotti all'impotenza. Ci sarà un nuovo Cesare, regina.»

«Quando questo accadrà, vieni da me, Antonio, e avrai tutto ciò che hai sempre desiderato.»

Si volse e scomparve, lieve come un sogno.

Antonio scese a terra.

La nave si staccò dalla banchina e presto fu inghiottita dal buio. Si vide per un po' solo la sua vela che saliva sull'albero, fluttuando nell'aria scura come un fantasma.

CAPITOLO XXI

Romae, in templo Telluris, a.d. XVII Kalendas Apriles, hora secunda
Roma, tempio di Tellus, 16 marzo, le sette di mattina

La seduta, sotto la presidenza di Marco Antonio, console in carica, iniziò in un'atmosfera tesa e gelida. Volti tirati, sguardi rancorosi. I cesariani erano ancora frastornati, indignati e ribollenti di astio. I congiurati e i loro amici non trattenevano atteggiamenti di iattanza. Cicerone fu tra i primi a prendere la parola. Era assente il giorno della congiura ma qualcuno, nella confusione dell'attentato, aveva gridato il suo nome.

Il suo vanto era avere stroncato in altri tempi il complotto sovversivo di Catilina e benché non facesse parte del gruppo dei congiurati non voleva mancare di avere anche in questa occasione un ruolo di protagonista.

Parlò da consumato oratore qual era. Lui che non tanto tempo prima aveva proposto ai senatori di fare scudo con i loro corpi a Cesare qualora fosse minacciato e aveva fatto approvare la proposta con un senatoconsulto, adesso inneggiava a coloro che lo avevano massacrato a colpi di pugnale, celebrava il coraggio dei tirannicidi che avevano restituito la libertà alla repubblica, la dignità al suo supremo consesso.

L'eccidio era stato compiuto a buon diritto, il despota aveva subito la giusta punizione secondo la legge dello stato. Essi dunque andavano assolti immediatamente dall'accusa di crimine per avere agito, a loro rischio e pericolo, per il bene comune. Propose quindi di votare un'amnistia per tutti e la proposta, pur fra mormorii di disappunto, passò e venne approvata. Ma non si ritenne pago. Dopo aver scambiato poche parole sottovoce con Cassio disse: «Questo infausto periodo, queste tenebre della repubblica debbono essere dimenticati al più presto. Il corpo del tiranno venga sepolto quanto prima in forma privata e di notte. E questo sia concesso come atto di pietà per un morto e nulla più». Un brusio attraversò le file dei presenti.

Era la volta dei cesariani e parlò Munazio Planco: «I posteri giudicheranno se quanto è accaduto alla curia di Pompeo sia stato un atto di giustizia. Chi era amico di Cesare lo piange e vive un giorno di amaro cordoglio ma è disposto a tacitare i propri sentimenti per non alimentare odi e vendette senza fine. Ciò che vorrei qui fare presente è il coraggio e la generosità del console Marco Antonio il quale, sconvolto e straziato per la morte di un amico che amava profondamente, non ha esitato a mettere da parte i suoi sentimenti, a rinunciare alla vendetta, a dare in ostaggio i suoi stessi figli perché cessino le lotte e gli scontri, perché non si versi altro sangue romano, perché venga scongiurato il pericolo di una nuova, disastrosa guerra civile. Io chiedo che gli venga decretato un elogio solenne e perché manifesti ora, fra queste sacre mura, il suo pensiero».

La proposta di Planco venne votata a grande maggioranza perché tutti erano terrorizzati dall'eventualità di una nuova guerra civile. Antonio quindi prese il centro dell'assemblea e iniziò a parlare:

«Padri coscritti! Vi ringrazio per aver riconosciuto la mia fatica e il mio impegno. Ho votato io stesso le vostre richieste e l'amnistia per Bruto, Cassio, Trebonio e i loro compagni. Ma non posso accettare che Cesare venga sepolto di notte e di nascosto come un malfattore. Ha sbagliato, ma vi fu in parte costretto, innumerevoli volte cercò la trattativa e il dialogo, fece di tutto per evitare che si versasse sangue romano.»

Un mormorio di indignazione salì dal gruppo dei sostenitori di Bruto, di Cassio, di Cicerone, e Antonio cambiò presto argomento:

«Se a questo non volete credere, come non credere alle sue imprese? Lui portò i confini dell'impero del popolo romano fino alle onde dell'oceano che delimita la terra, lui domò i Celti e i Germani e osò piantare le aquile nella terra, mai prima calcata da piede romano, della remota Britannia. Lui sconfisse Farnace e aggiunse ai nostri domini il regno del Ponto. E fece approvare molte leggi in aiuto e sostegno del popolo, arricchì l'erario con i tesori immensi predati nelle terre conquistate, promulgò leggi a difesa dei provinciali e per punire governanti incapaci o corrotti. Pensate voi che la tomba di colui che per sempre verrà ricordato per aver compiuto imprese così grandiose debba essere in un luogo nascosto e oscuro e il suo funerale tenuto segreto?

No, padri coscritti! Questo lo dovete concedere, permettetemi di celebrare il suo funerale e di leggere in pubblico il suo testamento. Almeno questo ci aiuterà a comprendere se abbiamo agito giustamente o se l'estremo onore che voglio tributargli sia stato immeritato.»

Appena udite quelle parole Cicerone si avvicinò a Cassio: «Cosa vi avevo detto? Se gli concedete di celebrare il funerale e di leggere il testamento la vostra impresa sarà stata inutile. Dovete assolutamente impedirlo».

Ma Bruto non era d'accordo e mentre Antonio proseguiva infervorato rispose: «No, Marco Tullio. Antonio si è sempre comportato come uomo di parola. Ci ha dato in ostaggio i suoi figli, ci ha liberati dall'assedio del popolo in Campidoglio e ha fatto votare ora l'amnistia. Noi siamo uomini d'onore e dobbiamo comportarci come tali. Antonio è un uomo coraggioso, valoroso, non dobbiamo farcelo nemico. Lo convinceremo a unirsi a noi per restaurare l'autorità della repubblica e la libertà dei Romani. Se avesse cattive intenzioni avrebbe già scatenato la legione accampata fuori le mura. Gli sarebbe stato facile spazzarci via in poche ore. E non l'ha fatto. Sta chiedendo solo un funerale e dobbiamo concederglielo».

Bruto fu irremovibile e se Bruto avesse votato a favore, Cassio e gli altri non avrebbero potuto votare contro. Cicerone, furioso ma impotente, gli sibilò all'orecchio: «Vedrai se sarà soltanto un funerale!».

La proposta venne approvata.

La seduta fu sciolta.

Romae, a.d. XVII Kal. Apr. - a.d. XIII Kal. Apr.

Roma, 16 - 20 marzo

Antonio fece trasportare al Campo Marzio il corpo di
Cesare che venne deposto su un cataletto d'avorio coperto
di drappi di porpora e d'oro, vicino alla tomba della figlia
Giulia, avuta dalla seconda moglie Cornelia. Dietro innalzò
un'edicola di legno dorato che riproduceva perfettamente
il tempio di Venere genitrice. All'interno dell'edicola fece
appendere a una gruccia la veste che indossava il giorno
delle Idi di marzo, stesa in modo che si vedessero tutti i
colpi di pugnale e le macchie di sangue.

Attorno dispose un intero manipolo di arcigni legionari
della Nona in assetto di guerra, così che nessuno osasse
avvicinarsi.

Cominciò la processione della gente che portava i doni
da bruciare sulla pira funebre. Una fila sempre più lunga
di uomini e donne del popolo, di veterani, di amici, e anche
alcuni senatori e cavalieri. C'era chi gettava oggetti preziosi
e chi un semplice fiore della primavera incipiente, molti
piangevano, altri guardavano a lungo in silenzio il corpo
inerte del più grande dei Romani.

Per altri tre giorni la salma rimase esposta, poi ebbe inizio
il funerale. Il feretro venne portato a spalle dai magistrati
in carica e scortato da centinaia di legionari in tenuta da
parata, guidati dai loro ufficiali con i mantelli rossi e gli
elmi crestati al suono delle buccine e delle trombe, al rullare
cupo e ritmato dei tamburi. Davanti due soldati reggevano
la gruccia a mo' di trofeo con la veste insanguinata di Cesare. Dietro seguiva la sposa Calpurnia che piangeva sorretta
dalle sue ancelle.

La commozione montava ad ogni passo. E raggiunse
l'apice quando una macchina teatrale venne affiancata al
feretro e dai suoi ingranaggi salì una immagine del corpo
nudo di Cesare, perfettamente realizzato in cera e con le
ventitré ferite riprodotte con impressionante realismo, gron-
danti una tinta vermiglia che sembrava sangue. In tal modo

anche coloro che non potevano vedere la salma potevano vedere lo strazio del corpo massacrato del defunto.

Nel foro, in uno spiazzo molto vicino alla Regia, era stata accatastata la pira e su di essa venne posto il cataletto. Un silenzio di piombo scese sulla piazza gremita.

Un attore declamò i versi di un grande poeta che dicevano:

Ho risparmiato loro la vita
Perché potessero uccidermi!

suscitando un'esplosione di grida d'indignazione che crebbero ancora di più quando un banditore pronunciò il testo del senatoconsulto con cui i senatori giuravano che avrebbero difeso Cesare a costo della vita. Si levarono da ogni parte urla e imprecazioni.

Poi apparvero due centurioni, Publio Sestio detto "il bastone" e Silio Salvidieno, armati di tutto punto e con una torcia in mano e si piazzarono ai lati della pira.

Antonio salì sui rostri, alzò la mano per chiedere silenzio a una folla già sconvolta da emozioni violentissime e pronta a scatenarsi. Bruto, nascosto in fondo alla piazza, dietro gli alberi della fonte Giuturna, vedendo in lontananza la grottesca immagine di cera di Cesare pugnalato sentiva risuonare nella mente le parole che gli aveva detto con l'ultimo fiato di voce mentre lui gli affondava il pugnale nell'inguine: «Anche tu...». Capì al tempo stesso che cosa aveva inteso dire Cicerone nella seduta del tempio di Tellus, e si rese conto che tutto era perduto, che presto sarebbe scoppiata una nuova, sanguinosa guerra civile quando nell'improvviso, mortale silenzio, la voce di Antonio tuonò:

«Amici, cittadini, Romani! Sono venuto a seppellire Cesare!»

EPILOGO

Decio Scauro e i suoi compagni, travolti dalla furia di Publio Sestio e privi della guida di *Mustela*, avevano proseguito nella loro missione ma non erano più riusciti a raggiungere il centurione, sfuggito attraverso i sentieri paralleli dell'Appennino e giunto comunque troppo tardi all'appuntamento con il destino. Ma in capo a tre giorni trovarono a lato della via Cassia il corpo del loro comandante Sergio Quintiliano morto nel suo ultimo combattimento.

Gli tributarono umili esequie e arsero il suo corpo su una pira di sarmenti, gettarono nel fuoco le loro armi come ultimo omaggio alla sua memoria.

Riportarono le ceneri alla villa e le seppellirono assieme a quelle di suo figlio ai piedi dei cipressi secolari perché riposassero alfine riuniti nel regno delle ombre.

PERSONAGGI

ANTISTIO. È il medico di Cesare. Il personaggio è ispirato a quello del medico dallo stesso nome che secondo Svetonio (*Cesare* 82) fece l'autopsia del corpo del dittatore ucciso. Secondo la sua testimonianza solo una delle ventitré pugnalate fu mortale, la seconda.

ARTEMIDORO DI CNIDO. Il personaggio è ispirato a un grammatico realmente esistito che frequentava Bruto e alcuni dei congiurati suoi amici. Il giorno delle Idi di marzo consegnò a Cesare un biglietto con l'elenco dei congiurati che questi, spinto dalla ressa, non riuscì ad aprire. Lo teneva ancora in mano quando fu assassinato.

ATTICO TITO POMPONIO. Amico intimo di Cicerone, ebbe il soprannome di Attico per aver trascorso vent'anni ad Atene durante le guerre civili fra Mario e Silla. Non entrò mai in politica ma si dedicò sempre con passione allo studio e questo lo tenne al riparo dalle violenze delle lotte civili successive. Le sue simpatie andavano alla parte pompeiana e repubblicana, ma solo a livello personale. Superò così indenne sia le guerre fra i triumviri e i cesaricidi sia lo scontro successivo fra Antonio e Ottaviano. Fu un grande erudito, cultore di varie discipline e proprietario di una delle più importanti biblioteche private di Roma. Al suo amico Cicerone dedicò un'opera che ne celebrava il consolato e la vittoria sulla congiura di Catilina. Con Cicerone intrattenne una fitta corrispondenza che è giunta fino a noi. Ammalatosi gravemente, si lasciò morire di inedia nel 32 a.C., all'età di settantotto anni.

BEBIO CARBONE. Personaggio di fantasia. Legionario di presidio presso un'osteria e stazione di posta. Ingenuo e un poco presuntuoso, esaltato dall'incontro con il mitico centurione primipilo Sestio Publio detto "il bastone", nutre un'ambizione di carriera che lo porta a controproducenti eccessi di zelo, causando problemi a Rufo nello svolgimento della sua missione

CALPURNIA. Figlia di Lucio Calpurnio Pisone Cesonino, fu moglie di Cesare. Secondo la descrizione di Plutarco (*Cesare* 63), fu donna razionale e di carattere. Alla vigilia delle Idi ebbe terribili sogni premonitori in seguito ai quali tentò in ogni modo di dissuadere Cesare dal recarsi in senato. Rimase sempre fedele alla memoria del marito.

CANIDIO. Personaggio di fantasia. Capo della servitù di Bruto, si distingue per la sua obbedienza cieca e per la perfidia nel mettere in disordine la biblioteca affidata ad Artemidoro.

CASSIO PARMENSE. Partecipò alla congiura in un ruolo secondario. Nel 42 a.C. combatté a Filippi accanto a Bruto per poi unirsi a Sesto Pompeo e infine passare dalla parte di Antonio. Nel 31 a.C., dopo Azio, si rifugiò ad Atene dove fu ucciso da un sicario per incarico, pare, di Ottaviano. Fu probabilmente l'ultimo dei cesaricidi a morire. Fu letterato di un certo valore, citato da Orazio in *Epistole* I, 4.

CLEOPATRA VII. Unanimemente considerata donna di grande fascino, ebbe anche notevoli capacità politiche; fu l'ultima regina d'Egitto. Figlia di Tolomeo XII detto l'Aulete, avrebbe dovuto governare insieme al fratello e marito Tolomeo XIII, a quell'epoca minorenne. Il prefetto regio Achilla (responsabile dell'assassinio a tradimento di Pompeo) per salvaguardare il proprio potere la costrinse a rifugiarsi ad Alessandria, dove divenne l'amante di Cesare. Dalla relazione nacque Tolomeo Cesare detto Cesarione, per il quale Cleopatra aveva concepito un futuro più che regale. Le sterminate ambizioni della regina furono tuttavia frustrate dall'assassinio di Cesare; tornata in Egitto trovò un nuovo potente protettore in Antonio, che sposò nel 37 a.C. Il fatale scontro navale con Ottaviano ad Azio nel 31 a.C. costrinse prima Antonio e poi Cleopatra al suicidio, drammaticamente consumato facendosi mordere da un aspide.

DECIMO JUNIO BRUTO ALBINO. Generale e amico di Cesare, che lo nominò fra i suoi eredi nel testamento. Fu uno dei suoi più valenti ufficiali distinguendosi in varie campagne, ricoprendo un ruolo importante nell'assedio di Marsiglia come comandante della flotta. Fu pretore nel 45 e nel 44; Cesare lo aveva designato console per il 42. Ebbe un ruolo determinante della congiura delle Idi di marzo convincendo Cesare, riluttante per i presagi inquietanti della notte precedente e per l'opposizione di Calpurnia, a recarsi in senato dove venne pugnalato. Dopo la guerra di Modena dell'anno successivo contro Antonio e dopo che la sua posizione si era fatta insostenibile cercò di raggiungere Bruto e Cassio in Macedonia ma morì assassinato durante il tragitto.

DECIO SCAURO. Personaggio di fantasia. Veterano della Decima, aveva servito sotto Cesare ma era passato poi dalla parte dei pompeiani alle dipendenze di Sergio Quintiliano. Dopo aver cercato inutilmente di fermare Publio Sestio, quando ormai tutti gli avvenimenti avevano trovato il loro compimento, tributò gli onori militari al suo vecchio comandante Quintiliano.

GAIO CASCA SERVILIO. Cesaricida. Fratello di Publio, si suicidò anch'egli dopo la battaglia di Filippi del 42 a.C.

GAIO CASSIO LONGINO. Rappresentante dell'anima più estremista della congiura ne fu, insieme con Bruto, la mente organizzatrice. Era stato questore di Crasso in Oriente nella guerra contro i Parti (53 a.C.), sopravvivendo alla disfatta di Carre. Successivamente fu pompeiano ma, come molti altri, si riconciliò con Cesare ottenendo la nomina di *praetor peregrinus* nel 44. Dopo le Idi ebbe dal senato il governo della Siria. Nel 42 a Filippi, convinto di essere stato sconfitto, si suicidò. Era seguace della filosofia epicurea.

GAIO TREBONIO. Generale, veterano della guerra gallica, aveva avuto il comando dell'assedio di Marsiglia e aveva condotto la repressione in Spagna contro i pompeiani. L'anno precedente la congiura, a Narbona, aveva messo a parte Antonio del complotto: colloquio imbarazzante per entrambi, visto che Antonio evidentemente aveva mantenuto il segreto. Il giorno delle Idi secondo Cicerone e Plutarco fu lui a trattenere, con le sue chiacchiere, Antonio fuori del senato. Governatore d'Asia, venne ucciso a Smirne nel gennaio del 43 a.c. su ordine di P. Cornelio Dolabella, proconsole di Siria schierato su posizioni filoantoniane.

LUCIO CALPURNIO PISONE CESONINO. Suocero di Cesare. Uomo di rango consolare, fu un raffinato intellettuale. Su sua richiesta fu aperto e letto nella casa di Antonio il testamento di Cesare.

LUCIO MUNAZIO PLANCO. Grande opportunista, transitato indenne durante le guerre civili per tutti i campi. Console nel 42 a.c., anno in cui fondò Lione, fu amico di Cesare; subito dopo la sua morte si adoperò perché venisse scongiurato il rischio di una nuova guerra civile. Negli anni successivi parteggiò ora per Ottaviano, ora per Antonio. Fu sua la proposta in senato nel 27 a.c. di attribuire a Ottaviano il titolo di *Augustus*. Fu anche un fine letterato.

MARCO ANTONIO. Collega di Cesare nel 44 a.c. Era nato il 14 gennaio dell'84 e dopo una giovinezza sregolata si affiancò a Cesare, con cui era imparentato, partecipò alla guerra gallica e lo raggiunse quando passò il Rubicone. Dopo la battaglia di Munda nel marzo del 45 sarebbe stato avvicinato da Gaio Trebonio perché partecipasse a una congiura contro Cesare. Rifiutò ma mantenne il segreto. Durante i Lupercali del febbraio 44 offrì, per unanime testimonianza delle fonti, la corona di re a Cesare, che la rifiutò. Il suo comportamento appare quindi ambiguo anche durante la congiura delle Idi di marzo del 44. Fu lo stesso Trebonio a trattenerlo fuori dal senato mentre i congiurati assassinavano Cesare, salvandogli di fatto la vita. Considerato uomo impulsivo, violento e dissoluto, nelle ore successive alla morte di Cesare mostrò una abilità politica straordinaria che gli permise di capovolgere la situazione a suo favore nell'arco di pochi giorni costringendo i congiurati sulla difensiva. L'anno dopo (aprile 43) scatenò la guerra di Modena contro Decimo Bruto, che governava la Cisalpina. Sconfitto, raggiunse Lepido in Gallia e da lì organizzò il vertice con Ottaviano che portò al secondo triumvirato, alla eliminazione di Cicerone, suo acerrimo nemico, e poi alla sconfitta di Bruto e Cassio a Filippi. Uscito di scena Lepido, condivise il dominio dell'impero con Ottaviano tenendosi l'Oriente e sposando

Cleopatra regina d'Egitto. Sconfitto nella battaglia di Azio, in Grecia, nel settembre del 31 a.c., tentò invano di resistere a Ottaviano ad Alessandria e alla fine si suicidò.

MARCO EMILIO LEPIDO. Di famiglia illustre, nella sua qualità di pretore nel 49 a.c. presentò la legge che designava Cesare dittatore. Fu console nel 46 e ricoprì la carica di *magister equitum* nel 45-44. Durante una cena a casa sua la sera prima delle Idi, nel corso di una discussione piuttosto ambigua (originata forse da un avvertimento criptico) sul genere di morte da preferirsi, Cesare pronunciò la definizione curiosamente profetica di "morte inaspettata". Morto il dittatore, su suggerimento di Antonio cenò con Bruto in un tentativo di abboccamento. Dopo la battaglia di Modena appoggiò Antonio, accordandosi con questi e Ottaviano per costituire il secondo triumvirato. L'irresistibile ascesa di Ottaviano lo relegò nel ruolo prestigioso, ma secondario, di pontefice massimo, carica che aveva ottenuto dopo la morte di Cesare.

MARCO JUNIO BRUTO. Apparteneva all'illustre *gens Junia*, il cui primo rappresentante era stato Lucio Junio Bruto, colui che aveva posto fine alla monarchia in Roma nell'ormai lontano 509 a.C. Era figlio di Servilia, che fu per molti anni l'amante di Cesare, il che alimentò la diceria che potesse essere suo figlio naturale. Crebbe sotto l'influenza di Marco Porzio Catone detto Uticense, esponente delle tendenze più conservatrici della società romana, che era suo zio e divenne poi suo suocero avendo egli sposato la figlia Porzia. Di formazione stoica, a Farsalo si era schierato con Pompeo. Pur avendo ottenuto il perdono di Cesare e mantenendo con lui buoni rapporti, rappresentò il punto di riferimento ideale della congiura. Costretto a rifugiarsi in Oriente, nel 42 a.C. combatté a Filippi, dove fu sconfitto dai triumviri e si suicidò. Narra Plutarco (*Bruto* 36) che prima della battaglia fu visitato da uno spaventoso fantasma che gli preannunciò la sconfitta.

MARCO TULLIO CICERONE. Uomo di grande prestigio culturale, famoso oratore, nel 63 a.C. nella sua qualità di console ebbe un ruolo centrale nella dura repressione della congiura di Catilina. Ridotto già all'epoca del primo triumvirato a un ruolo politico di secondo piano, era stato senza molta convinzione fautore di Pompeo, riuscendo poi a ottenere il perdono di Cesare. Al momento della congiura mantenne un atteggiamento di grande prudenza, forse anche perché non si faceva soverchie illusioni sulla capacità dei congiurati di restaurare le vecchie istituzioni repubblicane. Questa sua sostanziale ambiguità si manifestò anche successivamente nel cercare la protezione di Ottaviano; gli fu tuttavia fatale l'aperta ostilità che aveva mostrato nei confronti di Antonio, violentemente attaccato nelle *Filippiche*. Nel 43 a.c. fu ucciso dai soldati di Antonio: il capo e le mani mozzati furono esposti sui rostri.

MUSTELA. Personaggio di fantasia. Spia, agente degli anticesariani e sicario. Individuo fisicamente sgradevole e pericoloso, ben corrisponde al nomignolo affibbiatogli. Temerario e determinato, lotta contro il tempo in una competizione senza esclusione di colpi con il centurione Sestio Publio detto "il bastone", riuscendo, malgrado la personale sconfitta, nel suo intento.

NEBULA. Personaggio di fantasia. Spia e informatore. Il personaggio più sfuggente di tutto il romanzo, tanto da confondersi col paesaggio in cui agisce: non ha neppure un volto, ma solo una voce. Eppure il suo ruolo è centrale in quanto le sue informazioni sono così veritiere che, se fossero pervenute in tempo, avrebbero potuto salvare la vita di Cesare.

PETRONIO. Figura tanto secondaria della congiura, cui prestò solo il pugnale, da essere ricordato dagli storici solo con il *nomen*. Pare sia stato ucciso a Efeso da Antonio nel 41 a.C.

PONZIO AQUILA LUCIO. Tribuno della plebe nel 45 a.C., era stato l'unico a non alzarsi in piedi durante il passaggio del trionfo sulla Spagna: Cesare se la prese e fece di lui per lungo tempo oggetto di irrisione. Dopo le Idi fu luogotenente di Decimo Bruto. Nel 43 a.C. fu ucciso nell'assedio di Modena.

POPILIO LENATE. Vecchio senatore, era amico di Cicerone di cui godeva la fiducia, come testimoniato dalle lettere che questi gli indirizzò. Plutarco e Appiano attestano che il giorno delle Idi si avvicinò a Bruto e Cassio augurando loro di condurre a compimento il piano senza porre tempo in mezzo, dato il rischio che qualcosa potesse trapelare.

PORZIA. Moglie di Marco Junio Bruto, era figlia di Marco Porzio

Catone, detto Uticense. Fedele agli ideali conservatori repubblicani, secondo Plutarco (*Bruto* 13) era una donna passionale e innamorata del marito, orgogliosa e intelligente. Fu a conoscenza della congiura.

PUBLIO CASCA SERVILIO. Era stato presente alla festa dei Lupercali dove aveva tenuto un comportamento ambiguo. Fu il primo a colpire Cesare alla gola. Dopo la sconfitta di Filippi del 42 a.C. si suicidò.

PUBLIO SESTIO detto "il bastone" (*Baculus*). Centurione primipilo, fedele a Cesare. Il personaggio è liberamente ispirato a un centurione realmente esistito, Sestio Publio Baculo, le cui imprese furono tanto eroiche da meritare di essere narrate da Cesare in tre luoghi del *De bello Gallico*. Nel primo passo (II, 25) Baculo, coperto di ferite, regge valorosamente l'attacco dei Nervii che stanno sopraffacendo la Dodicesima legione; nel secondo Sestio, che nella sua qualità di centurione più alto in grado di tutta la legione fa parte del consiglio di guerra, è a colloquio col legato della Dodicesima Galba e col tribuno militare Voluseno per rintuzzare un attacco al campo invernale (III, 5); infine in VI, 38 mentre si riprende dalle ferite respinge un attacco dei nemici in procinto di penetrare nell'accampamento. Mostra una forza d'animo e una fedeltà quasi sovrumana nei confronti del suo generale, per la cui salvezza affronta senza risparmio e senza tentennamenti ogni prova.

PULLUS. Personaggio di fantasia. Figlio di nessuno, è stato allevato dall'esercito e qui è cresciuto facendo piccoli mestieri e prestando modesti servigi, mostrando di eccellere solo in una cosa: la corsa. La sua energia inesauribile, che gli consente di correre per giorni e notti intere, leggero come una piuma, soprattutto nei luoghi più impervi e scoscesi, si mostrerà preziosa per salvare la vita ai suoi amici Vibio e Rufo.

QUINTO LIGARIO. È famoso per essere stato difeso da Cicerone nella *Pro Quinto Ligario* dall'accusa di tradimento nei confronti di Cesare. La sua fine, come per alcuni altri cesaricidi di minore importanza, è ignota, ma Svetonio (*Cesare* 89) afferma che nessuno di quelli che avevano colpito Cesare gli sopravvisse per più di tre anni, e nessuno morì di morte naturale.

RUBRIO RUGA. Cesaricida. Fu sicuramente una figura di secondo piano della congiura in quanto di lui non si hanno notizie. Sono ignote anche le circostanze della morte.

RUFO. Personaggio di fantasia. È un giovane appartenente al corpo degli esploratori, biondo, come si può intuire dal nome; anche gli altri tratti ne palesano l'origine celtica: alto, con occhi di un azzurro cangiante. Il suo cuore è ancora diviso tra l'eredità dei suoi antenati e l'anima romana. Insieme con l'amico Vibio, è impegnato allo spasimo in una corsa contro il tempo per trasmettere a Roma le preziose informazioni sulla congiura

"LO SCARICATORE". Personaggio di fantasia. Agente dei cesariani. Perfetto conoscitore dei luoghi, l'aspetto brutale ne dissimula l'intelligenza e la capacità di manovra. Tuttavia, né la forza né l'astuzia lo salveranno dall'essere assassinato dagli scherani di *Mustela*.

SERGIO QUINTILIANO. Personaggio di fantasia. Pompeiano, reduce di Farsalo, dove ha perso il figlio. Uomo tutto d'un pezzo, spinto da una sorta di delirio di vendetta, svolge un importante ruolo nel cercare di intercettare i messaggeri che potrebbero recare a Roma la notizia della congiura. In uno scontro furioso, senza esclusione di colpi, con il centurione Publio Sestio, ha la peggio e viene lasciato morto sul terreno.

SERVILIA. Sorellastra di Marco Porzio Catone detto Uticense. Di grande personalità, fu per molti anni amante di Cesare: Svetonio (*Cesare* 50) infatti afferma che egli la amò più di ogni altra, tanto da regalarle, in occasione del suo primo consolato (59 a.C.) una perla dell'immenso valore di sei milioni di sesterzi. Dal suo primo matrimonio con Marco Bruto nacque Marco Junio Bruto, e dal secondo con Decimo Junio Silano ebbe tre figlie: per uno scherzo del destino, una andò sposa a Marco Emilio Lepido e un'altra a Cassio Longino, uno dei cesaricidi.

SILIO SALVIDIENO. Personaggio di fantasia. Centurione della Decima legione, aiutante di campo di Cesare, fedelissimo del capo, intuisce i rischi a cui questi si sta esponendo e cerca, inizialmente con grande prudenza, di raccogliere le informazioni che possono essergli utili a mettere sull'avviso Cesare coinvolgendo il medico Antistio. Giunge infine a sospettare di Antonio, e viene fortuitamente a conoscenza dei suoi ambigui legami con Cleopatra. Scoperto e imprigionato, sarà liberato solo dopo l'uccisione di Cesare e scelto insieme con Publio Sestio per tributare gli estremi onori militari al dittatore durante la cerimonia funebre nel Campo Marzio.

SURA. Personaggio di fantasia. Guida montana di poche parole, anzi scostante, a prima vista ambiguo, conduce Sestio durante l'angosciante traversata notturna nei sinistri boschi dell'Appennino.

TILLIO CIMBRO LUCIO. Inizialmente sostenitore di Cesare, nel 44 a.C. era propretore per la Bitinia e il Ponto. Divenne parte attiva della congiura: il giorno delle Idi fu lui a dare il segnale del massacro afferrando Cesare per la toga con la scusa di chiedere il perdono per il fratello esule. Dopo varie vicissitudini raggiunse Cassio a Filippi, dove morì.

TIRO MARCO TULLIO. Segretario di Cicerone. Un tempo schiavo, era stato affrancato ed era divenuto uno dei più intimi collaboratori dell'oratore. A sua volta letterato raffinato, fu editore di alcune opere di Cicerone; è ricordato anche per avere inventato un tipo di scrittura stenografica. Sopravvisse al suo antico padrone, morendo quasi centenario in un podere di sua proprietà presso Pozzuoli.

TITO SPURINNA. Augure etrusco, è ricordato da Svetonio come colui che ammonì Cesare di guardarsi da un pericolo imminente che si sarebbe presentato alle Idi di marzo. Il giorno fatale, irriso da Cesare che affermava che le Idi di marzo erano giunte, Spurinna aveva ribattuto che le Idi erano sì giunte ma non ancora passate.

TOLOMEO CESARE. Figlio di Cesare e di Cleopatra, quando la madre rientrò in Egitto dopo la morte di Cesare fu da lei associato al regno. Dopo la battaglia di Azio e il suicidio di Antonio e di Cleopatra venne fatto sopprimere da Ottaviano.

TOLOMEO XIII. Figlio di Tolomeo XII detto l'Aulete, fu nominalmente re d'Egitto dal 51 al 47 a.C. Marito secondo la tradizione egiziana della sorella Cleopatra, avrebbe dovuto condividere con lei il regno. Gli intrighi dei cortigiani, tra cui prevaleva il famigerato Achilla che aveva ucciso a tradimento Pompeo (rifugiatosi in Egitto dopo la disfatta di Farsalo), causarono la "guerra alessandrina" che lo vide opporsi a Cesare e Cleopatra che ne era divenuta nel frattempo l'amante. Morì annegato nel Nilo durante uno scontro lasciando così Cleopatra unica sovrana dell'Egitto.

VIBIO. Personaggio di fantasia. Come l'amico Rufo, appartiene al corpo degli esploratori; essendo di origini apule, ne rappresenta fisicamente il contraltare: capelli scuri e occhi neri. Vibio e Rufo, uniti da un franco rapporto cameratesco, paiono incarnare la semplicità e il coraggio dei popoli italici.

DOMUS PUBLICA. Era la residenza del pontefice massimo e sorgeva nelle vicinanze della *Regia*, così detta perché si riteneva vi avessero abitato i re di Roma. La *Regia* era soprattutto il luogo in cui si compivano le funzioni sacerdotali.

LA VIA SACRA. Era la via che andava dalla *Velia*, dove risiedeva il *rex sacrorum*, fino alla *Regia*. Di qui proseguiva fino al tempio di Saturno dove si raccordava con il Clivo Capitolino.

VICO IUGARIO. Era la via che, provenendo dal Tevere, sboccava nel foro passando fra il tempio di Saturno e la basilica Iulia.

LA CASA DELLE VESTALI. Residenza delle vergini vestali e della vergine vestale massima, cui era demandata la custodia del fuoco sacro nel tempio circolare di Vesta. Era situata fra la via Sacra e la via Nova che correva ai piedi del Palatino.

TEMPIO DI SATURNO. Era, insieme a quello di Giove Capitolino, il più antico tempio di Roma. Iniziato già nell'età dei re, fu inaugurato al principio del V secolo a.C. Fu completamente ricostruito da Munazio Planco tre anni dopo la morte di Cesare.

CARCERE TULLIANUM (in seguito *Mamertino*). Il più antico carcere di Roma, scavato nelle pendici sudorientali del colle Capitolino. Vi furono rinchiusi Tiberio Gracco, Lentulo e Cetego – compagni di Catilina –, Vercingetorige, Giugurta re di Numidia e, secondo una tradizione cristiana, l'apostolo Pietro.

TEMPIO DI GIOVE OTTIMO MASSIMO (Campidoglio). Forse il più antico santuario di Roma, sorgeva sul Campidoglio e fu costruito durante l'età dei re Tarquini, dedicato alla triade capitolina (Giove, Giunone, Minerva). Subì diversi incendi, ristrutturazioni e restauri. Il suo impianto originale doveva essere molto vicino a quello di un tempio etrusco con podio in tufo, parte superiore in muratura, copertura in legno con ornamenti in terracotta policroma.

CAMPO MARZIO. Area a nord-ovest della città fuori dal territorio metropolitano, prende il nome dalla sua consacrazione a Marte fin dai tempi dei re di Roma. All'inizio era coltivata, in seguito cominciò la sua urbanizzazione che proseguì durante l'epoca repubblicana e imperiale. Pompeo vi fece costruire un teatro e la curia nella quale venne assassinato Giulio Cesare.

FORO. Il foro era il cuore politico, economico e religioso della città, il luogo che custodiva le più antiche memorie delle sue origini. Un tempo zona paludosa, fu bonificato dai Tarquini con la prima fognatura della città, la *Cloaca Maxima*, che rese possibile coprirlo con una pavimentazione e quindi trasformarlo in un'area destinata alle assemblee popolari. Sul foro si affacciavano le grandi basiliche, la curia del senato, la Regia, la casa delle vestali e i rostri, ossia la grande tribuna da cui parlavano gli oratori.

CURIA DI POMPEO. Sede provvisoria del senato. La curia di Pompeo fu una delle grandi opere monumentali sorte nel campo Marzio. Faceva parte di un enorme complesso costruito nel 55 a.C. che comprendeva un tempio, un teatro e un gigantesco quadriportico che terminava con la curia in cui si tenne la seduta del senato delle Idi di marzo del 44 a.C. Di fronte c'erano i quattro templi repubblicani di cui ancora si vedono i resti nell'odierno largo di Torre Argentina.

ISOLA TIBERINA. È un'isola alluvionale sul Tevere, collegata alla terraferma da due ponti, il Cestio e il Sublicio. Nel primo secolo a.C. le fu data la forma di nave con un effetto monumentale e scenografico straordinario. Nel 290 a.C. vi fu costruito un tempio intitolato a Esculapio, dio della medicina, in seguito all'imperversare di una pestilenza. L'isola fu forse una delle ragioni del primitivo insediamento di Roma, in quanto consentiva il guado dalla sponda nord del Tevere a quella sud, collegando così il nord con il sud della penisola.

VILLA DI CESARE OLTRE TEVERE. Non si sa esattamente dove si trovasse, ma si presume nell'area dell'attuale Trastevere in direzione di Ostia. C'era un parco con molti alberi, statue e ninfei e all'interno sorgeva la villa in cui venne ospitata Cleopatra. La villa di Antonio non doveva essere molto distante, probabilmente sul Gianicolo.

PONTE FABRICIO. Costruito nel 62 a.c., è il ponte in muratura più antico di Roma e collega tuttora la sponda sinistra del Tevere all'isola Tiberina.

TEMPIO DI DIANA. I templi di Diana erano diversi, a Roma, il più famoso sorgeva sull'Aventino. Quello in cui, nel romanzo, immaginiamo l'incontro fra Cesare e Servilia si trova nell'area del circo Flaminio al Campo Marzio.

PORTO DI OSTIA. L'insediamento, nato probabilmente nel IV secolo a.C., sarebbe stato fondato secondo la tradizione addirittura da Anco Marzio. Era l'emporio di Roma e il suo porto. Lì, sulle navi più grandi, da tutto il Mediterraneo arrivavano le merci che poi venivano distribuite su imbarcazioni più piccole che risalivano il Tevere fino alla città, dove scaricavano nei magazzini lungo il fiume.

TEMPIO DI PORTUNO. È ancora visibile sulla destra di via del Teatro di Marcello, prima di arrivare a Santa Maria in Cosmedin. Come indica il nome era dedicato al dio dei porti.

TEMPIO DI VENERE GENITRICE. Fatto costruire da Giulio Cesare nel suo foro, rappresentava il santuario dedicato alla mitica progenitrice della gens Iulia, che si riteneva discendente di Iulo, figlio di Enea, a sua volta figlio di Venere. La valenza propagandistica era evidente: Cesare era il nuovo padre della patria come Enea lo era stato di quella primigenia.

NOTA

Questo libro racconta una storia vera e a molti nota attraverso la data in cui si consumò il suo drammatico epilogo: le Idi di marzo, ossia il 15 marzo del 44 a.C.

Quel giorno venne assassinato Giulio Cesare, il più grande dei Romani. Sulla sua morte, sugli eventi enigmatici e difficilmente spiegabili che l'accompagnarono si è a lungo discusso, e altrettanto si è dibattuto sulle motivazioni dei congiurati. Per la società civile il problema si poneva allora come si pone adesso: se si debba preferire la libertà o la sicurezza e la pace.

C'erano state le lunghe e sanguinose guerre civili, un lungo periodo di caos politico e istituzionale. Cesare si proponeva come colui che ristabiliva la concordia, la pace, la stabilità di governo ma in cambio la società doveva accettare una limitazione delle libertà civili. I congiurati lo uccisero "a buon diritto". L'azione si doveva considerare virtuosa in quanto abbatteva la tirannide o addirittura sventava, come qualcuno temeva, il ritorno della monarchia.

Sta di fatto che l'azione fu inutile. La classe dirigente dell'epoca fu privata del migliore dei suoi rappresentanti senza che si evitasse una nuova stagione di feroci guerre civili e senza che si potesse impedire l'affermazione del potere monocratico imperiale.

Affrontare un simile momento storico con un'opera di narrativa può apparire riduttivo e certamente in parte lo è.

Tuttavia la lettura emotiva di eventi così drammatici permette di rivisitare un'epoca e un momento cruciale della storia dell'Occidente dall'interno, rivivere le passioni che l'animarono, i conflitti che la lacerarono, incontrare i personaggi che ne furono protagonisti e comprimari nelle immaginate sfumature dei loro caratteri, nelle loro intime contraddizioni.

La storia infatti è stata sempre mossa da passioni come l'odio, l'amore, l'avidità, il desiderio di potere, le frustrazioni e le delusioni, la sete di vendetta, il fanatismo, più che dalla razionale riflessione, dalla meditazione filosofica, dalle considerazioni di carattere etico.

Questa vicenda, che ispirò il genio di Shakespeare, trasuda violenza e pathos in ogni suo momento e rappresenta uno di quegli ingorghi di forze contrastanti che ne fanno un evento epocale, uno di quei passaggi in cui il fiume della storia si getta in una strettoia ribollendo e travolgendo ogni ostacolo come quella forza caotica che i greci chiamarono ἀνάγκη, "necessità", "ineluttabilità", che nulla e nessuno può governare finché non ha ritrovato gli spazi e le ampiezze che le permettono di distendersi in pace.

La vicenda di Cesare è lo specchio della grandezza e della miseria del potere e delle sue illusioni. Alla fine il corpo di un uomo giace inerte, trafitto da ventitré colpi di pugnale, mentre i vincitori già sono sconfitti e condannati perché la storia ha un suo percorso che prescinde dai progetti, dai sogni e dai desideri umani, un percorso che rimane alla fine in gran parte misterioso.

Osservazioni

La scelta narrativa di questo romanzo concentra l'azione negli ultimi otto giorni prima delle Idi di marzo e mette in scena sia personaggi noti e realmente esistiti sia personaggi immaginari.

La corsa dalla Cisalpina verso Roma di Publio Sestio e dei suoi inseguitori tocca sia località realmente attestate negli itinerari antichi, come la *Tabula Peutingeriana*[1] – riprodotta qui nei

[1] La *Tabula Peutingeriana* è una copia del XIII secolo di un'antica carta romana che mostrava le vie militari dell'impero - 200.000 chilometri di strade – ma anche la posizione di città, mari, fiumi, foreste, catene montuose: non si tratta di una proiezione cartografica, che consenta una rappresentazione realistica dei paesaggi e delle distanze, ma di un *itinerarium pictum*, che presenta i tre continenti (Europa, Asia e Africa) che costituivano l'*ecumene*, l'intero mondo conosciuto dagli antichi intorno alla metà del IV secolo. La *Tabula*, una striscia di pergamena attualmente conservata presso la Hofbibliothek di Vienna, porta il nome dell'umanista Konrad Peutinger (1465-1547), che avrebbe voluto pubblicare la carta ma morì prima di portare a termine il suo progetto. Nei risguardi del presente volume appare una riproduzione della *Tabula* (dall'edizione Olschki, Firenze 2003), per il tratto tra la Cisalpina e Roma.

risguardi di copertina –, sia punti di sosta dai nomi di fantasia. Il *cursus publicus*, ossia il sistema postale dell'impero, fu istituito da Augusto quindi al tempo di Cesare non c'era ancora, ma si suppone che le strutture di base come osterie e stazioni di cambio dei cavalli (*mansiones*) esistessero già.

Per quanto riguarda le indicazioni toponomastiche in latino ho tenuto il seguente criterio: i nomi di città seguiti da un luogo più preciso sono stati resi con diverse espressioni di locativo, per esempio *Romae, in Domo Publica* (Roma, residenza del pontefice massimo). Invece i nomi propri di locande o taverne o stazioni di cambio o di segnalazione sono indicati in nominativo quasi per rendere l'insegna da cui erano contraddistinte.

Quanto al carteggio fra Cicerone e Attico, il lettore specialista conosce l'epistolario pubblicato, quello che appare nel romanzo è frutto di immaginazione.

V.M.M.

Ringraziamenti

Ringrazio tutti gli amici e i colleghi che sono stati generosi di suggerimenti e di assistenza. E in particolare Valerio Veltroni, che mi ha spinto a intraprendere questa avventura.

INDICE

«Idi di marzo»
di Valerio Massimo Manfredi
Grandi Bestsellers
Arnoldo Mondadori Editore

Questo volume è stato stampato
presso Mondadori Printing S.p.A.
Stabilimento NSM - Cles (TN)
Stampato in Italia - Printed in Italy